媽媽的占星教養手冊

寫給媽媽的十二星座孩子教養術

上

作者
歐菲拉·艾達特
塔麗·艾達特

譯者
邱鈺萱

【推薦專文】

觀察本命盤，能夠理解孩子為什麼會有如此的反應及行為，更積極的運用，是能夠找出激勵孩子的方式，使其發揮符合本性的最佳表現。藉由《媽媽的占星教養手冊》，還可以了解自己身為母親這個角色時，會變身的模樣。讓我們貼近孩子，彼此互動更為融洽。

——Amanda 的星空

＊＊＊

身為三寶媽的我一直致力於推廣親子占星，很開心有這樣一本譯作問世！這本書以專業占星學開場，但專注在詮釋孩子與媽媽們太陽星座的最佳表現，我最喜歡的是如何幫助孩子面對手足衝突、搬家等特殊狀況，這是一本即使你不懂星盤，也會覺得被作者同理、支持的一本實用親子星座書！

——占星午茶之路領航人／Minna 夫人

＊＊＊

當自己是理工科出場的雄性邏輯人生，面對第一次生命的誕生會有一種莫名的恐懼，如同生命禮包的開箱，非常需要一本操作手冊，但生命的人格特質有千百萬種組合配件，拆箱後就此開始相處模式的各種試煉，當看到這本《媽媽的占星教養手冊》出版，第一時間覺得爸爸們更是需要透徹的來理解與孩子們的相處之道，美國心理學家發現：一個人能夠取得成就，20%取決於後天努力，80%取決於父親教導。爸爸對孩子成長的影響是母親的50倍，若爸爸陪伴孩子的時間較長，在潛移默化中就會幫助孩子養成遇事不驚慌失措、不自怨自艾的大氣沉穩性格，所以也非常推薦這本書給所有的爸爸們一起學習，讓所有的家庭都能有更和諧美好的相處之道！

——塔羅公癒心創空間／Ricky Otis

推薦序

爸媽專用的生存手冊

生完小孩教養書開始占據購書清單的絕大部分，放眼書店中的親子教養書，有蒙特梭利、阿德勒、薩提爾等各大山頭讓爸媽選不完。身為新手媽媽，頭胎就不知人間險惡地生了雙胞胎，高齡又得夾在兩頭人類幼獸中間求生存實屬不易，不多買一點訓獸指南和媽媽生存手冊，要怎麼活下來。看了這麼多心理學家和教養專家的寶典，身為怪力亂神之首的占卜師媽媽一直在尋找以星座來攻略幼獸的寶典。因此當初接觸到這本《媽媽的占星教養手冊》簡直心喜若狂。

光是知道作者同為雙胞胎媽媽，我馬上為此書按個大大的讚，因為只有雙胞胎媽媽懂雙胞胎媽媽。報章雜誌提到雙胞胎總會說：辛苦雙倍，幸福也雙倍，但身為雙胞胎媽媽當事人，我得大聲地說：幸福不一定有兩倍，但艱辛絕對有二十倍。這時候拿出星座的老本行先了解幼獸弱點與特質有效率地攻略變得非常重要，想當年了解男朋友都沒這麼勤奮。

這本書的編排可謂幼獸完全攻略手冊，不但分男女還分年紀，讓媽媽們不管是何時入手都能受用無窮。最叫人驚嘆的是，連選什麼學校，要如何處理分離焦慮都寫得一清二楚，猛然以為自己在看育兒寶典。連女兒最近讓我困擾的衣服脫光光這點，都能在書裡找到解答，簡直嚇我一大跳。書中對白羊寶寶是這麼形容的：『牡羊座由強大的火星守護……你們最好準備好面對震撼教育，他可能喜歡光著身子到處跑，對自己的身體感到自在和自豪，這點父母要習慣。』

不管你是單胞胎媽、多胞胎媽，或是想了解自己與爸媽的關係，千萬要閱讀此書。媽媽當生存手冊看，兒女當自我療癒手冊看。

沒想到占星術也能拯救媽媽們於水火之中，對作者感到敬佩萬分！

——Claudia Studio- 女巫的塔羅．芳療／Claudia

＊＊＊

孩子的使用說明書

等等，找我寫推薦序？但我更想看爸爸占星學啊！

在這個時代，敢當爸媽真的是一件膽大妄為的事！當我的同事們拖著疲憊的身軀下班，正準備躺在床上滑一整晚的手機或者出門吃飯小聚的時候，剛接完小孩回家的我，真正的工作才正要開始……

但讓人煎熬的還不只有照顧孩子所需要的體力與時間，還包括做這個不好，做那個不對，以及書店裡一整排急著幫父母親充能補強的親職教養書。難道沒有專屬我孩子的說明手冊可以參考嗎？

事實上，還真的有呢！

每個跟我一樣累垮煩爆的爸媽們有福了，這本書不僅深入地剖析了各個星座孩子的不同需求，清楚說明了每種星座爸媽各擅勝場的教養態度（連是兒子或女兒都有不同的方式呢！這本書超神啦！），還不厭其煩地為１４４種不同的星座親子配對說明了性格中的合拍以及不合拍之處。

那麼各位感興趣的爸媽們需要特別懂占星嗎？不太需要喔！因為本書作者已經用簡便的方式幫我們找出個人的母親宮以及父親宮（如果你需要的話，也可以推算出保姆宮）。只要按表搜尋，很快就可以知道自己可能習慣用什麼方式照顧孩子。當然，我認為最好的方式還是上網製作一張個人的星盤（都是免付費的），找出自己的第四宮（母親宮）與第十宮（父親宮），看看它們位於哪一個星座。

同時在使用本書的時候，也可以一併參考自己的月亮以及上升星座的位置（那張免費的個人星盤上都會有喔！），合併對照太陽星座的位置與說明，一定會更立體地把你們的親子互動關係還有你對孩子的期待都勾勒出來。

千萬別相信那些似是而非的話，有些人把孩子當成一張純潔的白紙，可以任憑我們隨意塗畫。孩子是因為跟我們有著特別的緣分才會出世的喔！他們不僅是爸媽的寶貝，如果你能懂得他們與生俱來的脾氣與喜好，他們也會變成爸媽的老師跟好友。快快跟我一起把書打開，一邊罵一邊點頭，笑著跟好朋友們一起把它讀完吧！

——愛智者書窩版主／鍾穎

謹將《媽媽的占星教養手冊》獻給我們摯愛的友人丹妮斯・托瑪索斯（Denyse Thomasos）（1964—2012），我們開始撰寫此書時她突然離世；丹妮斯是位優秀的畫家、充滿熱忱的老師，也是可愛女孩賽安的媽媽，成為母親對她而言是場心靈與靈魂的冒險。作為繼母，她證明了愛比血緣更加重要。較之於死亡，她更害怕沒能真正地活過，此生她幾乎不留任何遺憾。如果丹妮斯心有惋惜，那會是錯過和女兒計畫共同體驗的生活。我們用一杯黑咖啡（榛果口味，購自第二大道的便利商店）向丹妮斯致意，我們想念妳。妳是永遠無法被取代的母親，也是我們真正的朋友。

我們也要特別將本書獻給我們的母親，堪比教科書的獅子座媽媽朵麗絲・艾達特（Doris Edut）教導我們對世界保持好奇和驚嘆。她始終是支持我們、無比樂觀的玩伴，教導我們要不斷成長、學習和禮讚生命。阿姨卡洛琳・米克森（Carolyn Mickelson）宛如第二個母親，這位創造力十足的水瓶座女性教我們跟著自己的節奏，鼓勵我們不畏懼表達自己、尊重自己的情緒、抽空休息，對生命的荒謬一笑置之。我們親愛的巨蟹座外婆蘇菲・賽利格森（Sophie Seligson）是家庭的中心，她毫無保留的溫暖和愛，為孩提時的我們提供庇護。

我們深愛、感謝的女兒（歐菲拉的女兒、塔麗的外甥女）獅子座的克雷蒙婷（Clementine）和天秤座的希伯莉（Cybele），她們每日展現的美、才華和智慧讓我們驚奇連連。就如諺語所言：「當孩子出生時，母親也誕生了。」謝謝這兩個特別的人「催生」了我們的新視野和新發現。

目錄

導論

如果有人說「你的孩子出生時沒有附帶說明書。」恕我們無法贊同。

事實上，每個孩子都有使用說明，想要了解孩子，真正的線索都藏在他們的星座之中；每個星座都涵蓋了可觀的資訊，協助妳理解孩子的「原廠設定」。

不論是先生的本性或後天教養，對塑造我們與孩子人生的作用都不容小覷，不過季節和行星所攜帶的能量也有其影響。約在二十年前，我在密西根大學就讀時，當時純粹為了娛樂，而無意間走入占星學的世界，後來沉迷於此，最終它成為我們的事業。現在我們已經研究過數千人的出生星盤，堅定相信星座是影響個人命運的其中一主因。

那是什麼在引導孩子順利長大成人呢？推動那搖籃的手——就是妳！

仰賴占星學可以幫助妳訂做專屬自己和孩子的教養方式，有時發揮優點，有時則是抑制缺點。占星學可以解釋為什麼妳好意想教牡牛座孩子規矩與責任，但他卻在屋裡騎三輪車亂竄，撞倒妳最愛的花瓶；為什麼金牛座寶寶以睡上十五個小時聞名，獅子座寶寶卻在天一亮就蹦醒並要求關注。

作為媽媽和後母（歐菲拉），及作為阿姨和協力媽媽（塔麗）的我們，讀遍了市面上的母職教養書。理論類很有用（親密育兒法！費伯式哭泣睡眠訓練！親餵母乳，不用奶瓶！）但我們發現通用的教養法並不一定適用於每一個個體，「正確」教養孩子的方法也不存在。但我們確實感覺到，若干技巧對於一些星座的孩子會比其他星座更適用。在本書，我們幫助妳從占星學觀點理解親職教養——從給妳一張小抄開始（如果妳願意接受），羅列孩子星座的重要資訊；從選擇學校（私立或公立）到嗜好和習慣，以及理解他們頂嘴、變得黏人或不吃花椰菜時意味著什麼。第一部孩子星座，將以星座觀點引領妳在親職上的日常實踐。第二部媽媽星座，會說明每個星座媽媽的樣貌，提供妳在孩子不同年齡階段的育兒建議。第三部是極具參考價值的「星座速配表」，闡述妳的星座和孩子的星座如何配合。

市面上能見到一些關於寶寶星座的書籍，但關於母親的星座書並不多，從占星觀點講述母親和孩子互動的書籍更是寥寥無幾。然而親子連結是多麼深刻且獨特，非常值得探索！《科學人》（Scientific American）在二〇一二年十二月四日，刊登了羅伯特·馬爾托內（Robert Martone）的研究，他發現母親的身體裡可能帶有胎兒的細胞（經由胎盤或經由哺乳進入）。如果這是事實，可以毫不誇張地說，我們每個人都是自己的母親。

為人母者，比任何其他群體更容易受到評判，而且往往不太友善。身為媽媽，每天都像是身處地雷區，擔心自己一步走錯就會毀了孩子的人生：「我是否做出正確的決定？」、「怎麼讓自己與孩子的需求達到平衡？」及「是否做『對』了？」過去十年，由媽咪現身說法的部落格大受歡迎，成為諸多企業瞄準的市場，這股風潮帶來邊際效應卻也導致了混淆，育兒成為競爭性愈發激烈的事業。在二〇一二年，媽咪的消費力達到兩萬億美元（只見增加的數字），大家都渴望賺取媽咪口袋裡的錢。但另一方面，則有報章雜誌裡的文章質疑女性是否能成功兼顧事業和家庭——例如《大西洋》雜誌（Atlantic）二〇一二年七月號刊出的封面故事：〈為什麼女人仍然無法擁有一切〉。當妳在自家裡不斷跟小毛頭奮戰時，誰還想要「媽咪戰爭」以及對自己是否勝任母職的質疑！

這就是為什麼我們要寫出這本書來支持妳；本書包含經過時間驗證的祕訣，及在這段育兒旅程裡獨一無二的資源。「膽小鬼當不了母親」，妳不是現在深有體會，就是會等到孩子出生後發現。但孩子選擇「妳」來做他／她的母親，是有著特殊、靈性上的原因。你們有宿世緣分，有許多要相互學習和共享的事物；你們越了解彼此，越容易共學共享。

占星學會讓女性成為十全十美的媽媽嗎？這本書是一劑萬靈帖？可惜不是如此，因為這不是教養的本質。教養是一種持續達成平衡的過程，在妳的需求、孩子的需求、家庭關係以及人生之間。

然而，如果星座裡剛好藏有一些問題的解答呢？就把手伸向宇宙，為自己抓取一些額外的幫助吧！媽媽，妳值得擁有這一切。

	牡羊座	3月21日 ～ 4月19日	♈
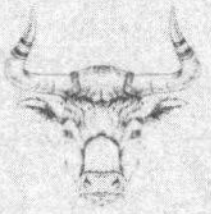	金牛座	4月20日 ～ 5月20日	♉
	雙子座	5月21日 ～ 6月20日	♊
	巨蟹座	6月21日 ～ 7月22日	♋
	獅子座	7月23日 ～ 8月22日	♌
	處女座	8月23日 ～ 9月22日	♍
	天秤座	9月23日 ～ 10月22日	♎
	天蠍座	10月23日 ～ 11月21日	♏
	射手座	11月22日 ～ 12月21日	♐
	摩羯座	12月22日 ～ 1月19日	♑
	水瓶座	1月20日 ～ 2月18日	♒
	雙魚座	2月19日 ～ 3月20日	♓

占星學入門

各個星座的媽媽，歡迎妳！很高興妳選擇這本我們帶著愛寫出的書，衷心期望幫助妳建立快樂、和諧的家庭。在進入第三部〈媽媽與孩子星座配對〉之前，我們想講解一些星座的基礎知識，以強化妳對孩子及自己星座性格的了解。無論妳對占星學完全陌生，或是每天出門前都會查看今日星座運勢，都能發現占星學海無涯。老手可藉此部分溫習，新手則可習得相關新知。希望各位展卷愉快！

太陽星座和星盤

嗨，寶貝，妳是什麼星座？當有人這樣問妳時，指的是妳的太陽星座。地球一年繞太陽公轉一圈，而太陽在黃道上移動一圈也是一年，每個月都會行經不同星座。出生時太陽進入的星座，就是我們的太陽星座，或稱黃道星座，代表一個人的基本個性和形象。

知道自己和孩子的太陽星座，可讓妳更清楚雙方的地雷及兩個人的互動模式。如果想更深入了解，可以拿出生日期、時間和出生地算出完整的星盤（許多占星網站都有提供免費服務）。分為十二宮位的完整星盤，會揭露出生時每個行星所在的位置，每個行星代表天性裡的不同面向。比如，金星是愛、美與和諧的行星，它影響個人風格、美感品味和社交能力。因此，金星落在天秤座的孩子可能更合群，對兄弟姊妹更友愛。如果金星落在唯我獨尊的牡羊座，孩子則會更好勝。

知道孩子的月亮星座，對父母來說也是有用的資訊，因為月亮星座代表一個人內心深處的情感需求，這些需求包含什麼讓他感覺安全及與他和母親的關係。月亮運行速度極快，在每個星座會只會停留兩到三天，因此一個人的太陽星座和月亮星座可能會相當不同。

每個行星繞行太陽的速度不一，因此一個人的出生星盤會非常複雜。每個行星與太陽的距離都不同，所以停留在每個星座的時間不等（水星兩到三週，木星要十二至十三個月，離太陽最遙遠的海王星則要花十二年）。不同時間出生的太陽獅子座，星盤也會大不相同。我們自己是射手座，但是星盤裡的其他行星大多落在天蠍座或摩羯座，因此給太陽射手樂天、無憂無慮的天性又添上愛恨分明、公事公辦的一面。這也是為什麼妳會覺得報紙上的星座專欄或簡短的星座運勢描述不是很準確，因為每個不同的出生星盤上還有更多可以探索的要素！

我們可以說星盤是靈魂和性格的地圖——能了解一個人的原廠設定。就像妳會用自己的螢幕保護程式和不同軟體使電腦或裝置合乎需求，人類有做出選擇的意志、意識和能力，不過我們相信妳的「內在處理器」會受到星座和出生星盤的巨大影響。

守護星

十二星座都有其各自的守護星（主宰星）。在閱讀本書時，有時會讀到某個行星是某個星座的「守護星」；守護星會影響該星座的特性和優點。

星座	守護星
牡羊座	火星，衝動和挑釁
金牛座	金星，愛、美與和諧
雙子座	水星，溝通和創意
巨蟹座	月亮，情緒和滋養
獅子座	太陽，勇氣和自我意識
處女座	水星，溝通和創意
天秤座	金星，愛、美、和諧
天蠍座	冥王星，力量和控制（少部分受到火星守護）
射手座	木星，幸運和樂觀
摩羯座	土星，規矩和毅力
水瓶座	天王星，解放和激烈改變（少部分受土星守護）
雙魚座	海王星，同情心和想像力（少部分受木星守護）

太陽星座和人體

等等，不只如此！十二星座也和人體各部位相關。順序以居首的牡羊座開始，它掌管頭部，接著是金牛座，掌管頸部和喉部……以此類推，直到最後一個星座雙魚座，其掌管足部。妳的星座所掌管的區域可能是妳的焦點所在，像是穿衣打扮時想強調的部位、多數人會注意的位置或會發生問題的部位。例如摩羯座掌管牙齒，許多摩羯座小孩笑起來就像要拍牙膏廣告似的（或他們有天得帶牙套）；小雙魚可能很愛鞋子，或可能有足部問題；處女座掌管消化系統，吃奶、換尿布或小便的時間可能像時鐘一樣準時。

身體部位

太陽星座	身體部位
牡羊座	頭部、臉部、頭髮
金牛座	頸部、喉部
雙子座	手臂、手部、肩部
巨蟹座	胸部、胃部
獅子座	心臟、脊椎、上背部
處女座	腰部、消化系統

太陽星座	身體部位
天秤座	下背部、後背
天蠍座	胯部、生殖器官
射手座	大腿、臀部、腰部
摩羯座	膝蓋、牙齒、皮膚、骨頭結構
水瓶座	小腿、腳踝
雙魚座	足部

四大元素

每個星座分屬火、土、風、水四大自然元素之一。

火象星座

牡羊座、獅子座、射手座

火象星座是出了名的創意行動者。他們活力十足、積極主動，有時性急衝動。他們渴望多樣的變化和全新的經驗，可能一直處於忙碌、活躍中。冒險是他們的樂趣所在，火象星座孩子的父母可能需要教導孩子做事要有始有終，不要一覺得無趣就改弦易轍。追求自己熱愛的事物可能是火象星座的主要目標，但也需要學習在物質世界中賴以為生的一技之長。

火象星座的父母活躍、沒耐心且行事衝動。他們終生都在學習，會跟著孩子一起成長變化。他們也許需要培養穩定性，因為在滿檔的行事曆中，一旦必須兼顧孩子的養育工作，他們恐怕會變得手忙腳亂。

土象星座

金牛座、處女座、摩羯座

土象星座是創造恆久架構的建造者，他們通常忠誠、穩重、渴望穩定與安全感。這三個星座相當傳統，改變他們需要循序漸進。不過，他們也可能陷入自己的框框，因此土象星座孩子的父母偶爾需要把他們推出舒適圈。土象星座的人也可能過於重視物質，會忽視夢想或習慣，以表面價值評斷他人。

土象星座的父母可能傳統、按部就班、堅定，給予孩子很棒的安全網，但他們可能會成為墨守成規的人。隨著孩子成長，他們需要適應變通，學著改變自己的生活。

風象星座

雙子座、天秤座、水瓶座

風象星座是傳訊者和溝通者，他們就像風一樣會擴散到許多方向，或是有「令人如沐春風」的性格，既風趣又受歡迎。他們的興趣嗜好多元，且多才多藝，善於客觀看待事情，但有時也會昏頭轉向。風象星座孩子的父母需要教導孩子做決定的技巧，幫助他們脫離「分析癱瘓」的狀態；鼓勵他們聆聽自己的情緒和直覺，而不是只靠邏輯推論；推動他們追求熱情，坦率地接受與表達自己的感受。

風象星座父母風趣、活力十足且聰明，在多數情況下能夠退一步客觀看待事物，因此孩子容易和他們對話，他們既是孩子的父母也是朋友。然而，有時可能太酷了，孩子只是來討個擁抱，而他們卻滔滔不絕。

水象星座

巨蟹座、天蠍座、雙魚座

水象星座的人較為感情豐富、重視家庭。他們需要舒適、安全和理解。這些感受敏銳、善解人意的人通常從小就很會照顧家人，對家人以外的對象要很長的時間才能建立信任。水象星座孩子的父母需要為他們在廣闊的世界裡建立自信心。此外，水象星座有驚人的直覺，但他們需要學習動腦，而非單憑感覺。他們很敏感，習慣把事情放在心裡，需要幫助他們從強烈情緒下抽身，客觀分析情況。

水象星座父母通常多愁善感、保護欲強並且擅於照顧人。他們準確感知到孩子的感受，確保自己的家庭擁有一切需要的事物。分離對水象星座很難承受，因為他們對人有很深的依戀。學著讓孩子奮鬥或獨立找出解決辦法，對孩子來說是重要的一課。

特質：啟動星座、變動星座和固定星座

每個星座也可從特質上分為：啟動星座、固定星座或變動星座。每一個季節包含三個星座。啟動星座為季節的第一個星座；固定星座為季節中間的星座；變動星座為每一季的最後一個星座。理解星座特質能幫助妳發現自己是發起者、執行者或是收尾者。每個特質在世上都發揮重要作用，每個團隊（或家庭）的成員如果各有這些特質，就能達到很好的平衡（如果家庭能達到此平衡，妳可說是非常幸運）。舉例來說，如果要開啟唱片事業，分工會是這樣：啟動星座是明星、宣傳者或展開行動的引領潮流者；固定星座則是認真踏實、耐心製作專輯的幕後人員；而變動星座是編輯者，對接近完成的專輯進行最後控管和重新混音。

啟動星座

牡羊座、巨蟹座、天秤座、摩羯座

啟動星座是發起者和領導者。他們會承擔責任，開啟一項任務；他們也是天生的領袖人物，喜歡做大事和承擔責任。

固定星座

金牛座、獅子座、天蠍座、水瓶座

固定星座是建造者和工蜂。他們能堅強地面對困難，工作有始有終；他們也韌性十足，但可能抗拒改變。

變動星座

雙子座、處女座、射手座、雙魚座

變動星座是旅行者和大使。他們靈活善變，喜歡多樣性，很快就適應新環境。他們是能將經過淬鍊的傳統以及嶄新的想法二者連結的橋樑。

黃道十二宮

三百六十度的黃道面分為十二個宮，每一宮各代表每個人身分和生活的不同層面。

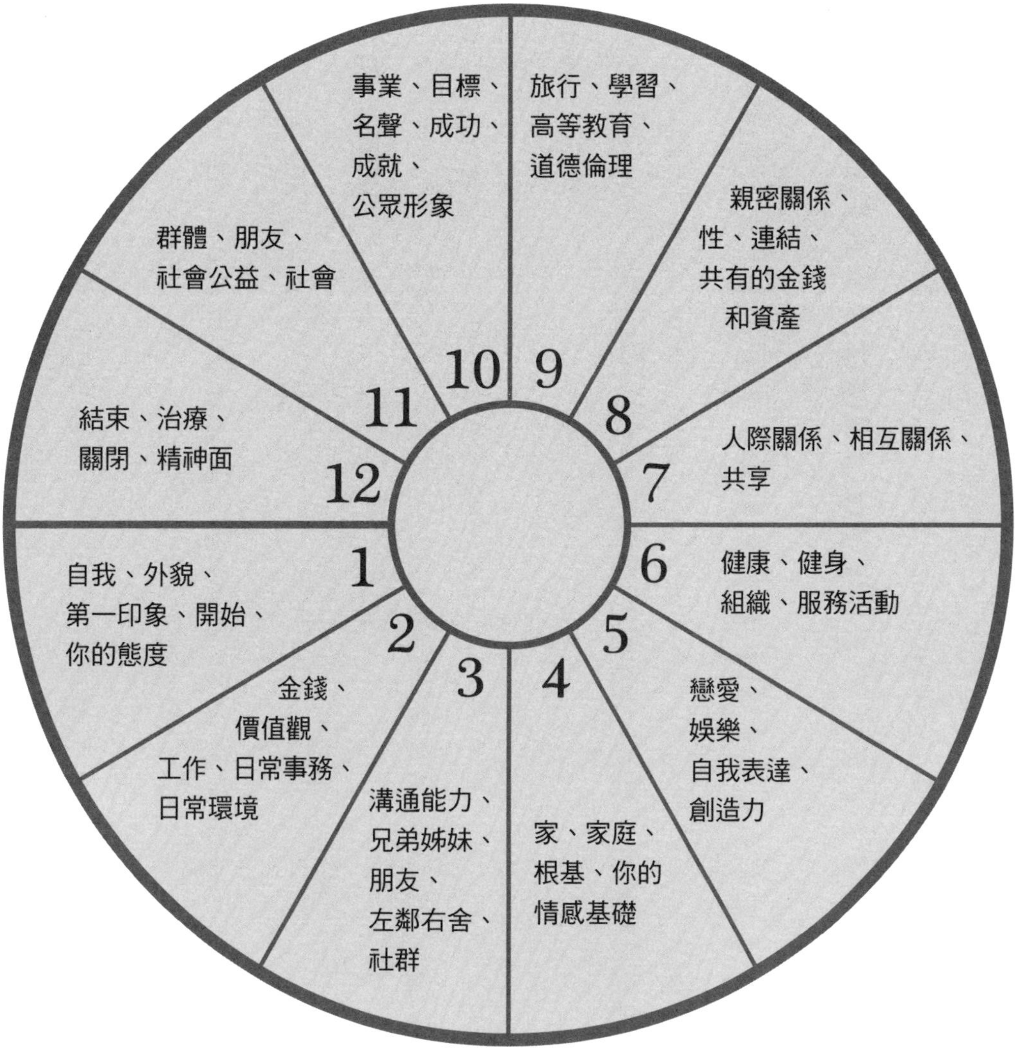
10
事業、目標、
名聲、成功、
成就、
公眾形象
9
旅行、學習、
高等教育、
道德倫理
8
親密關係、
性、連結、
共有的金錢
和資產
7
人際關係、相互關係、
共享
6
健康、健身、
組織、服務活動
5
戀愛、
娛樂、
自我表達、
創造力
4
家、家庭、
根基、你的
情感基礎
3
溝通能力、
兄弟姊妹、
朋友、
左鄰右舍、
社群
2
金錢、
價值觀、
工作、日常事務、
日常環境
1
自我、外貌、
第一印象、開始、
你的態度
12
結束、治療、
關閉、精神面
11
群體、朋友、
社會公益、社會

檢視星盤來看教養線索時，我們要關注三個宮位。

第四宮：母親宮

星盤的第四宮跟家、家庭、孩子、母親和女性特質有關。這個宮顯示妳會是哪種媽媽及如何教養孩子；預告妳與生俱來的教養優勢以及養育兒女的方式。孩子星座的第四宮則顯示他需要哪種母親或養育方式。

第六宮：保母宮

無論是送孩子去托兒所，或在特別的約會夜晚雇用保母照看孩子，第六宮顯示孩子最適合哪種保母或育兒員，是活潑的玩伴或嚴肅的管家？

第十宮：父親宮

你的爸爸是誰？星盤第十宮跟男性、規則、社會結構、權威、父親和男子氣概相關。它代表一個男人成為父親後，會採取的教養方式。在孩子星盤上的第十宮，意味他需要哪種父親和管教方式。

誰在妳的宮位上？宮位掌管及其影響

根據太陽星座，星盤上的每個宮位會由一個星座掌管或守護。這個守護星，或位居每個星座宮位尖端（分界線）的星座也會發揮強烈作用。一個星座掌管一個宮位，意味它對此宮位代表的任何事物都帶有強大影響力。因此，第四宮（母親宮）的守護星又左右著教育兒女的方式；第六宮（保母宮）的守護星則會顯現哪一類的保母最適合寶寶。一個宮位的守護星會塑造此人在該領域的行為、信念、反應和需求。

教養相關宮位的格外迷人，是因為讓人更深入、廣泛地認識自己。為什麼呢？妳的母親宮守護星是一個跟太陽星座截然不同的星座。妳可能是獨立自主的射手座媽媽，卻有著依賴心極強的雙魚座守護其母親宮。因此，許多人在成為媽媽後會表現出個性中截然不同的一面，起初可能會覺得不自在或不熟悉，難怪很多媽媽在生孩子之後面臨自我認同危機。除了忙著換尿布和夜夜無法安眠以外，從星盤角度來說，妳也正在探索一個全新世界。

不過別擔心，妳不需要成為星座專家也能運用本書知識。我們提供了每個教養宮位的簡便圖表。但我們首先要解釋找出宮位守護星的流程。

找到妳的母親宮（第四宮）守護星

要找到第四宮（母親宮）守護星，從妳的太陽星座開始按星座順序數，數到第四個：

牡羊座→金牛座→雙子座→巨蟹座

牡羊座媽媽的第四宮守護星為巨蟹座，因此牡羊座媽媽在教養風格有巨蟹座特質。

巨蟹座→獅子座→處女座→天秤座

巨蟹座媽媽的第四宮守護星為天秤座，因此巨蟹座媽媽在教養風格有天秤座特質。

找到孩子的保母宮（第六宮）守護星

要準確找出到第六宮（保母），從孩子的太陽星座開始數，數到第六個：

天蠍座→射手座→摩羯座→水瓶座→雙魚座→牡羊座

牡羊座為天蠍座孩子的第六宮守護星，因此，對一個天蠍座孩子而言，最佳保母要擁有牡羊座特質。

找到爸爸的父親宮（第十宮）守護星

找到父親的教養風格，或說他第十宮的守護星，從其太陽星座開始數，數到第十個：

金牛座→雙子座→巨蟹座→獅子座→處女座→

天秤座→天蠍座→射手座→摩羯座→水瓶座

金牛座爸爸的第十宮守護星是水瓶座，因此金牛座爸爸的教養風格將有水瓶座特質。

妳的教養風格：哪個星座守護妳的母親宮（第四宮）？

媽媽的太陽星座	第四宮守護星	媽媽的教養風格
牡羊座	巨蟹座	妳對孩子有很強的占有欲，就像螃蟹一樣緊緊抓住所有珍惜的東西。令人驚訝的是，有了孩子會讓獨立的牡羊座表現出母雞捍衛小雞的一面。由於巨蟹座重視情感，孩子可能會激起妳的強烈感情（有時是強烈反應，這跟急躁的牡羊座性格不是很好的現象）。如果妳一向冷酷無情，就要準備好發現自己多愁善感的一面。
金牛座	獅子座	驕傲、有威嚴，妳是家族裡的女王。有愛炫耀的獅子座在第四宮，因此妳喜歡寵小孩，吹噓他們的成就，把每座獎盃和每張獎狀都掛出來。妳可能是接送區或家長會上穿得最漂亮的媽媽，如果不是，妳的孩子也會有自己的風格。妳會在家裡開豪華的生日宴會，逢年過節則會精心布置家裡。
雙子座	處女座	有挑剔的處女座在第四宮，讓率性的雙子座意外變得有些A型性格。處女座是關切健康的星座，因此妳會是個講求天然食材的媽媽，準備無麩質食物、在家自製食物、買昂貴的生機寶寶食品。小心對孩子過於嚴格，因為擅長分析的處女座會讓當了媽媽的妳變得有點吹毛求疵。

媽媽的太陽星座	第四宮守護星	媽媽的教養風格
巨蟹座	天秤座	天秤座是代表合群的星座，妳跟孩子在一起的時間怎樣都不夠（可說是形影不離）；跟孩子在一起，對你們兩人都有撫慰作用，受到有耐心的天秤座影響，妳喜歡透過孩子的眼睛體驗每個驚奇時刻。天秤座是講求美感的星座，因此妳喜歡為孩子買東西、布置育兒房、帶他們接觸藝術。妳的孩子會打扮得光鮮整齊且教養良好。
獅子座	天蠍座	獅子座負責任，配上強勢的天蠍座在第四宮，恐怕會事必躬親。差別是，獅子座的人勇敢、心胸開闊，天蠍座則是小心謹慎，甚至疑心過重。過往妳的招牌原則「先信任對方，以後再問」，並沒有延伸到養育孩子上。天蠍座追求深刻、永久的關係，因此很難切斷跟孩子的臍帶關係。妳會積極參與孩子生活的大小事，這點很令人敬佩，但有時會過度深入，因此要學習何時退一步，讓孩子自由發展。
處女座	射手座	不再是細節控！由處事圓融、崇尚冒險的射手座掌管這一宮，成為人母的妳變得思想開明，不再總是嚴格遵守規矩。當然，妳可能會擔心孩子有沒有好好喝奶，或是成長表的百分比例是否符合標準（畢竟是處女座），不過妳也會讓孩子接觸更寬廣的世界，帶他們認識不同文化、參與多采多姿的活動和旅行。當了媽媽以後，不再和往常一樣為小事抓狂，難怪許多處女座都很享受媽媽的角色——會放鬆下來，並且樂在其中。

媽媽的太陽星座	第四宮守護星	媽媽的教養風格
天秤座	摩羯座	從井井有條到混亂不堪？自由自在的天秤座是出了名的散漫，但妳的第四宮（母親宮）由條理分明的摩羯座司掌。成為母親之後，突然就能夠訂定規矩，凡事按部就班，在孩子面前有威嚴，但他們仍然喜歡妳。即使天秤座最不愛和人衝突，但可以用堅定、有威勢的方式處理孩子的踰矩行為。天秤座容易遲到，養育孩子甚至會讓妳變得更守時。妳會擔心孩子的前途，不過因為摩羯座的影響，早早就為孩子規劃好就讀的幼稚園，或是去巴結私立貴族中學的招生顧問。
天蠍座	水瓶座	天蠍座是性子最剛烈的星座，成為母親卻會帶出天性裡從容、不拘小節的一面。古靈精怪的水瓶座影響妳的教養方式，妳會是社交圈最新潮的媽媽，穿著打扮年輕；對孩子來說，妳既是媽媽也是朋友。但要當心彼此二元對立的個性——天蠍座對人的依戀很深，而水瓶座的特質是情感疏離。這個對比有時會讓妳對孩子忽冷忽熱；前一秒，占有欲十足；下一秒，妳會放手，讓自己輕鬆也讓他輕鬆。
射手座	雙魚座	獨立的射手座要是受到善於照顧人的雙魚座影響，自由的滋味對妳而言就沒那麼甜美了。射手座率直，而富有同情心的雙魚座會幫助妳磨平稜角，變得更溫和。在雙魚座的影響下，要當心過於要求引起的內疚感，讓妳被每日育兒的細節給壓垮。射手座通常意志堅定，卻容易被孩子說服，因此設定不可動搖的界線，對妳而言會變成挑戰。射手座本來就個性慷慨，可能會付出太多——第四宮守護星的影響會讓妳傾向成為「犧牲奉獻的媽媽」。

媽媽的太陽星座	第四宮守護星	媽媽的教養風格
摩羯座	牡羊座	誰是老大？妳的太陽星座是摩羯座，是天生的領導者，但愛扛責任的牡羊座增加妳的強勢。摩羯座可能謹慎含蓄，而急躁的牡羊座衝動又直接，使妳在當媽媽時比在其他方面更大膽。妳也是強大又能幹的榜樣，如果知道自己的行動能激勵小孩願意冒險，便會嘗試小心謹慎的摩羯座平常不會做的事。牡羊座和摩羯座都是「陽剛」的星座，因此妳可能是扛起家計、訂立規矩的那位，集傳統典型的父母親角色於一身。
水瓶座	金牛座	腳踏實地，按部就班？誰，妳嗎？還沒當媽媽以前可能不是，一旦成了媽媽，是的，隨興、自由的水瓶座媽媽在能幹金牛座的影響下，會成為計畫大師。過去無法固定下來的妳，成為事事可靠的媽媽。跟孩子在一起，潛藏的A型性格完全展露無遺。在其他層面，妳的生活狀態可能是「好複雜」。然而喜歡簡單的金牛座會排定優先順序和重點，因此妳會非常擅長處理家庭開銷、計畫、安排派對或布置嬰兒房，及確保日常例行公事順利進行。
雙魚座	雙子座	媽咪或永遠的好朋友？雙魚座有個老成的靈魂，而青春洋溢的雙子座為妳的腳步添加活力，為教養風格帶來有趣轉折。孩子會將妳拉出情緒深淵，讓妳開懷大笑和放鬆。由於雙子座掌管溝通，跟孩子談話至關重要；你們可能談話好幾小時，一起念書、聽音樂，因為雙子座是雙胞胎形象的星座，你們的穿著會很相似。雙魚座天性會照顧人，傾向過度給予，甚至為不良行為找藉口。幸虧雙子座不像雙魚座一樣容易心軟，因此當孩子在欺騙捉弄妳時，能夠退一步看清這一點。

依照孩子星座找到終極保母

現在大多數的核心家庭父母都在工作，這代表妳需要找一位理想的保母在白天幫妳帶孩子——占星學在此派上用場。但是等一下……別想找跟妳一樣的人。孩子需要保母幫他的地方，跟作為媽媽能提供的不一樣。妳甚至會注意到，孩子會聽從保母、老師的，卻不願聽妳的；或者黏人的小孩在保母面前變得獨立。這是因為各個星座的第六宮（保母宮）有不同的守護星。這裡將介紹如何找到與孩子性格相配的保母個性。

孩子的太陽星座	第六宮守護星	保母的特質
牡羊座	處女座	注意！唯我獨尊的牡羊座渴望有一個真正只專注他們、能給予坦誠意見的保母。一個關注健康、會定規矩（但不會管過頭使孩子受不了）、給孩子任務、建立他們責任心的保母，會讓他們成長得更好。要慣壞牡羊座太容易了，因此要找一個不怕拒絕孩子的人。
金牛座	天秤座	是的，霸道的金牛座需要界線，但更需要友善、公平的保母帶出他們溫和的本性。找一個穩定的保母來教導莽撞的金牛座如何成為能分辨對錯、更善良溫柔的人。如果你的保母正好有藝術或音樂天分會很加分（比如來自巴黎的換宿保母），可以提升金牛座孩子的文化素養。

孩子的太陽星座	第六宮守護星	保母的特質
雙子座	天蠍座	古靈精怪的雙子座知道怎麼耍大人，因此要雇用一位反應敏捷、不會誤中他們詭計的保母。機智聰明，但是頗具威嚴，聰明的保母與雙子座孩子會是勢均力敵的腦力對戰！
巨蟹座	射手座	世故、富有冒險精神的保母最能夠將小巨蟹拖出他的殼，別想寵溺或迎合他的害羞性格。射手保母能帶著巨蟹座孩子開心出門，帶他在舒適圈以外的世界建立自信。幽默感和同理心是必要條件，找一個性格樂觀的保母，能讓這個喜怒無常的孩子變得開朗；在他鑽牛角尖時讓他稍微放鬆。
獅子座	摩羯座	找一個了解兒童發展、條理分明的保母才能給好動的獅子座一些有益健康的建議；成就導向的保母可以幫忙教導急躁的獅子座，如何將自信心用在培養日後維生的能力和技巧。雇用稍微嚴厲的人來教獅子座成為好的運動家，讓他們無論輸贏都能保有優雅風度。
處女座	水瓶座	處女座可能會鑽牛角尖，一位隨和的保母可以教他們不為小事煩心。這些會自我批評的小孩需要友善、性格寬厚的榜樣來教導他們：犯錯沒關係，重點是不要害怕嘗試！
天秤座	雙魚座	相信白日夢？創意十足的天秤座需要直覺強的保母來培養想像力，這樣才會成長得順利，但請不要把嚴厲當作關愛。天秤座需要溫和、有同情心的保母，優雅而不是嚴格要求他們循規道矩。有些天秤座孩子可能會和保母發展出直覺性或心電感應般的連結。

孩子的太陽星座	第六宮守護星	保母的特質
天蠍座	牡羊座	動起來！性格激烈的天蠍座需要意志強大、體力好和敢於拒絕的保母。雖然這個強悍的星座可以擺布媽媽，但一點嚴厲的關愛是有好處的。否則，精明的天蠍座最後會變成主導一切的人。
射手座	金牛座	射手座需要能扎根的土地！這個衝動頑皮的小孩根本坐不住，他們同時有無數的夢想、計畫、遊戲和冒險在進行。一個穩定、始終如一的保母可以成為踏實的土地，承接他們動個不停的雙腳。找一個有耐心的保母，讓射手座知道怎麼按常規做事，但又不會束縛他們。
摩羯座	雙子座	誰才是這裡的大人？小心謹慎的摩羯座需要開朗、多才多藝的保母鼓勵他們開心玩樂，也跟他們一起玩。找一個有創意的人，能幫一板一眼的摩羯座跨出界線，畫出繽紛色彩，也能教導他們學習犯錯且不畏嘗試。
水瓶座	巨蟹座	古靈精怪的水瓶座享受自由，但是也需要擁抱和溺愛。信不信由妳，這些個性獨立的孩子，喜歡有強大母性的慈愛保母呵護，即使稍微保護過度也沒關係，畢竟他能保護天不怕地不怕的水瓶座免於陷入危險。
雙魚座	獅子座	小雙魚座可能表現害羞，但這些敏感的孩子有很多面向。一位溫暖、保護欲強、表情豐富的保母可以培養這些孩子的藝術家特質，鼓勵他們放輕鬆，跟世界分享他們的才華。一個自信、能幹的保母可以成為雙魚座的榜樣，學習他們所需的自信心。

爸爸是怎樣的人？落在父親宮（第十宮）的星座是？

爸爸的太陽星座	第十宮守護星	爸爸的教養風格
牡羊座	摩羯座	馴服這個狂野的男人?!凡事按部就班的摩羯座守護牡羊座的父親宮，這及時行樂的男人將成為能幹的爸爸。孩子可以帶出牡羊座負責任和可靠的那一面，激發他成為孩子的榜樣。他也會幫助孩子設定目標，達成崇高的成就。唯一可能的缺點是，牡羊座本身就已經有點令人生畏、權威十足，加上摩羯座的影響，可能會是鐵腕家長，給自己和孩子太多壓力，而非享受當下。
金牛座	水瓶座	他是按計畫做事的人，只有孩子的事例外。金牛座通常按部就班、有自己的步調，不過成為父親後，會帶出他古怪、想做就做的一面。他喜歡和孩子一起笑並探索世界，他可以是帶來歡笑的人。（比如，這個沉默寡言的男人會模仿卡通人物的聲音。）如果妳有忙碌的工作，可以把陪孩子玩遊戲的任務交給金牛座爸爸。他會開心地重返青春，透過跟孩子的體驗產生與過往青春的連結。妳也可能看到他支持改革進步的一面，因為當爸爸以後，他對性別角色的看法就不再那麼傳統。

爸爸的太陽星座	第十宮守護星	爸爸的教養風格
雙子座	雙魚座	神祕男子？能言善道的雙子座在當爸爸以後變得更愛沉思，也許是陷在自己的思緒和情緒裡。受到超級感性的雙魚座影響，可能會帶出雙子座爸爸敏感的一面。這點起初可能會讓他被腦中訊息淹沒，因為他不習慣排山倒海的情緒。他會需要獨處時間來重振精神。不過，如果雙子座男人臣服於愛，就會忘掉理性的一面，只看自己的心，這對想太多的雙子座有益。
巨蟹座	牡羊座	家裡的爸爸大人！巨蟹座多愁善感，有時甚至缺乏安全感，但成為爸爸以後，他變得果敢自信，成為孩子的偉大榜樣是他的第一要務。他喜歡和孩子一起冒險；內在由牡羊座掌管的體育迷傾向會出現，他可能是熱愛運動或戶外冒險的爸爸。他需要孩子的尊敬和敬仰，甚至跟其他爸爸有競爭比較的心理。小心他的脾氣，巨蟹座平常很有耐性，但受到易怒牡羊座的影響，可能容易不耐煩。
獅子座	金牛座	嗨，驕傲的家長。在穩重金牛座的影響下，自信的獅子座變得更高傲，自尊心更強。成為父親以後，他關注的是傳承傳統，留下傳奇及不辱家門（不必感到奇怪，他會幫兒子取祖父的名字）。他可能頑固，價值觀難以改變，但孩子知道這位獅子座父親的立場。唯一要注意的隱憂是，他可能變得太嚴肅或因循守舊。另外，金牛座的寬容天性可能讓獅子座變得懶惰，妳會看到他和孩子一起吃甜食或買一堆禮物來寵孩子。

爸爸的太陽星座	第十宮守護星	爸爸的教養風格
處女座	雙子座	代表理性、智慧的水星掌管處女座和雙子座，因此這個爸爸格外有智慧且具觀察力。水星代表溝通能力，因此處女座爸爸一直在學習、說話還有教導（是的，說教）。他珍惜跟孩子交談的時間，孩子願意跟他無所不談，沒有任何禁忌話題。他享受跟孩子一起學習、閱讀和探索新點子，他希望孩子成為有見地、能批判思考的人。
天秤座	巨蟹座	天秤座男人本身就和女性的一面有所連結，加上有母性強的巨蟹座守護其父親宮，因此他天性裡的養育能力可以完全發揮。喜歡待在家裡和家人在一起相處，度過有趣時光及創造回憶。笑一個！這個情感豐富的巨蟹座爸爸想用照相機捕捉每個美好時刻。妳會看到他打造出舒適、設備齊全的家，會下廚、打掃、換尿布，一有機會就會扭轉刻板的性別角色。他會坦率表達感情，要求紀律不是他的強項。若實行紀律，會變得太情緒化，就像個天秤座，脾氣從零度上升到六十度。爹地，深呼吸一下！
天蠍座	獅子座	表現出來吧！天蠍座是出了名的神祕和深藏不露，獅子座將他們從冷峻面具後拉出來。對孩子而言，天蠍座爸爸愛開玩笑、慈愛且非常有保護欲。獅子座是最有創意的星座，成為爸爸可以讓他最愛的創意得以發揮，也能讓自己玩樂一下。他會烤餅乾、和孩子一起在地上滾、認真進行藝術計畫，做很多事以表現出自己的游刃有餘。一般相當自制的天蠍座爸爸會寵孩子，不惜成本給他們最好的生活。

爸爸的太陽星座	第十宮守護星	爸爸的教養風格
射手座	處女座	上課了！聰明的處女座，守護探索者射手座的父親宮。這位愛說教的爸爸喜歡把他自己所知的技能和智慧傳授給孩子；分享對書本、新知和學習的熱情，培養他們的好奇心。射手座在當爸爸以前可能是豪放男子，但有了孩子以後，可能會過於正直或愛講禮義道德。在其他方面，他的注意力時間短，但作為爸爸，觀察力會變得十分敏銳。有時愛叨念說教，甚至有點愛批評。
摩羯座	天秤座	在天秤座友愛風格的影響下，剛毅的摩羯座會出現較柔軟的一面。摩羯座事業心重，會按部就班地規劃十年計畫並付諸行動，然而受到天秤座即時行樂的影響，讓父親不再把焦點放在未來。他開始享受各種小事，品味當下，不擔憂正在發生的每件事。帶孩子接觸藝術、文化和美好事物成為摩羯座的優先選項，透過與孩子互動連結自身創造力。唯一的缺點是，他可能變得不喜歡衝突，厭惡在必要時刻堅決劃出界線或管教孩子。由於受到天秤座守護，他可能會疲於奔波在職場和家庭之間。

爸爸的太陽星座	第十宮守護星	爸爸的教養風格
水瓶座	天蠍座	自由自在的水瓶座在天蠍座的影響下，會取得堅定的方向感。過去漂泊不定、愛好廣泛的水瓶座，在當了父親後找到焦點，不錯失任何細節，能調頻到孩子性格的每個微小處。他的新興趣可能變成觀察孩子每個錯綜複雜的狀態，並把時間花在有意義的事情上——陪伴彼此。這個星座平時有點疏離，但是成為父親後，他變得跟孩子很親密（情緒上，甚至是心理上），即使他不一定會表現出來。由於天蠍座特質天生多疑，保護欲很強，甚至對安全問題有點神經質，此時可能會讓孩子覺得神祕、複雜或者難懂。
雙魚座	射手座	敏感的雙魚座當了父親後，會發現自己世故、富冒險心的一面。原本可能臉皮薄，或者任何事都能往心裡去，但當了父親後懂得從更廣闊的視野看待事物，也學會自嘲。畢竟人生就像一齣神曲，接下來，他將和小孩一起愉悅地觀賞這齣戲。射手座能從各種角度觀察事情，擅長提出建議和捍衛公平正義。他會是愛講道理、開放的爸爸，孩子可以跟他交心，分享所有事情或是在人生、戀愛問題上徵詢他的意見。

星座受孕日曆

雖然關於孩子是哪個星座我們會交給大自然決定，但有時會極度渴望擁有某個星座的孩子。那麼，此時就瞄準月亮（或是太陽星座）吧！這裡列出的受孕日期可提供有更多機會懷上星座速配的孩子。

想要的孩子星座	目標受孕日期
牡羊座	6月25日～7月15日
金牛座	7月25日～8月15日
雙子座	8月25日～9月15日
巨蟹座	9月25日～10月15日
獅子座	10月25日～11月15日
處女座	11月25日～12月15日

想要的孩子星座	目標受孕日期
天秤座	12月25日～1月15日
天蠍座	1月25日～2月15日
射手座	2月25日～3月15日
摩羯座	3月25日～4月15日
水瓶座	4月25日～5月15日
雙魚座	5月25日～6月15日

第一部

孩子星座

Child Sign

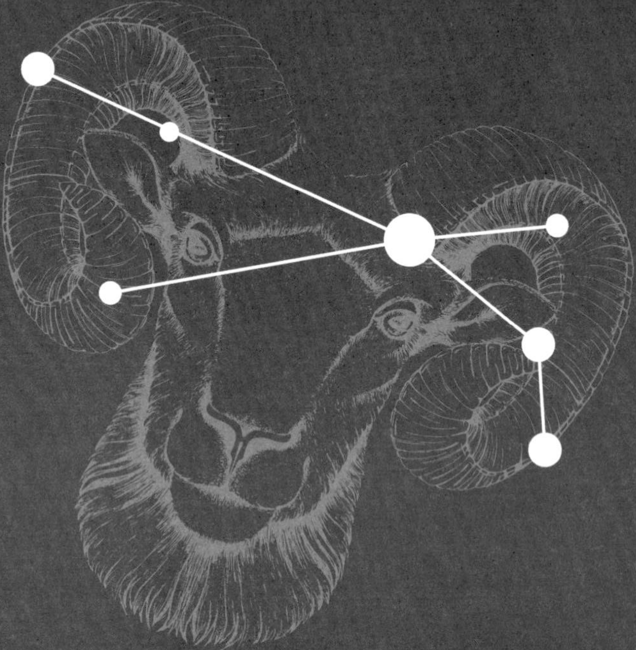

牡羊座孩子

（3月21日～4月19日）

符號：公羊
守護星：火星
元素：火
身體部位：頭部、臉部、頭髮
誕生石：鑽石
顏色：紅色
優點：精力充沛、有競爭心、獨立、自信
缺點：霸道、幼稚、好鬥、自私或苛刻

喜歡：

自主和負責一件事
照自己的意思做事
獲勝以及成為「最優秀」的人
感情和安慰鼓勵
注意力和真誠讚美
自由
冒險和接受挑戰
明亮顏色及閃亮、嶄新的東西

不喜歡：

限制和規矩
重複
強迫參與
感官過度負荷
被貶低或被保護
形單影隻太久
不誠實和不坦率
受到忽視

妳想要一個**牡羊座**孩子嗎？

牡羊座孩子的目標受孕日：6 月 25 日～ 7 月 15 日

過去和現在的牡羊座名人——

艾碧・貝絲林、海利・喬・奧斯蒙、潔美・琳・斯皮爾斯、哈珀・貝克漢、艾美麗佳・法瑞拉、艾兒・芬妮、凱莎・奈特・普萊姆、艾瑪・華森、凱莉・羅素、克莉絲汀・史都華、克萊兒・丹尼斯、海登・克里斯坦森、梅麗莎・喬・杭特、莎儂・多赫提、珍妮・嘉芙、芭莉絲・傑克森、傑西・麥卡尼、盧卡斯・哈斯、瑞克・斯克路斯、莫伊塞斯・阿里亞斯

✶教養妳的牡羊座孩子：基礎篇

媽媽，繫好妳的運動鞋！牡羊座是由火星守護的火象星座，是一個充滿鬥爭心和抱負的火熱戰士行星。這個活力充沛的小孩缺乏耐性、渴望刺激，因此非常好動。作為第一個星座，牡羊座喜歡在群體裡當最突出的那個人，凡事都搶第一。即使小牡羊的競爭心有時可能令同儕厭惡（呼叫由牡羊座演員瑞絲・薇斯朋在電影《風流教師霹靂妹》裡扮演的崔西・弗利克，一位渴望當選學生會會長的出色學生），但是妳手裡可是擁有一位風雲人物呢！不管是否準備好，多虧家裡的早慧神童，妳很快就可能會出演「舞台上的父母」，在履歷添上一筆。

牡羊座孩子小時候非常可愛，妳可真幸運！當從四面八方湧來對他們的讚美時，要保持冷靜，妳可能需要阻止自己不讓他操控大局，因為牡羊座孩子就是那麼可愛！要對這個意志堅決的火球說「不」是件難事，但是務必提醒自己，如果不斷使用強制手段來看管他們，最後可能會有個名副其實的小怪獸要對付。

作為星座裡的「寶寶」，牡羊座也有較不為人知、害羞的一面。他們既驚人地大膽，但也非常害怕被拋棄；在嬰幼兒時期，可以嚎啕大哭，抓著媽媽的圍裙不放（讓父母感覺無助）或是像人質！小牡羊可以在妳還沒說完「媽媽」兩個字時就從莽撞變得黏人，因此父母必須察覺這個孩子既需要安全感、也要求獨立的衝突性格。

在發展階段，給小牡羊強烈安全感格外重要。因為他們身上同時具備老成的智慧和天真爛漫的特性，所以可以教他在行動前考慮清楚，學習相信自己的直覺；也可以採取「事後諸葛」的方式，讓孩子先稍微跌入谷底，接著再透過檢討錯誤，幫助他學習深謀遠慮的道理。「鼓勵」對這個星座很有效，因為富有競爭心的牡羊座覺得閃亮的星星標章多多益善。這個孩子需要（想要）完整的關注；養育牡羊座孩子可能會令人感到疲憊，因為在他講述一天的每個細節時，妳別想偷瞧電子郵件，或一邊把衣服丟進洗衣機。（一位朋友的牡羊座幼兒搖搖晃晃地走到媽媽旁邊直接說：「我需要關注」。）

對成就導向的媽咪來說（向妳的事業道別），這可能令人挫折，但還是有好的一面，同時忙於多項任務並不健康，甚至成效不彰，牡羊座孩子會不經意地強迫妳排定優先次序，讓妳更享受當下。當然，有時意味著需要完全重新配置身分和生活型態，也許雙親之一會在孩子還小時留在家裡，或者委託爺爺奶奶在上班時照看，不過牡羊座孩子可能會直率地瞪大眼睛，因為他不相信任何人！

妳也必須學著設定限制，對自己、朋友、家庭和孩子，這孩子會開心地品味妳給的所有關注，之後只要有一些就能滿足。牡羊座是一對一的星座代表，會強烈依賴另一個人來滿足所有需要，然而引導他們建立自信和完成任務，會是個解決的方法（有兄弟姊妹或寵物要照看也可以）孩子一旦沉浸在嗜好興趣裡，對父母強烈的需要就會被手邊的任務抵銷。哎啊！妳很快就會聽到他們說「我想自己來做！」

牡羊座孩子喜歡著手做一件事，但常常不會做完，所以要防患未然，別讓他們養成沒有耐性的壞習慣。只要有機會，就訓練好動的牡羊座堅持到底的藝術。但是別逼他們堅持做不喜歡的事，因為這會招來反抗；但在家裡可能需要反覆誦念「贏家不會放棄，放棄的人絕對贏不了」，重要的是讓孩子從錯誤中學習！要求牡羊座孩子完成某項任務，或許容易讓他們感到挫折，但如果碰到這種狀況時，不要每次都衝進去救火，偶爾讓孩子自己苦惱一下，獨立找出解決方法，使他們為自己感到驕傲，帶來成就感，這兩項都是造就牡羊座成功的基石。想像自己正在培養未來的執行長或世界領袖，畢竟這很有可能成真。如何在逆境中找到力量，是牡羊座孩子必須培養的關鍵技能。

✶牡羊座：應對挑戰

規則和權威

對牡羊座來說，尊重是贏來的，而不是別人給的。小牡羊不容易信任他人，他們必須覺得安全才會把控制權交給他人。如果這個極度敏感的星座懷疑妳在說謊、使用暴力、或是用高高在上的口氣說話，他會故意無視妳。牡羊座最聽從直接簡單的指令，他們喜歡被當作成熟的大人，認為自己有能力面對真相。

限制

那是什麼？老實說，獨立的牡羊座生來就是開創者，他們把限制視為挑戰，甚至對手。當牡羊座長大到能聽懂道理時，記得要解釋規則背後的理論或原由，這麼一來，牡羊座會感覺到你是平等跟他應對，而不是以保護為名高高在上。對於幼小或學會說話前的牡羊座，則是在安全範圍內設置最刺激的空間（比如鋪滿軟墊、布置成五彩繽紛的遊戲房，讓他玩到不想離開）。

分離和獨立

牡羊座孩子會想要自己玩，但不見得是獨自一人。這個喜歡獲得關注的星座有搖滾明星的本領，他想要崇拜、讚美他的觀眾！看似有自信，但也可能有被拋棄的焦慮（他們畢竟是十二星座裡的寶寶擔當）。溫和、漸進的分離效果最好，比方說，入學前幾週，讓家長待在教室裡的幼兒園，隨著孩子逐漸適應環境後，降低出現的頻率。另外，也要準備好隨時徘徊在園區周圍或是溜滑梯底部，等著膽大的牡羊座孩子高速滑下來。

弟弟妹妹

一個能夠敬佩、跟隨、崇拜他的跟班？是的，我想要。媽媽，謝謝妳，我可以有弟弟或妹妹嗎？

哥哥姊姊

這有兩種可能性。如果哥哥和姊姊關注他，小牡羊會把他們當偶像，感受聚光燈的存在；如果哥哥、姊姊憤憤不滿，對他來說會是個挑戰。不過，小牡羊的魅力很快能融化大部分的防衛，即使是冷漠的兄姊，遲早會任憑牡羊座弟妹擺布，這個星座的孩子不會被忽視！由於牡羊座擁有超齡的聰慧（以及非常忠誠），哥哥姊姊最終會聽從牡羊座的建議，甚至反倒受他保護。

寶寶，掰掰：斷奶和如廁訓練

謝謝大人的教導，時候到了他自然會做。牡羊座孩子喜歡有趣的挑戰，成長這件事會成為他們的遊戲。牡羊座孩子對於成為大男孩或大女孩感到自豪，但他仍然想當妳的寶寶。如果長大後就失去他人的呵護，他會抗拒轉變。請把晚上的照看時間轉為擁抱時間。

性觀念

牡羊座由強大的火星守護，他可能很小就表現出性慾。如果父母保守，你們要準備好面對震撼教育。他可能喜歡光著身子到處跑，對自己的身體感到自在和自豪，這點父母要習慣。

學習：學校、作業和老師

「我會自己做！」牡羊座孩子有自己的直覺流程，在學校教育需要很多自主性。他雖然無法沒有框架，但太多規則和限制，對年輕牡羊座的心靈有如潑冷水般掃興。固執己見的牡羊通常偏好互動的學校，這會讓他有更好的表現，因為可以舉手問一些尖銳的問題，並以自己的步調學習（會指派個人學習計畫的學校是更好的選擇）。由於牡羊座體力旺盛，他們需要跑一跑或閒逛；一直坐著和保持安靜對他來說會是個挑戰，因此要避免選擇嚴格、傳統的學校環境。

家庭衝突

牡羊座生來就有英雄情結，他會跳出來扭轉情勢，為受到壓迫的人發聲。不過要注意，很多時候牡羊座自己就是衝突的源頭。他生氣的時候，情況會非常混亂。當家裡其他人都在逃避某個問題時，牡羊座孩子也可能直覺性地挑起麻煩，逼迫大家處理面對。

✶牡羊座男孩

讓路給這個星座的敏感多情種。牡羊座男孩既像個大男人同時也多愁善感，由強大、熱情、充滿男子氣概的火星守護，他肯定是男人中的男人。牡羊座哲學家約瑟夫・坎伯（Joseph Cambell）揭露全世界神話故事都出自同一神話，都是從男孩到男人的英雄旅程；牡羊座演員羅素・克洛（Russell Crow）在電影《神鬼戰士》（Gladiator）裡的角色即是典型——天生的雄性首領，他是男孩們都想成為的人。然而牡羊座男性也可以柔情似水，讓女人一見鍾情，在遊戲場上，通常有一群小女孩蜂擁在他身旁。著名的花花公子休・海夫納（Hugh Hefner）和華倫・比提（Warren Beatty）都是牡羊座！

缺乏耐心的牡羊座男孩相當好動，他們飽滿的精力需要被紓解。他可以是凡事靠自己的強壯少年，即使體型瘦弱的牡羊座男孩也可能意外好強，對任何身體活動都能大膽勇敢地嘗試。妳需要教導他幾項重要的非暴力練習，或在地板和牆壁鋪上軟墊，避免他的喧鬧變得過於激烈。當牡羊座男孩要求玩具劍、玩具槍和武器，或是表現出想學武術時，做好心理準備，妳理想中的和平主義教養正在瓦解。可以試著抑制他的天性，但是長遠來看，給他一把威嚇力十足的光劍或塑膠水槍會更容易，只要他曉得區分真偽。

如果擊劍遊戲讓妳不自在，能怎麼辦？沒什麼能做的。每個牡羊座男孩都是動作片英雄。電影特技演員成龍，以及自豪、有合氣道黑帶資格的史蒂芬・席格（Steven Seagal）都是牡羊座；以死裡逃生特技令觀眾驚嘆稱奇的魔術師哈利・胡迪尼（Harry Houdini）和大衛・布萊恩（David Blaine）也都是牡羊座。因此，快幫孩子找個武術老師或足球教練！在專家的引導下，會培養出紀律和毅力，這些是他無法自己獲得的技能。他也會學到如何回應權威人士，讓自稱無所不知的星座培養這個習慣也許是件好事。

有些牡羊座男孩雖然沒有運動細胞，但是他們仍然很有競爭心——或許妳的孩子是「數學高手」而非體育健將；或者是西洋棋俱樂部、辯論社、榮譽協會的明星；他可能有言語天分，是出色且機智善辯的公眾演說家。哈囉，未來訴訟律師——這個孩子不逃避爭論，也擅長策略性遊戲，那是可供他展現強大精神力量的出口。這些好爭的孩子決心要贏得勝利時，可以變得沉著專注。

事實上，牡羊座兒子有時候可能過度自命不凡，想像自己比老師和權威人士更聰明。他想要因為聰明而受到認可，如果妳不認可，那就要當心了。馬修．柏德瑞克（Matthew Broderick）爭取到《翹課天才》（Ferris Bueller's Day Off）裡法瑞斯．布瑞（Ferris Bueller）一角，他也因為這個機智過勝可愛壞男孩的角色而成為偶像。動作喜劇也可以是這個有趣星座的強項；牡羊座演員艾迪．墨菲（Eddie Murphy）和馬丁．勞倫斯（Martin Lawrence）的電影角色都逗趣極了，準備好為他莞爾一笑吧。

牡羊座男孩的自信無與倫比，但是遇到困難時刻，可能會對自己相當嚴厲。每個星座都跟不同身體部位相關，牡羊座掌管頭部。因此，這個星座裡有些人會想太多；可以從自信十足轉變到分析癱瘓，當事情不順利，會陷入失望和不快。牡羊座孩子需要大量讚美，但這點很具挑戰性，因為妳不願給他虛假獎勵，特別當他表現不佳時。請確保妳支持的是他的自信，而非自我。

與其積極鼓勵牡羊座，把他捧上天，不如給他專家所說的「三明治讚美法」——試著將（過於）建設性的批評夾在才華和優點之間。大略的讚美並不適合他，要簡單、清晰、直接、具體指出他能改善的地方；針對行為批評，而非孩子本身牡羊座男孩的精力沒有界限，特別是他在某個人身邊感到愉快自在時，有時候必須提醒他注意自己的處境，即使聽起來很老派，還是要讓他知道雖然夢想沒有極限，但真實生活的規範也是現實的一部分。

✶牡羊座女孩

歡迎女神！無論她是一流運動員或小小選美皇后，這個女孩知道自己想要的，並毫無愧疚地去爭取。妳可以說她頑固，但是為什麼不稱讚她的自知之明和決心就好？女權運動者先鋒葛洛利雅．史坦能（Gloria Steinem）、知名女歌手艾瑞莎．弗蘭克林（Aretha Franklin）和席琳．狄翁（Celine Dion）、知名演員瑞絲．薇斯朋、莎拉．潔西卡．帕克（Sarah Jessica Parker）都是牡羊座——超級明星的地位適合牡羊座女性，就像馬諾洛．布拉尼克（Manolo Blahnik）的紅底鞋和莎拉．潔西卡．帕克簡直絕配（就像舒莉．克魯斯（Suri Cruise）適合穿那些孩子高跟鞋和塗大紅色口紅）。

每個星座都有影響其性格的守護星，牡羊座的守護星是火星，是攻擊和動力的行星。毫不意外，妳的戰士小公主有遠大夢想需要實現；別擔心，她自己會找到那些夢，妳唯一的任務是為她打氣，即使她有時缺少續航力。有一天，她會滔滔不絕地說著要成立一間動物救援中心，每當有貓咪或小狗被領養時，就會舉辦餞別派對。下一週，她會想成為第一位女總統，她會花週六一整天來設計投票箱和競選海報。她一旦下定決心進行一個自認正確的計畫，就會勇往直前。賈姬．伊凡柯（Jackie Evancho）十歲時參加《美國星光大道選秀賽》，取得第二名；十三歲時，已經出過五張專輯（其中一張為白金唱片），數首歌曲進入告示牌排行榜前十名。

讓牡羊座女兒不受干涉地盡情想像。實際、合理的字眼不會出現在她的字典裡，即使妳認為是在保護她免於希望破碎，但還是別自找麻煩了。錯誤阻止不了牡羊座，她對父母好意的忠告充耳不聞。這個女孩靠本能生活、從經驗中學習，即使這意味著她踏進相同的危險處境兩次，也寧願事後請求原諒，而非事先要求許可。

牡羊座是極為「陽剛」的星座，因此跟她的女性同儕好好相處不是易事。牡羊座對女孩之間「事事平等」的權力結構沒興趣。她喜歡競爭，是的，她喜歡贏，而這樣公開的野心在女孩文化中可能會被斥責。然而她在男孩團體裡也不必然受歡迎，但這點不會令她卻步（拿過冠軍的職業賽車手丹妮卡·派翠克（Danica Patrick）正是牡羊座）。有些牡羊座女孩如果當不了女性領袖，就會乾脆不參與。一些人可能為牡羊座女孩貼上「霸道」標記，但是做父母的應該鼓勵她發展領導力——老實說，這是我們社會應該鼓勵更多女孩培養的技能。當然，妳可能需要教導她如何輪流、分享，也讓其他人領導，但是在過程中別貶低她。有牡羊座女兒的父母，請捫心自問，如果她是男孩，我會讚美她做這件事，還是懲罰？

牡羊座女孩是出名的會給自己設立高標，其自信可助她達到這些超高目標，但牡羊座老被告誡要當心衝動和不成熟（也許在比較保守的家庭），她可能會在事後指責自己。她可能養成討價還價的難纏習慣，證明她是「好的」（意思是合群，願意順應家庭和文化的要求）以替自己取得「使壞」（比如利己主義）的權利。她可能看似把忠告當耳邊風，但仍然很在意批評和認可，特別是父母給的。就讓牡羊座女兒開拓自己的路，即使她走的路與妳期待的截然不同。

牡羊座女孩可以很早熟（就像牡羊座童星艾碧·貝絲琳（Abigail Breslin）在早年電影裡的角色），甚至潑辣。有個牡羊座女兒的媽媽就說出疑惑：「等她到青春期，我得把她鎖起來嗎？」是的，她追求關注的行為可能令人疲累。但是牡羊座女孩爽朗天真，會坦率揪出錯誤，要是有人做得不好，為什麼得說做得好呢？她厭惡虛假的讚美——她不會說也不願聽。她想要努力做到最好，鼓勵女性朋友跟她一樣。當團體需要激勵時，最好的班長、隊長或最好的朋友絕對是牡羊座女孩。

✶行為解碼：牡羊座孩子

牡羊座有這種行為時	這代表⋯⋯	妳應該這麼做
哭泣	恐懼：突然有被遺棄焦慮。挫折：想表達看法，但妳沒聽懂。	抱抱他，用身體接觸給他安心感。放下妳的「我執」，讓小牡羊好好說話，別打斷。
在社交上退縮、沉默或喜怒無常	覺得被冷落，或是沒找到融入團體的時機點。	建議可以用哪些方式起頭，幫他找到「入口」。
搗亂（打、踢、回嘴）	累積太多能量，需要發洩；或感到氣憤，覺得沒人聽他的意見。	起身將多餘的能量轉換到其他積極的體能活動；放慢步調，認真傾聽，他需要妳全神貫注。
變得黏人	注意，他想要更多和媽咪或爸爸獨處的時間。	停下手邊的事，帶他出門溜達。只帶著他，別讓兄弟姊妹跟著，把手機留在家裡，和他一起做件特別的事。
不吃妳給的東西	他不是找妳麻煩，只是不喜歡妳做的菜色。	給其他食物，或把菜色改成他喜歡的，因為這個星座的感官高度發達，口味出了名的刁鑽。試著以健康平衡、符合牡羊座喜好為準則，預先規劃每一餐，但是要有心理準備，最後可能都是重複在做相同的幾道菜色。
坐不住	累積太多能量和情緒，需要釋放一下。	打開門讓他出去玩。體力活動對他來說是萬靈丹！

✶牡羊座的社交屬性

家庭裡的角色

注意，如果妳容易因為每天的壓力分心，牡羊座孩子會將妳拉回現實。在家中，「迴避和否認」對這隻牡羊行不通，他不是個能睜一隻眼閉一隻眼的孩子，不能有事藏起來當作沒看見。牡羊座孩子天生的特質是衝擊和面對，特別是出生或被領養在代代存有不健康互動問題的家庭裡。這個孩子是戰士（也是炙烈的情人），如果妳遇到困難問題會習慣性地避免面對核心，那麼他會迫使妳面對事實和正面迎擊。

這個深富觀察力的星座不會錯失任何細節——甚至在他小時候，就會感覺他像一隻豹般追蹤妳的每個動作。等再長大些，會直接了當指出他覺得不公平的地方。一個小小警官（究竟誰才是爸媽？）揪出妳前後不一時，可能令妳不自在和惱怒，記得要深呼吸。與其讓孩子閉嘴，不如從他嚴厲的言詞中掏出金子來，因為這個孩子可能一針見血。不過，妳可能需要教導這個內建導航的星座，當他在說出意見時要更有技巧些，畢竟這樣的誠實會有點粗暴且令人討厭。

朋友和同儕

霸道先生、警告天后！牡羊座不太適合團隊合作，因為這個孩子喜歡贏，當他贏的時候會毫不猶豫大肆吹噓。即使看來害羞的牡羊座孩子，在玩紙牌遊戲、接力賽跑和任何活動時，都會帶有競爭意識。教導如何擁有良好的運動精神很重要，因為他們會非常跋扈，而且不一定是彬彬有禮的輸家或贏家！

牡羊座孩子懂得在同儕之間運用權力遂其所願。「我要拿球回家了」——這是許多牡羊座熟練、用來建立領袖地位的殺手鐧。有一些甚至有資格得到奧斯卡演技獎的怒氣爆發橋段（哎，如果妳認識牡羊座大人，會發現這特性不曾消失過）。還有一些精通「撲克臉」（牡羊座歌手女神卡卡（Lady Gaga）的一首歌而廣為人知），他們本能知道先說話者會輸掉談判。

牡羊座孩子是潮流創造者，偏愛作為團體的領導者。在團體裡會先仔細觀察，直到看到建立支配權的方式才會選擇加入與否。父母和照顧者應該教導牡羊座如何不只當明星，也要學習當個「最佳配角」，告訴他副手、二號人物也很強大。提供相關的例子，比如和聲歌手如何豐富一首流行歌的音色，或是他喜愛的樂團裡的鼓手如何保持音樂節拍，這些都可以幫助牡羊座孩子提高適應逆境的能力，即使他不能掌管一個團體。

同時，為牡羊座孩子尋找展現領導力的機會，並好好培養這種特質。牡羊座主動執行的事若遇到阻礙，在往後的人生會變得懶散或自我懷疑，這可是天大悲劇。請提供適宜管道讓他們學習負責和開創自己的道路，免於長大後要做好幾年的心理治療。

兄弟姊妹：牡羊座在其中的角色

一個新加入的弟弟或妹妹對牡羊座有好有壞，出生先後順序和性別會影響兄弟姊妹的互動關係。牡羊座通常跟異性手足關係較好，因為競爭較少。如果牡羊座孩子一直是父母寵愛的寶貝，他可能會氣憤新來的弟弟妹妹奪走父母的注意力。一旦有第三者進入，這個孩子會需要有獨自和爸媽旅行的機會，建立特殊的連結有別讓家裡新成員侵入他的神聖地盤的意義，這樣他比較不會感到地位受威脅。緊接著，他自豪和保護欲的一面會浮現，之後妳就有固定的保母和看家者了。牡羊座孩子表現好就要稱讚他，提醒他身為弟弟妹妹的指導者和榜樣是很特別的地位。排行中間或後面的牡羊座孩子會想要有景仰的對象，請父母鼓勵較大的孩子把小牡羊納入羽翼。因為牡羊座是表演者性格，他可能會想要哥哥姊姊很多的關注。不過，他可愛調皮，很快就會贏得他們的心。較大的孩子需要支持或精神援助時，小牡羊會效忠他敬愛的哥哥姊姊。

✶教養妳的牡羊座孩子：進階篇

媽媽，祝妳好運。一個任性、固執的牡羊座難以管束。他們膽大莽撞、喜愛冒險，面對這類孩子，妳老是要大喊「停！」他們也很有攻擊力，會以身體活動展現，但不一定會意識到自己的力氣。妳家牆上可能有幾個凹痕，那些是他在無聊時踢的，或是在生氣時丟擲東西留下的。

跟這孩子相處最好的防衛是未雨綢繆，讓小牡羊保持忙碌活動，讓他強烈、快速累積的精力有地方可以消耗。缺乏耐心的牡羊座坐太久會變得焦躁不安（很快就變得有攻擊性），靜態活動會讓他累積挫折感。限制使用電腦和看電視的時間也是好主意，或給他一個結合跳躍、跳舞或模仿武術動作等的遊戲機，至少讓他不會好幾小時都坐在螢幕前。此外，安排團體運動或蹦床（即使是室內用的）也有幫助，晚飯後來場摔跤或跳舞派對，可以讓他比較願意乖乖就寢。

對這個驕傲的星座來說，正面強化是個非常好的激勵手段。當牡羊座孩子做一件事做得很好時，為他鼓掌，他就會持續下去。但是要知道，牡羊座孩子會察覺到別人的操控，如果妳有日程表，他們很快就會發現；如果他討厭收拾玩具，給他再多讚美也沒用。只要在他真正做了對的事時，趁機指出和稱讚他的努力就能達到效果。

口頭管教他時，必須直接切入重點，說出哪裡行為不對，給出相應的處罰（只因為他不吃蔬菜就罰一個星期不准看電視？保證之後沒完沒了，可說是一場暴動即將發生）。美化情況或是叨絮自己對孩子的行為有何感受，他根本不會聽。若從公事公辦的角度而非私人角度來看，就如同是一位主管在指導值得珍惜的員工般，當他感覺自己被看見、被重視，更有可能真心聽妳說話。

✶處理過渡期：搬家、離婚、死亡和其他難題

對牡羊座孩子解釋生命的事實或環境改變時，溫和地誠實以告是最佳策略。牡羊座是形象天真的星座，傾向把人生浪漫化，因此第一次領悟到人生不公平時，可能難以接受，表現出情緒化反應、不悅或是大哭大鬧。牡羊座孩子無論如何都不喜歡被欺騙，所以盡可能採取「陳述事實」的方式。他可能需要很多空間說出感受，要規劃時間聆聽他所產生的每種情緒。這個星座對自己的勇敢很自豪，所以他經常在弟弟和妹妹面前扮演英雄角色。

✶上學期間

最佳教育風格

牡羊座孩子需要獨立自主，所以鼓勵個體化的學校對這個倔強的星座而且最合適。規定僵化、筆挺的制服和太多可預測性，只會讓牡羊座孩子反抗、或在上課時走神。這個孩子是領導者，不是跟隨者，他需要意見被聽見、被尊重的課堂。尋找課表有彈性的學校，讓牡羊座跟隨直覺，以自己的速度學習。

對牡羊座絕對不可管得太緊，他們討厭被人監督或在做事時被人干涉；會批評的老師、權威教學或做事僵化的學校不適合他。牡羊座孩子想要自己解決，並因這點受到稱讚——即使方式獨特。他對死背硬記沒興趣，反覆練習令他厭煩，解決有創意的問題令小牡羊熱血沸騰。

但，也不是太過「正面」的學校，比如鼓勵不分階級，沒有競爭性運動或不打分數。畢竟牡羊座喜歡競爭，樂於拿閃耀的星星獎章（或是覺得他們有資格拿），一旦有機會發光，他們會發展得很好。挑選一間將另類和傳統融合得恰到好處的學校，這樣孩子既能得到紀律的益處，同時也不會覺得受壓迫。

✶最佳嗜好和活動

具有競爭性的牡羊座兼具才智和體力，像是橄欖球、曲棍球、足球或滾輪德比（Roller-derby）等性質激烈的接觸性運動會讓他感興趣。如果妳是保護型或和平型的家長，必須變得堅強，因為牡羊座孩子往後勢必會帶著傷口和瘀青回家（在牡羊座的字典裡這代表勳章）。

想加入圍棋社嗎？很多牡羊座喜歡策略性遊戲，藉此運用智慧，做出大膽和算計的選擇。牡羊座由戰士火星守護，有當軍事領袖（四星上將科林・鮑爾（Colin Powell）正是牡羊座）的潛力。妳的牡羊座孩子可能投入複雜的多玩家線上遊戲或奇幻類的桌上遊戲。準備好，家裡不久後會有孩子齊聚玩《龍與地下城》（Dungeons & Dragons）玩上好幾個小時。

燈光、攝影機，開拍！牡羊座孩子是舞台上的明星，他們無懼於站在聚光燈下，有驚人的好聲音、演技或其他才華。一位朋友貼了四歲牡羊座兒子的照片，他頂著刺蝟頭，彈著真正的吉他，看來像個不折不扣的搖滾明星。作為星座裡的第一個（因此是最小）星座，這早熟的孩子已經準備好要萬眾矚目。

✶禮物指南：送給牡羊座的最好禮物

- 可以活動身體的玩具，包括運動器材、攀爬設施和體操墊。
- 包含運動元素的遊戲主機（比如Wii運動）。
- 武術課程。
- 腦力策略遊戲，像是桌遊《戰國風雲》（Risk）、西洋棋、象棋和拼圖。
- 強調出臉部（牡羊座守護的身體部位）的珠寶和髮飾。
- 幫助他建立自己小事業的玩具或文具套組，像是冰淇淋機、工具組或書法文具組。

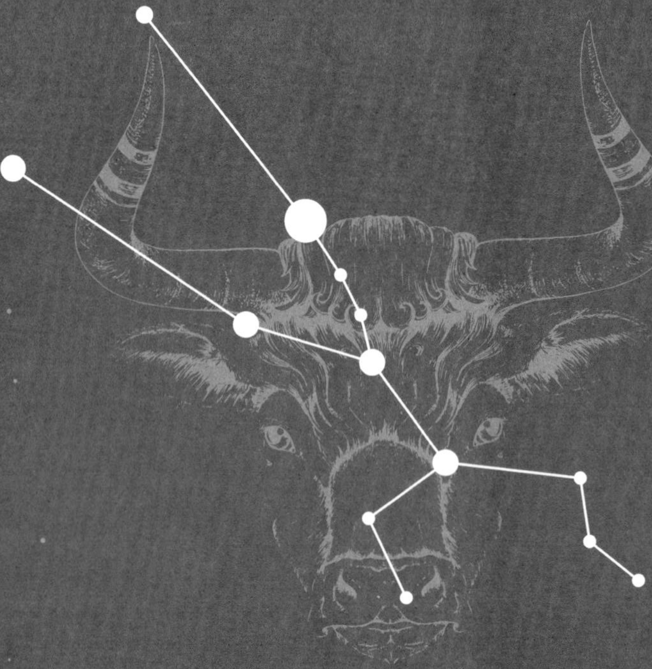

金牛座孩子

（4月20日～5月20日）

符號：公牛
守護星：金星
元素：土
身體部位：頸部、喉部
誕生石：祖母綠
顏色：綠色、棕色
優點：堅定、有藝術天分和美感、自信、可靠
缺點：頑固或任性、遲鈍、懶惰、有破壞力

喜歡：
美麗事物和樂趣
新鮮空氣和戶外
有條理和可預料性
漂亮、質感好的衣服
刺激的東西，如開快車、雲霄飛車、摩托車和動作電影
音樂、演奏會和表演秀
較為精緻的東西（有昂貴品味）
感覺比他所有的朋友稍微優越

不喜歡：
醜陋、臭味、廉價布料和很大的噪音
不一致
改變，特別是沒有預先通知
被迫做他們不想做的事
生理上不適或受到限制
當輸家或地位低微

妳想要一個**金牛座**孩子嗎？
金牛座孩子的目標受孕日：7 月 25 日～8 月 15 日

過去和現在的金牛座名人——

克絲汀・鄧斯特、羅伯・派汀森、史提夫・汪達、秀蘭・鄧波爾、艾波・馬丁、傑森・畢格斯、米蘭達・寇斯葛芙、瑪莉莎・吉伯特、珍娜・傑克森、蘭斯・貝斯、桃莉・史貝林

✶教養妳的金牛座孩子：基礎篇

一頭公牛誕生！準備好迎接愉快時光——及意志之戰。妳的小公牛以兩種速度運作：完全放鬆（比如繪本《費迪南德的故事》裡的公牛在鬥牛場上嚼著三葉草），不然就是完全無法控制（令人想起卡通人物大嘴怪），幾乎沒有中間值，所以妳需要可以合乎這小孩開開關關模式的教養方式。

儘管公牛有好鬥的惡名，金牛座其實是十二星座中最溫和的星座之一。由愛與美的行星金星守護，金牛座孩子是小小美學家，可能從小就對食物、衣服和空間有驚人的優雅品味。即使莽撞的金牛座也知道自己的喜好，對標準毫不妥協。這個星座的確喜歡享樂，準備他喜歡的食物時，要多準備幾份，或者也要準備購

買有品牌的衣服，讓他穿的衣服比妳小時候穿的更昂貴。

金牛座也有好競爭的一面，這是地位取向的星座，有時甚至是唯物主義。金牛座孩子由華麗的金星守護，有點裝模作樣，想要比其他孩子穿得更好、做得更好。如果（很可能發生）無意中聽到小金牛誇耀自己穿品牌鞋，或是父母開的車子品牌，要稍微訓斥他保持謙遜。可以鼓勵他為自己的好品味自豪，但不可以勢利眼。雖然他難以取悅，妳卻忍不住縱容，但是別讓他變得喜歡競爭，或養成排他的習性，畢竟生日宴會不是小學的「名人」大會。甚至可以開始培養一個習慣，每年讓金牛座孩子捐款給他選擇的慈善機構，從中學到付出的快樂，而不會只懂得接受。

金牛座孩子不需要很多刺激就會變得盛氣凌人，可以透過固定的慈善捐贈或義工活動趁早消弭他評斷他人的傾向。從小培養他的同情心，就能免於養出一個自視甚高的未來菁英，他也會從經驗學習和成長。

小金牛可能會瞧不起跟他不同的人，但他若看到他人受苦或掙扎時，看法會隨之軟化並為這個課題奮鬥。關鍵在於讓這個視覺取向的星座親眼見證，所以別防止他正視困難，即使看起來嚴厲和不公平。

金牛座為土象星座，要讓這個孩子快樂不能缺乏穩定和日常規範；晚餐時間、上床睡覺時間，知道每天要期待什麼——對金牛座來說，紀律很重要，試著在彼此的生活裡將混亂降到最低。金牛是嚮往習慣的終極生物，這些愛吃肉和馬鈴薯的孩子在平靜、一致的可預測環境中會茁壯得最好。當然，這點對任何孩子都一樣，但是金牛座是十二星座中感官最敏銳的，家裡要是有事不對勁，他會變得格外敏感。

關於家庭問題或家庭環境混亂，別期望僅靠著與金牛座孩子有深度的心理談話解決。妳的孩子可能像瀝青一樣敏感（也一樣堅硬），他其實有敏銳的感知力和觀察力——他的「認知」來自他具體感受到的。舉例來說，小金牛可能會指出有怪味、房間外頭有噪音或是一件傢俱很醜，這時意味他真正感覺到有更大事情發生，或者，想讓他穿上不喜歡或不自在的衣服時，他會大發脾氣。別忽視金牛座孩子的身體反應，這些將會是妳的線索。可能代表小金牛對某件事有更深的不滿，藉由觸覺、嗅覺、味覺、聽覺或視覺的體驗，加上小金牛發出的信號，妳很快就會發現潛藏的問題。

由於金牛座是身體取向，身體接觸和情感對他很重要。幫他們梳頭、握他們的手、擁抱，甚至可以學習如何為寶寶按摩。隨著金牛座長大、變得獨立，即使是一起享受一些大人嗜好，像是做美甲、看球賽或是去餐廳吃飯，他也會滿足於待在妳身邊；這個星座看似成熟、能幹，但他們喜歡知道爸媽就在旁邊。

注意金牛座孩子頑固起來時，可能充滿炸藥！生氣的小金牛凶猛嚇人，跺腳、衝撞傢俱，甚至是打碎東西。由於金牛座掌管喉部，妳的孩子可能擁有雄渾的聲音，他可不會猶豫，直接大吼出聲，使得鄰居都會好奇探頭。很多時候，金牛座孩子不知道自己的力氣有多大，妳需要溫和但堅定地限制他的身體活動，以免他傷到自己。妳可能需要給他一個枕頭或沙發抱枕，讓他捶一捶，好讓體內的強烈情緒發洩出來。就像公牛看到紅色時，趕緊逃吧，金牛座孩子可是有天生蠻力。

說到天性，新鮮空氣是土象星座的萬靈丹。即使金牛座欣賞大城市的文化和律動，景象、聲音和氣味也可能壓垮他們的五感。由於有太多刺激，這個星座會一直運作到關機為止。如果住在都會區，盡可能帶他去公園或踏青，遠離水泥叢林；開闊空間和一點綠意能幫助金牛座重新開機和恢復活力。但要注意金牛座一旦躺到沙發上，就會一直當個懶骨頭。與其趕他離開沙發，不如主動安排他出門玩。試著預先訂立出門遊戲的時間，或是幫金牛座孩子報名運動和活動，避免他想（和妳）一整天待在室內。音樂也可安撫這隻野獸，放首他最喜歡的歌曲幫他回復平靜。

儘管金牛座固執，但這個性格也有其相對應好的一面。金牛座是十二星座中最忠誠、最強韌的。記得今天這個目中無人的孩子，未來可能是有遠見的執行長。別破壞這孩子的氣魄，雖然大概沒人辦得到！孩子知道他要什麼，當金牛座鎖定目標時，最好別擋他的路。

當然為了安全和尊重，記得設定規範。但是如果妳想帶出他最好一面，就從其長處下手，給他一些真正的責任，負責某件事或照顧某個人，他就會開始學習承擔。別對金牛座無所不管，敏感的本能使他知道如何把每個任務化繁為簡。給他一些統治權，讓他掌管自己的地盤，這個「建設者」星座喜歡看到自己努力的成果，給他木塊，讓他自己建造出小王國。當然，他有時比起民主更是像個獨裁者，但妳還是要給他培養自信和決斷力的自由。協助金牛座孩子培養出這些特質，只要他願意，每件事都有可能——即使他的腳仍穩踏在地面上，尚未出發。

✶金牛座：應對挑戰

規矩和權威

規矩讓孩子感覺安全穩定，這的確是金牛座夢寐以求的狀態。不過，許多父母的規矩似乎隨意或者說變就變，這對於這個星座來說是禁忌。倔強固執的金牛座如果感覺妳說話不算數，他會一再測試底線，堅持到底是必要的。金牛座需要夠強悍的人來管教他——父母需要堅定立場。儘管會討人嫌，但必須訂立規矩，強制執行，直到金牛座了解父母不是說著玩的。不過好消息是，這個星座的孩子會樂於服從堅定、自信、面對挑戰不會放棄的大人物。舉例來說，對小金牛跺腳說教不如保持無動於衷，每當他急著逃跑時，費勁讓他停止的育兒員，最終會贏得意志力大戰。如果一開始就對金牛座強悍，就得保持強悍；從第一天就維持一致的態度，可造就育兒結果的不同：模範生或問題孩子。

限制

金牛座樂於為每個人（弟弟、妹妹、朋友、寵物）設定規則，但是只有強者能給這隻金牛立下規矩。當金牛座嘗試衝過界線時，長輩必須堅定不動搖。

分離和獨立

自信的金牛座只要有他認識和信任的人在旁，就不會黏人。所幸，這個人可以是姑媽、舅舅、祖父母、兄弟姊妹或保母，熟悉的臉孔可讓金牛座面對任何困難時都輕鬆自在。

弟弟妹妹

金牛座孩子喜歡弟弟和妹妹。他不會覺得有人取代自己在家中的寶貝地位，擅長管理的他享受被視為有責任感的哥哥。他會盡可能從權力地位得到他想要的。因此妳要確定他沒有對弟弟妹妹表現得太霸道。

哥哥姊姊

你的金牛座孩子可能是家裡的寶貝，但「誰才是老大」這點可別搞錯了。金牛座喜歡被他崇拜的哥哥或姊姊保護，可是手足間的敵意一旦產生，這可愛的小霸王可不會退讓，如有人想打壓他，他就會起身反抗。

寶寶，掰掰：斷奶和如廁訓練

開始拉單槓！小金牛急著長大，他會告訴所有人長大後要做的事。這個星座不喜歡依賴，但也討厭改變。妳需要謹慎敏銳地處理過渡期，試著慢慢地讓他接受新點子，及在每一步過程中可以期待什麼。將便盆放在一眼能看到的地方，再建議他用看看，這樣做能幫助他習慣有這個新傢俱。讚美她像個大女孩，告訴她這樣做會有的好處，對於重視結果的金牛座來說，這樣做會達到效果。若突然要他做反而會適得其反，他也會全力抗拒。

性觀念

今天是滿月嗎？金牛座孩子就算看來正經八百或像個都市型男，仍有可能一眨眼就脫掉優雅的宴會服，裸露上身。金牛座是個重視官能感受的星座，他們喜歡感受陽光、草或新鮮空氣在皮膚上的觸感。土象星座可以兼具優雅和自然，關鍵在於別因為他的天性而嚇壞或感到難為情。父母需要引導金牛座到「指定的裸露區」，這樣他可以保持對身體的自信，也不會讓鄰差吃驚。教導他健康的性知識和生命事實很重要，因為這個享樂取向的星座有時很早就會開始探索。盡可能教育他應有的責任，別把羞恥的負擔感傳遞給他；教導他有性慾是正常的事，但不需要隨意跟任何人親密接觸。

學習：學校、作業和老師

金牛座孩子通常是兩者之一：不是正經八百、追求分數、深受老師寵愛（這關乎地位）；不然就是懶惰、只投入真正感興趣的課程。不以學業表現漸長的金牛座，有很強的求生智慧，這在日後從事銷售或「健談」類型的工作會很管用。如果他在學校成績不佳，與其給予標準的讀寫和算術課程，不如引導他不同的課程，也許上技術學校或貿易學校是不錯的選擇，甚至從簡單任務開始，給予一些真實世界的工作經驗，像是在親戚的店裡或公司幫忙。

家庭衝突

金牛座孩子就像睡眠中的火山：原本平靜如水，直到表層下有太多熱氣和壓力累積起來。若要避免大爆發，就別讓他面對混亂的狀態。如果妳感覺到周遭逐漸累積壓力，就帶金牛座離開那個環境，金牛座會像海綿一樣吸收壓力，所以盡量不要讓他暴露其中。

✶金牛座男孩

盛裝打扮或隨便穿，金牛座男孩一下是王子，下一刻變成小流氓。有時，他會混身沾了草和汗水從公園回來；有時，他花在鏡子前整理頭髮的時間比妳還多。這個孩子有本事弄髒自己，但也有本事清理得很好。讓他穿上整套的亞曼尼少年版西服和其他正裝，他不會有異議，別以為翼紋紳士鞋是他的弱點——這個時髦男子照樣大搖大擺走路。

金牛座男孩有一種細緻的美，可以讓他看起來幾乎像天使一樣，特別是容貌與魅力結合時，只要他願意靜靜坐著和擺姿勢，絕對是當兒童模特兒的料。他對一件事感興趣時，會有無限的耐性，但要是興趣缺缺，就絲毫無法忍耐。他可能是妳見過最認真工作卻又最為懶惰的人，比如可以忘我投入製作肥皂比賽，但完全不顧社會科的作業；他也是愛開玩笑的人，會對毫無戒心的朋友和家人惡作劇。

金牛座嬰兒會是最安靜的星座，滿足於睡、吃和不停的摟抱，妳可能也需要時不時把這個老在睡覺的寶寶搖醒！但是等他能站能走，妳會是那個需要小睡一下的人。這個小惡魔一旦開始做什麼就不會停，給他小腳踏車、小摩托車或是鋪滿軟墊的房間！妳絕對會希望把他放在一個封閉區域裡，即使這個靈巧的小孩會找到方法衝出界線，千萬也別感到訝異。

金牛座男孩個是直來直往的孩子，看到什麼就說什麼。他只想要事實。媽咪，妳得快速進入重點。如果他認為自己的方式更有理（他通常這樣想），會跟妳爭論，他也喜歡捍衛自己的正確性，爭論時會堅持己見，直到論點被理解為止；因此媽媽最好要有心理準備，跟這孩子之間會出現一些激烈的爭論。最暴烈、最具爭議性的政治人物，從薩達姆．海珊（Saddam Hussein）到麥爾坎．X（Malcolm X）都是金牛座，這個星座會固執地為自己的信念辯護，甚至因而成為獨裁者。

金牛座雖倔強，家仍是他心之所在；即使喜歡嚐鮮的感覺，但是他討厭不可預期，因此一個不穩定的家對金牛座男孩特別難熬。他屬於居家型，會在家裡種下安穩的根、歷久不衰的傳統以及與家族共創快樂回憶。他可能不輕易掉淚，但是他懷舊，樂於不斷享受喜愛的度假景點和節日傳統。「每年聖誕節時，兒子都會叫我帶他去看鎮上的火車模型展。」一位金牛座兒子的媽媽說道。

他會把父親（或是父親人物）當作偶像，特別是爸爸格外可靠的話。金牛座代表供給者，他會有想表現出這一面時，表示他可能會選擇繼承家族事業，或是盡責地確保雙親有朝一日能安穩退休。別急著溺愛或慣壞他，否則最後會養出一隻「好吃懶做」的牛或名符其實的小王子。如果是單親或是兩個媽媽的家庭，需要為他找到強大的男性角色模範來做引導。試著找一位「溫和巨人」的類型，可以幫他培養男子氣概，也能培養他的個性，像是強化忠實、正直和自力更生的價值觀等。

把電鑽交給他！金牛座男孩對技術很在行，擅於將拆開的東西重新組裝，從DVD光碟機到各種小玩意，沒有任何東西可逃過金牛座的工具箱和手指；他也能幫家裡安裝揚聲器，或是妳的錶壞掉時，他能神奇地修復。如果他對修理不在行，那麼他對電器、腳踏車，甚至汽車會有很好的品味——金牛座只要最好的東西！當他幫忙替車子換油或是對購買新家用車提出睿智的建議時，妳會很高興有這個能幹的幫手在旁。不過在他還是青少年時，只想要一輛摩托車的話，他對機械的天分大概不會讓妳感到開心。

守護星是掌管享樂的金星，妳的小金牛喜歡精緻的事物，特別是料理。如果妳是個廚藝優異的美食家，他可能會在廚房裡探頭看妳做事或幫忙切菜，學習妳的料理本事；不過我們認識的一位金牛座男孩卻不准他人進廚房和碰觸精緻的碗盤（笨手笨腳的冒失鬼嘛）。無論如何，他會開心吃下妳端出的任何豐盛食物。如果有些金牛座長大後突然奉行極端原則（不會永遠持續），可能會成為素食者，但他們通常無法放棄培根和馬鈴薯。

他們通常擅長體育或是音樂。一些男孩體態結實，這些「壯得像頭牛」的金牛座男孩擅長接觸類的運動，像是冰球；輕巧體格則對曲調、音色有出色的鑑賞力（我們認識幾位金牛座的音效工程人員）。如果他擅長音樂，可引導去參加歌唱課、演奏樂器，甚至參加競技舞蹈。傳奇舞者佛雷・亞斯坦（Fred Astaire）就是金牛座，靈魂樂教父詹姆士・布朗（James Brown）也是，而妳的兒子就能跳出優雅曼妙的舞步。

如果有任何人有自信穿上緊身衣或交際舞鞋，那個人必然是金牛座男孩。妳對此有疑問嗎？任何努力想了解金牛座男孩天性的父母都應該租電影《女人香》（Scent of a Woman），看看金牛座演員艾爾・帕西諾（Al Pacino）飾演的眼盲中校著名的幾幕：跳探戈，租下華爾道夫飯店（Waldorf-Astoria）套房，甚至在紐約曼哈頓駕駛法拉利（對，眼盲）；金牛座男孩在冒險時也能安然無恙。他的風格一向不受年紀限制，就算是有點搖滾風；但即使他膽大，他最渴求的還是冒險後回到安全、快樂的家園。

✶金牛座女孩

金牛座女孩是甜美和力量的奇妙混合體。她前一秒是溫柔的女孩，下一秒可能毫不留情——既是公主，也精力充沛。妳的小小鋼鐵花木蘭可能穿著短裙蹦蹦跳跳，妳很快就會明白她是認真的。金牛座掌管喉部，當女兒想被聽見時，她的聲音可能很有感染力。多位世界最剛毅的女性領袖伊娃・斐隆（Eva Perón）、果爾達・梅爾（Golda Meir）和馬德琳・歐布萊特（Madeleine Albright）都是金牛座。當她穿上昂貴高跟鞋時，得準備好不時會有權力鬥爭上演。

金牛座是由愛美的金星守護，她可能從很小開始就喜愛漂亮的東西；有金牛座女兒的媽媽要注意，引導她們不陷入物質崇拜是很重要的事。此外，她看重地位，可能會表現出一些自誇行為；有位朋友記得曾有位金牛座女同學嘲笑她穿的仿冒耐吉球鞋。金牛座占有欲強烈，因此她很容易就會囤積自己不想分享的玩具和戲服（妳家霸道的金牛座孩子可能常常說：「這是我的」）。

想要教導金牛座女孩中庸適度和循規蹈矩會花費一些時間，舉例來說，她們可能想要在開學第一天穿上最時髦、搭配最得宜的衣服，而平價品牌不在其審美品味裡。因此要注意別養出一頭怪獸，或借用蒂娜・費（Tina Fey）新創的詞「壞女孩」。

最好的預防方法是鼓勵女兒發揮創造力，很多金牛座喜歡ＤＩＹ，提供她紙張、顏料、亮片和膠水，看她創作出一件傑作（對，可能是一團亂）。因此，與其批評她的奢侈，不如訓練她自己想辦法。在妳被知會以前，她可能辦起珠寶創作派對，或是集合朋友進行精緻的草地野餐，分派每個人負責的任務。努力製作三明治吧，朋友！

事實上，金牛座女兒是個訓練有素的小經理人，她不怕對任何人下命令，她開門見山，直入主題——這點可能讓她在女性同儕間不太受歡迎。不過，可以應付她務實作風的朋友會成為她一輩子的摯友。組織性佳的金牛座女孩未來可能會成為活動策劃人、電影票採購，以及幫朋友說服父母的說客。此外，她也有照顧人的一面，當她關心朋友時或許會有點像是媽媽的感覺。

雖然她在放鬆時可能看起來很懶惰，不過若是有個值得追求的目標，就能使她們充滿精力。「空閒無事是惡魔的遊樂場」，因此要讓孩子保持忙碌。起初她可能會抗拒新想法、新的人或新活動，一旦她發現做起來得心應手，便會維持下去並且忠貞不二。含有藝術氣質的金星作為其守護星，金牛座女孩可能會是個有天分的歌手、舞者和演奏家。由於這個星座具有成為耍廢冠軍的潛力，考慮讓她參加一些團體運動吧，如壘球或排球；她也會很享受夥伴間可靠的同伴友誼，同時也喜歡贏。

金牛座是掌管金錢與工作的第二宮，金牛女孩喜歡感覺自己有生產力。由於她們從很小年紀開始就能被金錢驅動，因此妳可以考慮每次她做家事就給零用錢，或提供她工具進行創意計畫，為自己做個盈利的小生意。金牛座的莉娜・丹恩（Lena Dunham）以ＨＢＯ影集《女孩我最大》（Girls）掀起轟動，在二十六歲贏得兩座金球獎；神童泰薇・蓋文森（Tavi Gevinson）還沒進入青春期就成為時尚界寵兒。她當時十一歲，其時尚部落格每天有三萬名讀者，也得到《紐約時報》讚譽；推出的線上雜誌《新手》（Rookie），已出版成書籍，現在則進軍好萊塢。別低估金牛座女兒在家裡的創作，這些可能都是未來的商機。

✶行為解碼：金牛座孩子

金牛座有這種行為時	這代表……	妳應該這麼做
哭泣	真的有不對勁的事，因為這孩子通常不是愛哭鬼。	哄他，安撫他，詢問怎麼回事。
在社交上退縮、沉默或喜怒無常	當他專注在思緒裡時，或許是在計畫或思考如何處裡某個狀況。當他變得執著和偏執時，可能是被某件事困住，覺得累了。	問一些中性問題，像是「你在想什麼」，千萬別小題大作。他可能只是想要一個用來說話的傳聲筒。有時雪茄就只是雪茄，不代表什麼別的東西（根據金牛座的佛洛伊德說過的都市傳說）。摟摟他，讓他小睡片刻就能趕走憂鬱心情。
搗亂（打、踢、回嘴）	這個小獨裁者沒得到想要的東西，對的，他生氣了！	攔住他！在有人受傷前，用身體行動制止憤怒的小金牛。讓他捶枕頭出氣，或讓他到戶外把憋在體內的能量發洩出來。
變得黏人	金牛座占有欲強，如果妳對周遭人事物投入過多注意，小金牛就會宣示他的領土範圍。	給小金牛一些一對一的時間，只把注意力放在他身上，也可以送禮物，以物質方式表達妳的愛。
不吃妳給的東西	妳的小美食家可能在小小年紀就有敏銳的味蕾，因此這是會惹惱他的問題。不過金牛座也會吃個不停，他可能只是吃零食吃飽了。	如果挑嘴是原因，妳可能要為小金牛另外準備菜單（嘆氣），找尋他喜歡的食物；如果零食是問題，則準備健康的食物，這樣才不至於讓他吃下沒用的熱量而缺乏食慾。
坐不住	對金牛座來說可能是個問題，說到磨蹭功夫，這個星座可是冠軍。不過通常是緊張導致。	讓金牛座出去走動玩耍，如果外頭太冷，玩點摔角遊戲或跳舞也可以。金牛座需要藉由活動釋放抑制的精力和身體能量。

✶金牛座的社交屬性

家庭裡的角色

起床鬧鐘！金牛座掌管五感，是所有星座中最腳踏實地、活在當下的星座。金牛座孩子可以教導老是分心的父母如何活在當下——在現在這個人人得具備多工處理能力的世界，這是我們能運用的長處。金牛座知道如何品味當下的美好：一首好歌，一頓美食，或是一個令人屏息的景色。就如約翰・藍儂（John Lennon）說的：「人生就是當你忙著做其他計畫時，發生在你身上的事。」如果家裡不曾有金牛座出生，那麼現在就是放慢腳步、品味每一天的美好機會。

同時，金牛座孩子可以讓妳更懂得計畫，幫妳學會排定優先順序。金牛座很討厭出乎意外的改變，因為他們不容易適應。妳需要準備金牛座喜愛的食物、玩具、衣服和裝備，維持固定的行事曆和始終不變的環境。金牛座會強迫父母簡單化，說出來的話就要算話。這樣的千篇一律可能會讓一些星座（特別是火象和風象的父母）覺得進退不得且感到無聊，但金牛座孩子可以幫妳找到愉悅的日常節奏，教會妳可預測不總是等於無聊。

朋友和同儕

忠誠、懷舊，金牛座是一生的朋友。除非對他們做錯事了（金牛座也是樹敵高手），否則金牛座會永遠忠於朋友。金牛座女孩會是團體裡的照顧者，給予建議，支持她們的朋友；金牛座男孩喜歡有穩定的哥兒們作為同伴。雖然他可能有真正大男人的一面，但同時也很溫柔且敏感。金牛座男孩和女孩通常會同時擁有同性和異性的朋友。

穩定的金牛座往往是同儕裡的靠山。他們喜歡娛樂周圍的人，即使有時只是為了有多姿多彩的故事可講。不過，當這個有自信的星座為自己信念站出來時，並不害怕跟朋友持有不同看法或講出不受歡迎的意見。金牛座通常是任性朋友中的理智之聲，一個有價值觀的大好人，即使不見得討人人喜歡。我們有位金牛座朋友公開承認自己是「直刃族」（straight edge，不飲酒、不抽菸、不吸毒），但是她會去看喜歡的樂團的演唱會，在身上打幾個洞。金牛座可以同時兼具一本正經和龐克搖滾，因此受到朋友的尊敬和仰賴。有個金牛座女兒的媽媽回憶：「我女兒在青少年時期做了幾個大膽決定，但我始終相信她會做正確的事。」

兄弟姊妹：金牛座在其中的角色

忠誠的金牛座具有保護欲，特別對弟弟、妹妹相當維護。他們喜歡管理和指揮其他人，享受擁有這個地位的影響力。弟弟妹妹開始模仿他或聽他吩咐時，金牛座會很自豪，甚至會耐心地花很多時間教導這位「門徒」技藝——模仿畢竟是最高形式的恭維。不過，妳得注意金牛座孩子是否變得霸道，這孩子絕對會轉向跋扈的態度，表現得像是父母，而非哥哥姊姊。一個順從的孩子，可能輕易就被金牛座壓倒或是屈服去做他要求的事。

對金牛座來說，哥哥姊姊可以是榮譽勳章（地位），他會吹噓大姊姊或大哥哥的成就，彷彿那是自己的成就。妳可能會聽到小金牛炫耀：「我的姊姊是高中戲劇的主角」或「我哥哥在全美選秀大會拿第一」，以家族為中心的金牛座感覺家庭的任何事都在自己身上反映。基於這個理由，一個有心機、自私、愛操控的兄弟姊妹會激怒金牛座，妳的小金牛不喜歡與名聲不好的人有關聯，因為那樣的評價也會落到自己身上。

如果妳的另一個孩子也是同樣意志強大的星座，那麼妳家可能會發生手足之間的競爭，可以說是「鬥牛」嗎？爭奪霸權的戰役會在家中發生，除非邊界明確劃分。妳需要凡事公平，因為金牛座對偏袒很敏感；「如果我沒有冰淇淋／玩具／可以晚點上床，別人也休想擁有」，這就是金牛座的態度。有領域觀念的金牛座不見得喜歡分享東西（或朋友），而占有欲強的金牛座可能有段時間似乎非常愛說「我的」。當家裡有一個（兩個）金牛座掀起地盤戰爭時，妳可能需要負責仲裁。

✶教養妳的金牛座孩子：進階篇

妳曾經遇上一隻充飽電的公牛嗎？除非妳是鬥牛士，否則沒有技巧來阻止這隻牛橫衝直撞；已經把目光放在某個目標、態度堅決的金牛座，要跟他溝通沒那麼容易！其實，妳可以學學職業鬥牛士的做法，祕訣就是跟著這隻動物的自然活力行動，而不是對抗。他們不會平靜地試著跟一隻生氣的公牛講道理；他們激怒公牛，讓牠噴著熱氣跺腳……最後失去力氣。

通常，最合情合理的做法是讓金牛座孩子「發洩出來」，叫他回房間或外出釋放攻擊力，免得破壞家裡精美的家具或傷害到他人。如果妳的金牛座孩子還年幼，可以幫他報名寶寶健身中心（鋪滿墊子）或是兒童攀爬中心；當孩子覺得沮喪、挫折時，可以在裡頭跑跑跳跳數小時，衝撞鋪了軟墊的圍牆。

等到他冷靜下來，能夠聽你說話（或是年紀夠大可以理解）時，跟他清楚、簡單地解釋。只要金牛座能夠理解規則背後的理由（並且相信）妳就時來運轉了。信不信由妳，這個星座也有「好男孩好女孩」情結，妳可以運用幾個技巧來培養。給孩子一個責任，如照顧寵物、植物，甚至是照料弟妹，這將會激勵他做到最好，因為他會成為弟妹的榜樣。

就像大人喜歡「獎勵卡」和常客計畫，他也對這些時間證明有效的行銷活動很有反應，可以用物質來鼓勵孩子配合（但要謹慎使用）。有一個媽媽跟金牛座孩子約定，只要做一件好事，就能得到一顆金星星，只要他的表格上貼滿足夠的星星，就可以獲得獎賞。但她聽到他要求昂貴的運動鞋和玩具時，她明白自己創造了一頭怪物。別讓這個星座被物質誘惑——訂立明確的限制和期望，因為當金牛座得不到自己要的東西時，妳必須面對一個沮喪、生氣的孩子。

金牛座孩子是擁有習慣特質的生物，因此已經確立的行為需要一點時間才能改變。妳要體恤他：無論在哪個年紀，要打破他的行為模式都是個艱難任務。溫和、持續的改變對金牛座來說最好不過。當然，妳也必須做出改變，因為「照我說的做，卻不以身作則」對這個星座不管用。比方，如果希望孩子減少攝取糖分，妳的冰箱裡也不能有為其他孩子準備的冰棒，或者不能在他面前吃甜食，也要改變妳自己。

✶處理過渡期：搬家、離婚、死亡和其他難題

金牛座是最穩定的星座，這孩子不喜歡改變，特別在不是他們主動開始的情況。給他一些像是毯子、玩具熊或孩子隨身攜帶可發出的聲音的電子產品，這類可給予安慰的物品通常很有用。慢慢帶入改變，摸索出持續的方式，幫助他的路徑走得更順暢。比如，如果你們要搬家，就把孩子的房間完全按以前的樣子擺設布置，或是讓他興奮期待要過以往生活的升級版。

如果夫妻離婚的話，盡可能保持金牛座孩子的日常活動穩定不變。別太快做出改變；如果妳做得到，別同時讓他搬家、換生活區域和換學校，盡可能將改變的衝擊最小化。對金牛座來說，歸屬感很重要。如果你們有宗教信仰，孩子可以在常去的教堂或禮拜堂集會中找到安慰。金牛座會從一個安全、活動中社群的成員裡得到力量，像是青年團體、課外課程或是讓他感覺像第二個家的空間。

另外，金牛座是個現實主義者，面對死亡和其他難題時，他可能出乎意料地實事求是。孩子成熟的讓妳嚇一跳，妳可以把他當作小大人一樣說明，之後他甚至會負責向弟妹解釋難題。金牛座也很傳統，如果家裡寵物或家人離世，金牛座可能需要有正式儀式或定時追憶摯愛故人的紀念日。

✶上學期間

最佳教育風格

金牛座孩子在單純、有紀律的教育體系裡學習狀況會最好。自行管理的開放教室模式或是不打分數的平等教育，可能對多數金牛座孩子來說都太輕鬆散漫；他需要日常規矩，並由強大和關愛來執行。這個星座通常在傳統教育體制裡學得最好，他的才華和成就可得到認可和獎勵。公立學校就很好，即使是私立學校，只要老師不是太嚴厲、獨裁，也適合這個星座。

金牛座會認真投入學習，他的早熟表現會深得老師寵愛。不過，如果學校對金牛座的刺激不夠，他會感到厭煩和不安分，不是因為金牛座懶惰，而是當他對一個科目不感興趣時，再怎麼高壓強迫也無法讓他就範。妳家的金牛座孩子可能在「無聊」的課堂上被要求坐好，但反而會開始搗亂。如果有這種情況，妳需要將他轉班，找一個教學互動較多的老師，或是轉到互動上課的學校。金牛座要是被問到關於一項主題的看法，或能把課堂上所學的應用到生活裡，這個代表實際的星座會比較投入學習。

有生意頭腦的金牛座也喜歡賺錢，可能從小在他腦中就有幾個創業計畫；為妳的小金牛提供工具，讓他打造出他的孩子帝國。我們認識的一位金牛座在十五歲時開始修車；另一個金牛座孩子在高中時期就開始經營自己的網站，以收取廣告費維生，那是部落格流行之前的事。有一些金牛座孩子若是進技職學校學手藝或生意，表現也會比較好。不過，他們比較喜歡從生活中獲得智慧，而非從書本。讓孩子把嗜好和熱情帶入生活，就能提早培育他的才華；讓他接觸感興趣的活動內部，舉例來說，如果他喜歡在廚房裡東弄西弄，帶他去烘焙店參觀，或是到巧克力工廠看看（呼叫旺卡先生！），讓他嘗試一些簡單食譜，跟他一起去上烹飪課。記住，對金牛座來說，最好的教育通常不在課堂裡，而是在學校生活之外。

✶最佳嗜好和活動

金牛座由掌管藝術、文化和美的金星守護，很多金牛座孩子對音樂、美術、舞蹈和手藝活動很有天分。妳可以帶他去上課，甚至試鏡，具競爭性的表演對他會是很大的誘因。有耐心的金牛座手藝靈巧，樂於學習技術——她也許是芭蕾舞課班上第一個做到足尖踮立的孩子，甚至是當《胡桃鉗》（The Nutcracker）女主角的人。金牛座喜歡吃，有點美食家傾向，所以他可能也喜歡下廚，雖然玩具廚房很有意思，但是他可能很快就想接觸真正的爐子和食材。他想要享受做菜的滿足感，等年紀大一些，也許喜歡餵飽家人和朋友。

一些金牛座孩子似乎天生就熱愛瞭解事物運作的方式。汽車、機車和所有機器機械都令他們著迷，這個孩子學會走路以前，妳可能就需要給他一套玩具扳手、螺絲起子和錘子！敲鼓或是任何鍋子、盆子，能讓他發洩挫折感以及表現其韻律感。不過要記得，小金牛可能很快就想拆解家裡所有東西，看看它怎麼運作。家裡如有車庫，可以把它改裝成木工工場、音樂工作室或創作間。

✶禮物指南：送給金牛座的最好禮物

- 有趣的表演或演唱會的門票。
- 任何跟音樂相關的禮物：iPod、樂器、卡拉OK伴唱機。
- 到特別的餐廳吃晚餐，或是一籃的零食。
- 漂亮、舒服的房間用品——或允許他重新布置房間。
- 香味好聞的身體產品，像是泡泡浴產品、古龍水或乳液。

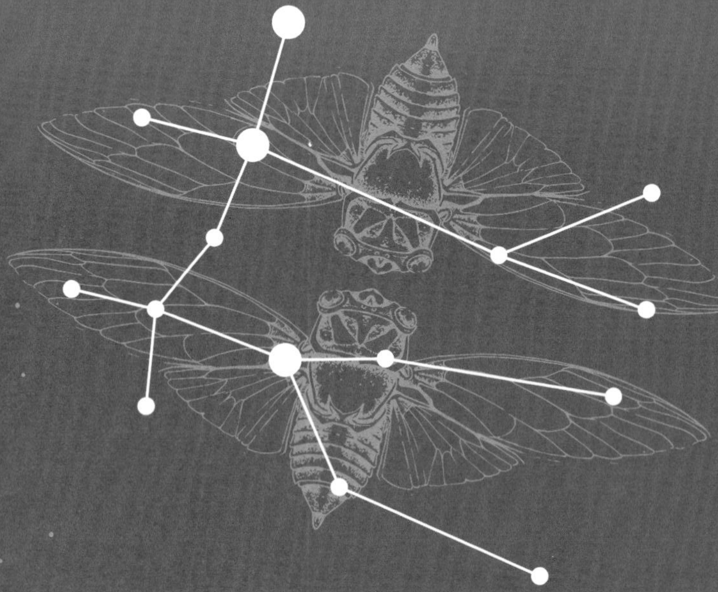

雙子座

（5月21日～6月20日）

孩子

符號：一對雙胞胎
守護星：水星
元素：風
身體部位：手臂、手部、肩部
誕生石：珍珠
顏色：黃色、橙色
優點：伶俐、獨特、迷人、有好奇心
缺點：煩躁不安、分心或不知所措、雙面或八卦、嘲諷或背後說壞話

喜歡：
任何種類的小玩意
書本和教育性質的玩具
音樂、電影和媒體
大量刺激
甜食和刺激食物
多樣性
跟上最新潮流

不喜歡：
一直坐著
規矩和權威
沉默
任何老派的東西；雙子座想要「新的、現在的」
說不
無聊、例行公事、一成不變

妳想要一個**雙子座**孩子嗎？

雙子座孩子的目標受孕日：**8 月 25 日～ 9 月 15 日**

過去和現在的雙子座名人——

娜塔莉．波曼、瑪麗—凱特．歐森、艾希莉．歐森、米高．福克斯、茱蒂．嘉蘭、金斯頓．羅斯代爾、希羅．裘莉．彼特、大威廉絲、安娜．庫尼可娃、西亞．李畢福、約書亞．傑克森、莎夏．歐巴馬

✶教養妳的雙子座孩子：基礎篇

雙子座是雙胞胎形象的星座，集許多角色於一人。當小孩身上匯集多樣的性格，誰還需要真正的「多樣」？碰上雙子座，唯一不變的事就是變，所以要預期有很多活動和多樣的變化。他天生就有雙發亮的眼睛，「淘氣」是雙子座的名字，喜歡在不會受罰的危險邊緣做虧心事，老是惡作劇和開淘氣的玩笑。雙子座一邊肩上是天使，另一邊是魔鬼——天使和魔鬼通常同時在跟他說話。

這個孩子對太陽底下所有的事都感到好奇，因此妳需要長時間看顧他。雙子座掌管手部，所以這孩子的手老是在探索、觸摸或抓取。年紀還小時，任何東西都要選擇有兒童安全保護裝置的產品，因為他們會抓住伸手可及的所有東西。妳必須讓他的雙手保持忙碌；玩樂高、演奏樂器及各式任務。替他們報名數個語言

課或在他還是嬰兒時就教他哼唱。令我們大多數人受到干擾的視覺和聲音刺激，反而可以安撫小雙子座，一位媽媽告訴我們，她開車載著兩歲的雙子女兒經過時代廣場……讓她平靜下來！

所幸雙子座還小時，妳可以跟他解釋為什麼可以與不可以，但明白不代表會遵守。雙子座由溝通行星水星守護，孩子可能很小就會說話、閱讀、比手畫腳和表達自己。一旦他開始說話就會喋喋不休，彷彿有聊不完的話題，即使雙子座安靜時，小腦袋也會動個不停。妳是雙子座或者妳有雙子座孩子時，就不會有無聊的時候。

如果妳是講「規矩」的人，有了雙子座孩子，就要準備好接受培養靈活這一課。太多的框架對好奇心重的雙子座而言並不適用，他需要不斷變換。上床時間、用餐時間和其他例行公事可能都需要有彈性，不過，如果妳堅持不能調整熄燈睡覺時間，那麼就要在平日日程中加入變化：給他一盒水洗式蠟筆、有趣的新洗髮精及按照他的要求講床邊故事。

這孩子有豐富的想像力，這可能是福也是禍。對不斷變化的雙子座來說，通常是說變就變；他們一個小時前的感受，並不意味現在還是這樣覺得。他們對「真相」的掌握理解可能是變動的，因此這個星座素以反覆無常或雙面知名。雙子座總統老布希曾經保證：「注意聽……不會有新的稅」，然後卻增加現有的稅。擅長文字遊戲的雙子座當然知道如何在技術上爭取自己想要的，此外，多面的雙子座能夠從很多角度觀察一個情況，甚至是從矛盾的觀點。在雙子座看來，每個版本的「真相」似乎都站得住腳，他們習慣沉浸於引人入勝、甚至是荒誕不經的故事。這個滿腦子異想天開的星座喜歡像鏡子一樣，「反映」與他相處的人，跟對方達成愉快的共識與合作最讓雙子座開心。他要是跟一個喜愛嘻哈的朋友來往，妳會看到他對妳做個和平手勢，以大搖大擺的步伐走出門；跟活潑的好朋友視訊聊上一小時後，她講起話來都是南加州「山谷女孩」的口音。哪一個才是真正的雙子座？每一個都是！

不過，雙子座仍然有撒個小謊的時候，妳會想見識的，他可能編造出自己都相信的故事；有的雙子座孩子可以看著妳的眼睛說出厚顏無恥的謊言。他們認為自己如果可以說服妳（還有他們自己），就會像書寫小說般敘述故事，講得跟真的一樣。有個媽媽告訴我們，她的雙子座兒子曾講了一個完整故事，說強盜闖入家裡，吃完她為學校烘培義賣準備的杯子蛋糕，卻沒發現自己嘴角沾了鐵錚錚的證據（奶油糖霜）。這位媽媽說：「我最後帶他去照鏡子，但是他到了那時候還在否認是自己吃的！」她笑著搖搖頭：「我實在有點擔心，我們還在設法讓他凡事坦誠。」雙子座有能力爭辯到妳暈頭轉向（以超快速度說話），最後妳會累到舉白旗。但等妳恢復精神，妳會發現自己搔著頭納悶，「我為什麼會同意他說的？」

雙子座是調皮的小孩，不過他們在作怪時通常沒有惡意。所以身為父母該怎麼做？既要培養雙子座的好奇心，同時也要教導他誠實的重要。在家裡備好紙張、蠟筆、扮裝服裝和錄音裝置，讓雙子座說故事的天性盡情展露。但要注意，雙子座多采多姿的故事往往點綴著他們真實的想法或感受，要學著如何解讀他們的花言巧語和詳盡的漫天大謊。如果妳注意聆聽（像老布希叮嚀的一樣），要確保妳也聽懂了他們的弦外之音。

想要了解雙子座，請注意他們的守護星——水星是一顆最接近太陽的行星。水星這個使者行星在太陽軌道上快速繞行，搜集數據再傳播到其他行星，這是為什麼這個星座總是熟悉最新八卦或是率先發現新玩具、新書、新玩意和新點子。記得，別在七月就幫這個孩子買聖誕節禮物（當然，十一月黑色星期五特惠也嫌早）。雙子座可以很快愛上一個新朋友、新玩具或是新電影（信口就說「這是我看過最棒的電影」），他們的熱情去得也快。做好準備，雙子座每次一頭熱過後會突然地降溫。是的，這是龍捲風天氣。小雙子就像旋風吹入妳的生活，將一些事情吹得天翻地覆，但是也把妳帶到他的神奇歐茲王國。媽媽，準備好跟雙子座走上冒險的黃金大道。

✶雙子座：應對挑戰

規矩和權威

雙子座最愛說「為什麼」，只要他年紀大到會問問題時，他一定發問。這個星座可以從扭曲規則闖出事業，他能聰明到在妳試著訂立的每個規矩裡找出漏洞。雙子座孩子喜歡故意唱反調，可能只是為了反抗而反抗，或是為了自娛自樂，鐵腕手段會讓雙子座更偏離妳的軌道。雙子座作為雙胞胎形象的星座，需要感覺到每件事都像雙方對話一樣。請丟開規則手冊，或者起碼樂意修正命令、對話的口吻，甚至把雙子座當作同輩對待（忍耐一下），最後妳才能從這孩子身上得到最好的反應。

限制

嗯……限制是限制，直到雙子座找到方法避開為止。由於雙子座總會找到漏洞，妳必須堅持自己的底線；但是避免限制過度，只挑真正不能做的行為來規範（跟陌生人講話、碰發燙的爐子、暴力）。有時候解釋一件事被禁止的理由，可以幫助追根究柢的雙子座理解妳的動機。然而，別讓雙子座操控妳來改變規則迎合他。說清楚，不行就是不行，並非任何事都可討論。

分離和獨立

許多雙子座跟媽媽形影不離（雙胞胎的專長），他們不敢冒險……一開始是這樣。最初的分離是最難的，等他們熟悉和其他孩子互動，雙子座的社交天性就會出現。（誰是媽咪啊？）很快的，妳的主要關注議題將是確保雙子座不會跟每個陌生人交談——或是追著蝴蝶和冒出什麼念頭而跑走了。

弟弟妹妹

喜歡互動的雙子座樂於教導，會耐心地照顧和保護弟妹。他們喜歡領導、指導和訓練。如果雙子座孩子是家裡的寵兒，他可能會把表弟妹、鄰居都當弟妹照顧，當然，雙子座可能不會立刻接受弟妹。一個媽媽告訴我們，她的雙子座女孩老是想要一個弟弟或妹妹。她懷孕後，跟女兒宣布這件事，她氣到一整天不跟她說話！妳根本摸不透這個善變的星座。

哥哥姊姊

模仿精雙子座會自行取用哥哥姊姊的玩具、衣服，甚至和他們的朋友交朋友，這點會讓他們困擾。雙子座孩子有「你的就是我的」天性，可能會跟占有欲強、需要自己空間的哥哥姊姊不合。

寶寶，掰掰：斷奶和如廁訓練

雙子座渴求獨立，他在學習成為大男孩、大女孩竅門時會是好學生。這個聰明的星座能夠因應變化和喜歡學習新事物。妳很幸運，訓練他睡覺或是不穿尿布時不會有太多麻煩。

性觀念

早熟的雙子座對很多問題好奇，但是他們也知道如何自行找出答案。雙子座由快速運行的使者行星水星守護，孩子可能會滔滔不絕跟妳講從學校裡聽來的性知識。重視感覺的雙子座也掌管手部，他們可能會用手，呃，做一點探索。與其覺得難為情，不如建議孩子在私底下才可以這麼做。雙子座是個孩子王，他們一旦知道寶寶是怎麼生出來的，就會立刻告知同學。

學習：學校、作業和老師

聰明、擅言語、熱切學習，雙子座會是個好學的學生。他們獲獎的詩歌、艱澀的主題報告會掛滿妳家牆壁。雙子座對成績沒那麼感興趣，他們主要是基於滿足好奇心。雙子座孩子容易分心，即使智商高，考試成績可能也不會完美或者都拿滿分。一位意志堅定、教學風趣的家教若是幫他一對一上課，可能會有所幫助，因為雙子座在鼓勵發問及能夠對話的互動環境中學習成效會最好。

家庭衝突

外交官或騙子？雙面的雙子座改變效忠對象的速度可能快於妳轉換電視頻道。上一秒他們站媽媽這邊，下一秒他們會為別人說話。他們擁有看到事情不同面向的天分，可以讓他們成為出色的仲介人，或讓妳措手不及。小心別讓雙子座聽到不該聽的，他們耳朵很尖。妳也要注意，一些雙子座孩子會選擇以否認現實的方式作為反應，並想像出自己的世界或是玩伴當作逃避的管道。

✶雙子座男孩

雙子座男孩對世界上任何事都感到好奇，他會突然間變得非常坦率、毫無祕密，但一下子又像謎團，難以理解；可能會喋喋不休，接著突然不與其他人交流，沉浸在玩具、計畫或小玩意裡——妳可能對這個小孩真正的樣貌完全摸不著頭緒，不過這就是雙子座男孩。「有所預期」這個形容詞是最不可能用來描述這個星座的。

雙子座的口語能力比其他男孩優秀，他有成為寫作家或演說者的天賦。文字與瑣事會是雙子座男孩喜歡的興趣；饒舌歌手圖帕克・夏庫爾（Tupac Shakur）和聲名狼籍先生（Biggie Smalls）就以他們錯綜複雜的文字遊戲聞名，他們都是雙子座。他會是個才華洋溢的模仿者，就像雙子座喜劇演員麥克・邁爾斯（Mike Myers），同時表演《王牌大賤諜》（Austin Powers）和《邪惡博士》（Dr. Evil）；他可能也喜愛做研究，在感興趣的主題上挖掘資料，妳兒子可能會有一些只有雙子座能找到的鮮為人知的知識。或許他要求飼養獨特的寵物，像是雪貂、鬣蜥或寄居蟹；不過妳可能很快就會得知他的注意力比春裝伸展台上的裙擺還短，因此，妳要避免讓他飼養需要精心照料與餵養的動物，即使他全神專注幾個月，一旦他失去興趣，便會雙手一攤，妳就得接手後續的餵養和清理籠子的工作。

當雙子座男孩在敘述他的感受時（這樣的狀況不一定會發生），妳會驚訝他對文字上的運用。然而，要他打開心房會是個挑戰，因為雙子座是象徵雙胞胎的星座，這個男孩同時擁有強烈的男性特質與女性特質，他可能在一場激烈的足球比賽輸了之後痛哭流涕，或很認真解釋他的感受、分享心情後，就會將其封印起來，瞬間從感傷情緒轉換到冷漠無情。其實，他也會因為諷刺性的言論把常被用來處罰的椅子都坐熱了。

有些雙子座會透過風格表達他們的二元性。知名的性別反串王子藍尼・克羅維茲（Lenny Kravitz）、強尼・戴普（Johnny Depp）及安德烈3000（André 3000），他們都是雙子座。（有任何人需要男士眼影嗎？）甚至是保守政治人物雙子座的魯道夫・朱利安尼（Rudolph Giuliani）也會在每年萬聖節的傳統變裝活動上妝扮成女性。所以即使雙子座兒子想要穿上妳的高跟鞋或翻找化妝包，也不一定代表他想前往變裝皇后同志派對。他可能只是在創造自己的招牌風格，對這個表達豐富的星座來說，這在發展性格上——漫長而迂迴的過程是相當重要。因此，即使這樣的狀況發生在這位漂亮、踩著高跟鞋的孩子身上，也要讓他按自己的步調走。

當然，雙子座男孩可能基於許多理由而經歷一些身分認同危機。他們分析、質疑所有的事，腦袋從不關機——從來不會！避免雙子座惹麻煩的最好方式是讓他們保持忙碌。許多雙子座男孩對技術在行，喜歡修補東西，和金牛座一樣，對任何東西的運作都很好奇（但不像耐心的金牛座，雙子座孩子可能把東西拆開，還沒裝回去就失去興趣！）靈巧的雙子座容易覺得無聊，需要一些可以吸引他注意力的東西，比如樂器、藝術計畫以及小玩意。其實一間提供不同活動項目的遊戲室最適合，因為喜歡多樣性的雙子座熱愛同時經手幾項計畫——無事之徒易犯事，正是雙子座的寫照。體力活動也有幫助，不安定的雙子座需要持續活動，觀看新景色以激發他生動的想像力；將他從電腦或電視前拉開，騎腳踏車或跟鄰居孩子玩傳接球。即使他不運動，可能也會是某個隊伍的超級粉絲（或幻想自己是足球隊裡身價最高的球員），好處是讓他忙著做自己喜歡球員的相關統計。

雙子座孩子似乎會到處跑、停不下來、對什麼都略知一二，妳可能為此擔心，然而他終究會找到自己的方式，或找到他能投入關心超過一星期的事物。對他而言，這就如雪球效應，從數以萬計不同的出口來累積知識和經驗，之後，他所獲得的一切會成為出色、獨特的融合。雙子座兒子可能令妳抓狂，但是有一天，也可能讓妳驕傲。請儘早預約妳的門票——那將會是一場盛大的表演。

✶雙子座女孩

雙子座女孩會讓任何在她周圍的人保持警覺。這些聰明機靈、能言善道的閃亮小仙子說話像連珠砲，擁有超齡的智慧。她們會露出淘氣的微笑，提醒妳她們也愛玩，心態永遠年輕。雙子座女孩的雙面性格，既是認真的工作者也擁有自由靈魂，各占一半，是個真正獨特的人。

雙子座女孩學得很快，喜歡學習、說話及跟人互動。作為雙子座，也是善於模仿的人。當妳聽到自己說過的話從這個小孩口中說出時，妳可能大吃一驚，也會被逗笑。她可能很早就會閱讀、算數和背字母表。她可以是個優雅的舞者，不過作為風象星座，或許她對遊樂場的攀岩牆無畏無懼（地心引力？那是什麼？）。她早熟的性格和迷人的微笑，使她擁有成為兒童模特兒或演員的天分。雙子座姊妹瑪麗・凱特・歐森（Mary-Kate Olsen）和艾希莉・歐森（Ashley Olsen）在九個月大時就拍了影集《天才老爸俏皮娃》（Full House）。漂亮的小雙子娜塔莉・波特曼（Natalie Portman）十歲時推掉露華濃（Revlon）的模特兒經紀合約，卻在十三歲出道拍《終極追殺令》（Léon: The Professional）。一九四〇年以後出生的女孩哪個沒有試著模仿十六歲雙子座女孩茱蒂・嘉蘭（Judy Garland）在《綠野仙蹤》（The Wizard of Oz）裡的桃樂絲角色呢！

這些人可不是輕浮的小明星。波特曼在高中畢業後專心求學，進入哈佛大學；歐森姊妹到紐約大學念書。雙子座女孩有堅定見解、獨到目標以及遠大志向。雙子座演員安潔莉娜・裘莉（Angelina Jolie）成為聯合國親善大使時，證明她不只是性感的動作片明星，啟發全球各地的人對從事國際公益感興趣。這些直率女孩天生口無遮攔，不躊躇退縮；不過她的挑釁評語可能讓她遇上麻煩（或冒犯同儕），但她通常都是在沒考慮其後果就脫口而出。

雙子座女孩需要很多嗜好和智力上的刺激——她是受訓良好的文藝復興全能女性。她有創意、緊隨潮流，腦中分類好流行文化和瑣事，可以馬上背出歌曲、書中內容、他人的生日和其他有趣的事。若要滋養雙子座對學習的愛，就讓她接觸、體驗各式各樣的事物。她不是想要妳保護的孩子，如果妳只想保護她，就只能祝妳好運了。當她想要任何東西時，總會琢磨出方法。

雙子座女兒會珍惜和媽媽一對一的相處時光。妳是她第一個摯友，獨一無二，但她也會努力和其他孩子打交道，玩伴、舞團、藝術課、音樂課，全都嘗試一番，這孩子需要五花八門的經驗。即使她很黏妳，看見妳離去就沮喪難過，但只要推她一把，她就會擴展活動範圍。此外，為了自己好，妳必須分散她的注意力，因為她可沒有停止開關。她們喜歡把夥伴捲入自己的計謀和冒險，只要其他孩子夠聰明能跟得上！雙子座女孩很早就會調情，可能緊迫盯人追著男性玩伴；安潔莉娜．裘莉在受訪時說過，她幼小時是「親親女孩」的一員，該團體的首要宗旨是追男孩，跟他們接吻到認輸為止。雙面的雙子座盡力同時保持陽剛和女人味，其他星座只能眼巴巴望著，期待自己也擁有這項本領。

據說雙子座有多重性格，的確，妳可能會納悶今天在跟哪一個女兒說話。她可能經常冒出一個新身分或口音，或突然全心投入新嗜好，每個嗜好都需要精密工作或設備。即使服裝改變，妳仍然不會知道女兒的某個人格會帶她往哪裡去；一個名叫諾瑪．珍．雷（Norma Jean Rae）的害羞雙子座女孩離開她破碎的家庭，換上瑪麗蓮．夢露的新身分。當妳忍不住想將她的想像身分視為虛構時，要記得這個例子。如果有誰能把夢想化為現實，必然就是雙子座女孩。

雙子座孩子

這代表……	妳應該這麼做
他感到受傷或是某件事不對勁。 他處在某個情緒中，可能被取笑或感覺受傷。	拿起急救箱，問他是怎麼回事。 讓他說出來，或給他安慰的擁抱。
雙子座的「另一面」（安靜、內向）正在顯現，就像一直在動的勁量電池兔子，可能終於故障了。	給雙子座一本書或讓他進行靜態的活動；或讓他上床躺著，說故事哄他小睡來恢復精神。
極度敏感的雙子座有太多能量需要消耗。他可能感到厭煩、無聊、煩躁不安或受到壓抑。他需要自由翱翔一下。	確認雙子座有合適的動腦和體力上的出口。如果他的日常飲食含有糖分及其他引起興奮的物質，請減少攝取量。
分離過程尚未完成，雙子座仍然將妳視為他主要「幫手」。他還猶豫著是否要跟其他人打交道。	神奇雙子座力量，啟動！幫雙子座孩子找到互補的玩伴，在妳發現之前，他會根本忘記妳的存在。平行的遊戲也有幫助，訂立一個遊戲日期及一個跟「其他媽媽會面」的日子，在那段期間，妳可以跟其他媽媽喝咖啡、茶建立交情，讓孩子在旁嬉戲。
雙子座掌管手部，因此這星座的孩子傾向會「吃零食」，抓起任何可以吃的現成食物。有人會再餵飽吃點心的動物嗎？	保存一些健康零食（把甜食藏起來，不然雙子座會找出來）。這些好動的孩子喜歡甜食帶來的活力刺激，但無可避免地，精神最後會變差。這個星座擁有成為美食家及混合有趣食材的天分，因此等他長大後，讓他進廚房幫忙。
這是新鮮事嗎？雙子座的生活就是不斷更換布景的劇場。他們容易無聊生膩，靜不下來。	除了用皮帶把孩子繫起來，妳沒有其他可以做的，只有接受。隨時放一些玩具、書本、小玩意等在旁邊，讓雙子座有事情可忙。

✶行為解碼：

雙子座有這種行為時
哭泣
在社交上退縮、沉默或喜怒無常
搗亂（打、踢、回嘴）
變得黏人
不吃妳給的東西
坐不住

✶雙子座的社交屬性

家庭中的角色

妳的根有多深？如果妳總是因循舊規或討厭改變，請繫好安全帶。否則……妳將展開一趟全新的旅程。喜歡嘗鮮的雙子座會登上舞台翻攪一切及挑戰妳的假設。若這個孩子帶著一個交通標誌出生，那會是「小心：前有彎路」，這小孩意料之外的干擾會使家庭傳統受到挑戰。雙子座讓妳有創造新習慣的機會，幫助妳透過迷人的萬花筒而非顯微鏡觀看世界。

朋友和同儕

雙子座是社交花蝴蝶，善於交際的眼裡從來沒有陌生人。事實上，雙子座往往在更深入認識一個人之前就失去興趣，又忙著結交下一個有趣的新朋友。雙子座在每個地方都有朋友，大多是泛泛之交而非真正朋友；他們擅長培養廣度而非深度。雖然雙子座會和一些人建立一生的珍貴友誼，但取得「最好朋友」這個頭銜的人經常說換就換。一部分原因在於他需要自由。雙子座想到什麼就去做，無法忍受被某個人的行事曆綁住。企圖把內疚過錯或太多義務加在雙子座身上的朋友，他可是會跟對方絕交。但是一個充滿冒險精神、不要求條件，可以在一天內探索數以萬件新奇事物的朋友呢？那個人很快就會成為雙子座最愛的幫手。雙子座想說話，不喜歡被拖出夢想世界時，就跟他一起遊戲。雙子座的朋友需要維持談話，跟上他飛快的閒聊。厚臉皮也是必要條件，因為他會脫口說出坦率、刺骨的意見或玩笑話。

雙子座孩子可以很八卦，所以請確保妳的小雙子不是傳播流言的一員。他們不是惡意，只是受不了有趣的消息只有他們知道，畢竟守護星是代表使者的水星。雙子座不是完全忠誠的盟友，他們會把未經證實的事洩露給不對的人（如果妳有天變成名人，狗仔隊要挖消息的對象可能就是妳的小孩）。

雙子座孩子有時會跟同儕不在同一個時空裡，尤其是他們的腦子總在運轉時。雙子座就像小型的資料儲備裝置，裡面裝滿事實和點子。他們的知識可能早了同輩好幾光年，但在情緒層面就落後好幾步。雙子座的熱情有感染力，但他們可能太多話，甚至有點自鳴得意，進而惹惱其他孩子。他們很快就能從零度加熱到六十度，因此讓人很有壓迫感。雙子座需要一群「宅一下」熱衷新嗜好的朋友，也需要幾個隨和的朋友來應對他各種面孔、心情和個性。圈內人玩笑和共享的（祕密）興趣能讓雙子座建立連結。只是別對雙子座帶回家裡或想要邀來玩的朋友產生感情，因為妳不會知道他何時改變心意，又把朋友換過一輪。

兄弟姊妹：雙子座在其中的角色

雙子座掌管星座第三宮兄弟宮，這些樂於互動的孩子喜歡擁有兄弟姊妹——總之，理論上如此。兄弟姊妹會是雙子座整天的玩伴和戰友，他們會坦率地表現，既是忠誠盟友也是激烈的同根生對手（每個小時都不一樣），雙子座可不是容易分享DNA的家人，更別說是房間或玩具。此外，也別想跟他們爭論；跟聽穎、快人快語的雙子座爭論只會以眼淚、懊惱和喊暫停結束。雙子座是天生的斡旋者，可以挺身調解家人紛爭或幫兄弟姊妹辯護——聽起來像個老練的辯護律師。中止訴訟？他們可能在爭議解決之前就換邊站了。

在雙子座心情好的日子，會給兄弟姊妹無數的娛樂和惡作劇，或會設想一些精密計畫，讓整家人忙上好幾天，甚至數個月。家裡有雙子座，不會有任何漫長、無聊的冬季！這些吹笛手有無限想像力，會引導易受影響的兄弟姊妹一起冒險——通常會讓兩人都被困住的那種！不過，就算被禁足在房間，雙子座仍會計畫下次調皮的冒險。雙子座會惹兄弟姊妹生氣，但又有足夠的魅力得到原諒（雖然對方仍耿耿於懷）；雙子座只需要對火大的手足眨眨閃亮的眼睛，就有機會不斷被原諒。

✶教養妳的雙子座孩子：進階篇

當心學舌鸚鵡！舌燦蓮花的雙子座孩子可以讓甜言蜜語轉為譏諷，直擊妳的痛處；十次裡有九次，雙子座都是因為這張嘴惹上麻煩。妳可能抓到他在說謊——或者應該說半真半假。這個孩子對任何事都有答案，即使妳沒要求！他也知道如何把妳引入一個令人為難的談話，並一直繞著妳的事打轉。雙子座孩子看似能言善辯，事實上他是喜歡唱反調。有時妳可能懷疑他其實是為了娛樂自己，故意捲入麻煩（看妳氣呼呼、臉孔發紅，對他來說，純粹是好笑的消遣）。我們小時候有一個雙子座玩伴說服幾個孩子（嗯，包括我們）對他鄰居的車子丟石子。他編出一個動聽的故事，告訴我們復仇是阻止那些惡鄰居的唯一方式。我們悄悄進行了這個任務，幾天後鄰居注意到車身的凹痕後，打電話給我們父母，我們被逮到，遭遇人生最大的麻煩。

淘氣的雙子座可以是野孩子，總是在挑戰底線，然而設立更嚴格的規則和禁令，只是更慫恿他挑戰。他會認為即使破壞許多界線，仍可以無事一身輕，甚至，在試著逍遙法外時，還會把這件事視為值得誇耀的獎章。

真正有效的方法是，以人生教練兼同儕的身分跟他說話。如果妳放低姿態，他就會停止，不過，得讓他以為改變行為是他自己的主意。雙子座是天生的商人，妳有時必須將「改正」這件事當成商品推銷，甚至採取一些認知行為學的治療手段，聚焦在改變行為而非心態；也可以把這些事悄悄融入他的日常行程（就像潔西卡・賽恩菲爾德（Jessica Seinfeld）在她的食譜書《看似美味》（Deceptively Delicious）中建議將菠菜偷偷加入孩子的果泥裡）。與其訓斥，被當成作耳邊風，不如把新的行為模式變成一種遊戲。這是狡猾、有點操控的做法嗎？當然是。但雙子座不也是那樣的性格嗎？對的，所以要以他們的方式應對。不要以父母的邏輯，而是要像個派對主辦人般一樣的思考，妳便能積極地把雙子座變成世界上行為最良好的小惡棍。

✶處理過渡期：搬家、離婚、死亡和其他難題

改變和失去，對每個小孩來說都是打擊，但適應力強的雙子座相當歡迎某些過渡性的改變。他不會因為寧可與「已經熟知的惡魔」打交道，而留在悲慘的學校環境裡。雙子座天天都在重塑自己，所以到新學校或結交一群新朋友不會是大問題。此外，他們曉得自己無論到哪裡，都能運用聰明才智贏得朋友並影響他人。

雖然客觀的雙子座會情緒化，但也有冷靜的觀察力。死亡是生命的一部分，他們可能從很小就掌握這個概念，或者會以面無表情的方式掩飾自己的感受。在經歷失去或創傷事件後，若雙子座表現得像沒事一

樣，千萬不要被他騙了。很多雙子座在成年以後會陷入憂鬱，就是因為早年沒有處理過這樣的情緒。他們小時候可以開始用「談話療法」，用藝術或音樂治療來吸引他們；聰明的雙子座偏愛用畫圖或寫作來表達，而不是坐在兒童心理醫師診所的沙發上談論他們的感覺。不過，多數的雙子座終究還是會有些反應，特別是以人生教練風格的那種溝通方式。只需要練習和一點刺激，小雙子就像上了發條的玩具，而且一旦打開話匣子，只能等他們說完才能結束。他們不喜歡當場被針對或批評，所以當雙子座孩子開口說話時，別亂給意見，否則他將不會再對妳吐露祕密。

✶上學期間

最好的教育風格

只要事實！求快的雙子座想要盡可能地快速進入重點，冗長乏味的課程會讓他們的眼神變得呆滯。雙子座是文藝愛好者，喜歡各式各樣的主題，而且習慣以自己的步調學習。由於學習進度通常比同學快，所以允許自主學習和自我規劃的學校，會比較適合富有創造力的他們。對雙子座來說，課外活動和閱讀、寫作、算術一樣重要，畢竟比起讓他們打呵欠的地理課或西班牙語課（請這些科目的老師勿見怪！），課外活動更能為未來職業鋪路。我們認識的一位成功雙子座媒體人，當年就是從編輯高中年鑑開始累積經驗。

如果雙子座孩子在學校表現不佳，很可能是因為他覺得上課無聊感到窒息，此外座位安排也是重要因素。雙子座是社交動物，會因為坐在附近的同學愛講話或傳筆記而分心。好奇的雙子座也喜歡問很多問題，互動交流較多的教學最會引出他追根究底的天性，而且他需要掌握課程裡的「為什麼」，如果有好學的朋友或一對一家教，會使他的成績有所進步。

珍視雙子座洞察力和獨特視角的老師，能夠引導他在學業上有最好的表現；反之，老派或權威的老師會把雙子座的疑問誤解為挑釁與反抗，說不定在教室和校長室間就有一張給雙子座的專用椅。如果孩子開始調皮搗蛋，那麼請盡快行動，轉換到欣賞雙子座前衛思想的班級或學校——這個孩子總是幻想自己比老師聰明。某些狀況下，雙子座可能是對的，但是在他畢業之前，千萬別跟他這麼說。

✶最好的嗜好和活動

雙子座孩子喜歡文化、藝術和娛樂。他們的守護星是代表使者的水星，通常會是未來的媒體大亨，無論到那裡都幾乎喊著「號外！號外！」雙子座具有成為作家和演說家的天分，可以讓他們參加學校的報社或辯論社；若到書店參加故事時間或辦一張公共圖書館的借閱卡，等同給他們一張通往新世界的護照。雙子座也喜歡專業的技巧，因此可能會花很長時間全神貫注地打遊戲（特別是多位玩家參與的那種（有人也玩《魔獸世界》嗎？）妳家這位坦率的小雙子會用工具後，甚至想開創自己的數位媒體計畫。等他長大一些後，可以學攝影機拍攝，參加演藝課或舞蹈課，給他們多方面的活動學習機會，免得感到無聊。多姿多彩是雙子座生活的趣味所在，而且這些孩子天生懂得身兼數職。

靈活的雙子座可以非常大膽，他們可能有強壯手臂或超越一般人水平的靈活度。體操課或空中飛人課會讓這風象星座熱血沸騰，因為他們喜歡飛翔的感覺；他們也可以是有天賦的舞者，特別是跳嘻哈、地板舞，或任何能打破形式、創造舞步的舞蹈。此時，請清空妳的行事曆，雙子座孩子可能需要妳去看他表演、排練，甚至幫忙接聽試鏡電話。一旦野心勃勃的雙子座設定了遠大的目標，只有成為頂尖才能滿足他。當然，這孩子的興趣來得快去得也快，因此在妳打算送他進好萊塢闖蕩時，請確定孩子的夢想是否還跟以前一樣。

✶禮物指南：送給雙子座的最好禮物

- 讓他們可以下載喜歡的樂團作品。
- 可以激發他們想像力和有趣的文字遊戲（《蘇斯博士》（（Dr. Seuss）），謝爾・希爾弗斯坦（（Shel Silverstein））的作品，等他們長大可選《多重結局冒險案列》（（Choose Your Own Adventure））），提供日記本讓他們記錄讀書時冒出的創意與想法。
- 線上繪圖板、藝術工具、混合媒材藝術的材料。
- 科技玩具或任何最新的小工具。
- 卡拉ＯＫ或可供錄音、錄影的半專業器材。
- 一部戲劇或演唱會門票，帶他去參觀喜歡的電視節目後台。
- 花一天的時間去有趣的地方或是郊遊，如動物園、馬戲團或有雲霄飛車的遊樂場。

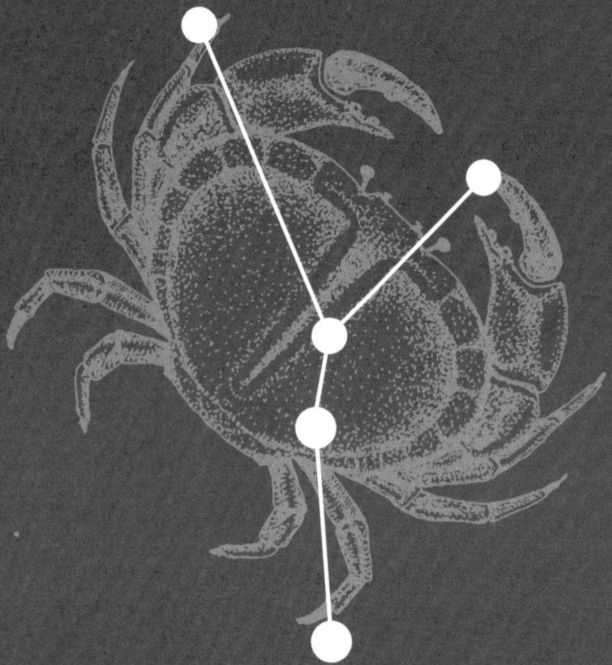

巨蟹座孩子

（6月21日～7月22日）

符號：螃蟹
守護星：月亮
元素：水
身體部位：胸部和胃部
誕生石：紅寶石
顏色：銀色、橙色
優點：感情豐富、有愛心、有創意、樂於助人、直覺力強
缺點：喜怒無常或敏感、悲觀、黏人或占有欲強、沒安全感

喜歡：
豐富食物（特別是甜點）
團隊運動（參與其中或觀賞）
娃娃、茶會、老式物品或漂亮物品
與家人一起待在家裡
水相關的事物，如海灘、游泳池、浴缸
擁抱、親密相處、舒適和感情
藝術和文化：戲劇、演唱會和芭蕾

不喜歡：
不舒服的衣服和布料
在準備好之前強迫出殼
無味、乏味的餐點
敏感度低或沒感情的人
與家和家人分離太久
成為焦點
群眾

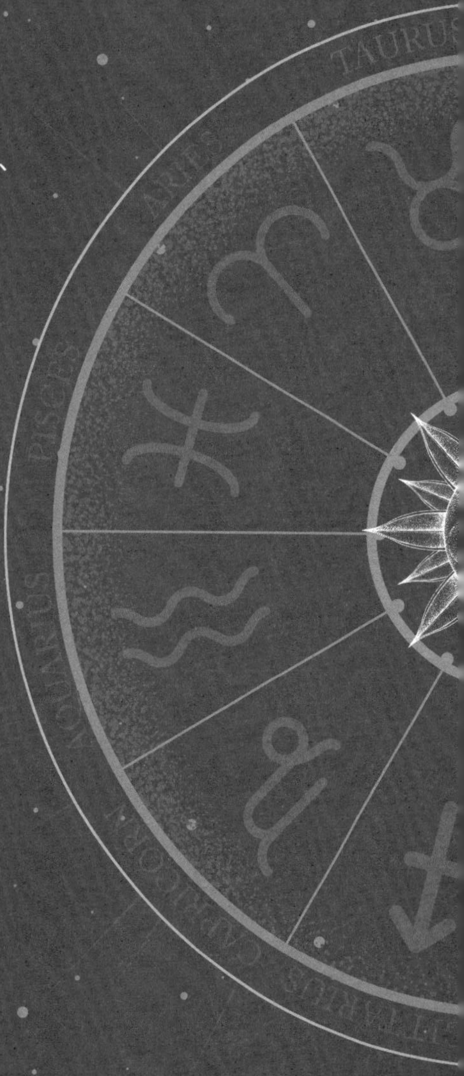

妳想要一個**巨蟹座**孩子嗎？

巨蟹座孩子的目標受孕日：9月25日～10月15日

過去和現在的巨蟹座名人——

席琳娜．戈梅茲、傑登．史密斯、琳賽．羅涵、諾克斯．裘莉．彼特、艾希莉．堤絲黛爾、艾奇恩．卡瑪瑞克、弗萊德．薩維奇、蒂亞．莫瑞、塔梅拉．莫瑞、瑪麗亞．歐巴馬、威廉王子

✶教養妳的巨蟹座孩子：基礎篇

有人叫「媽媽」嘛？居家型的巨蟹座是十二星座中最戀家的星座，他們很需要照顧人，也需要被照顧。巨蟹座是和母子關係相關的星座，受到「母性能量」的強烈影響。這些善解人意的小孩需要能花時間聽聽他們講述自己感受，以及尊重他們需要經歷漫長情緒過程（請別給太多嚴厲的愛）的人。無論誰是他們早期的照護者，巨蟹座都會成天緊緊跟著。他們也對弟弟、妹妹、寵物、娃娃，任何他們關愛的對象具有保護欲。請做好心理準備，妳家會有很多下午茶餐具組、扮家家酒，他甚至會假裝娃娃的尿布溼了，或是拿著奶瓶幫寶寶餵奶。

巨蟹座是情緒化特質最明顯的星座，心情起伏說變就變。這些敏感的孩子可能很愛哭，或是用稍微鬧脾氣來表達他們強烈的感受。有時候，巨蟹座可能安靜或退縮，但當他的情緒達到臨界點時，要當心了！他們也許感覺害羞或遲疑，需要妳稍微強迫他。不過，小巨蟹可能只是需要躲進殼裡獨處一下，閱讀一本書，摟著喜歡的絨毛動物玩偶，或陷入自己的思緒。當巨蟹座年紀大到足以閱讀和寫作時，一本日記（有鎖的）是理想的禮物，這可以幫助他們書寫、理清情緒。巨蟹座最喜歡的情緒出口通常是寫作，雖然他們對音樂、舞蹈、歌唱和其他藝術一樣有天分。

巨蟹座就像這個星座的符號——螃蟹一樣，喜歡把家揹在背上。這孩子比任何其他孩子更需要「過渡期物品」——在送他們去闖蕩更大世界時，他們會需要熟悉的一個玩具、一件毛衣、或是一個物品，讓他們感覺自己就像在家裡、在妳的懷抱裡一樣安全。妳可能需要讓他穿著睡褲，或是像拖鞋般舒服的鞋子去托兒所。如果這些是激勵他走出家門的必要物品，就這麼做吧！

巨蟹座容易有被遺棄的感覺，因此他們可能需要緊黏在妳身邊。就算其他孩子從媽媽身邊獨立很久了，他仍然需要妳在場給他安心感。不管喜歡不喜歡，他會讓妳成為需要親密接觸的家長，即使將他送上床睡覺，他仍會爬到妳床上。有一對父母每早醒來時，發現剛學步的巨蟹座小孩躺在床尾。這位母親笑著說：「這件事太頻繁發生了，我們已經放棄讓她睡在自己的床上。」你可能得仔細研究親密育兒法的原則，因為對這個孩子來說，妳得默默奉行這種方式。巨蟹座掌管胸部，因此如果妳餵母乳，他可能不願斷奶。這些孩子會把媽媽理想化，這令人開心也讓人有壓迫感，畢竟要達到期望會帶來很多壓力，妳很難在不感到內疚和操心他之間建立合理的界線。不過如果妳必須犧牲夜晚約會、讓妳恢復活力的獨處時間，此時就必須採取溫和的分離手段。建立幾個過渡儀式，像是念故事或是在妳離開前抱抱他；使用食物為獎勵的話，則要當心，他可能為了滿足情緒而吃東西，給太多的巧克力、冰淇淋安慰心靈，反倒會使他們用暴飲暴食來自我安慰。

提升巨蟹座的自信會是父母必定要做的工作。當無可避免的事情打擊了孩子，因而陷入絕望，變成一個掃興、說些沮喪話的人，或者像是「桶子裡的螃蟹」（螃蟹心理）把其他人拉入他的悲慘處境中。如果在孩子還小時就搬家，要確保能在新住所長期定居，因為沒有比需要重新交朋友、適應新保母、新學校和新的人，更能建立或摧毀巨蟹座的安全感——他們不喜歡離開熟悉的舒適圈。

直覺性強的巨蟹座會感受到每個人的情緒，有朋友或喜歡的人心煩時，他們會第一個注意到；總是知道誰需要一個擁抱，也能感覺到父母即將爭吵。這覺察力強的星座是不折不扣的靈媒，他們很多第六感都會成真；重要的是，妳要尊重他的反應和洞見，即使妳認為他是妄想或猜疑過度。若妳揮手不顧他的感受，或是告訴他：「你在幻想」，孩子得到的訊息會是「別相信自己的情緒」。妳不會想破壞孩子跟自身直覺的連結，因為那些直覺會引領他安全度過一生。

當巨蟹座興致高昂、自信滿滿地說話時，請務必傾聽，即使他的理解有錯，但是他的直覺一向很準，就像動物在暴風雨前幾小時就能察覺到異常，然後開始行動，而巨蟹座的情緒系統也有衛星接收器。如果妳不想要過度保護他、讓他變得膽怯，記得孩子需要妳的安慰，讓他知道有那樣的感受並非異常。無論是妳，或是一個有愛心、能讀懂情緒的模範人物，只要認可巨蟹座的感受（同時教導他們別過度反應），就是給予他的最棒禮物。

✶巨蟹座：應對挑戰

規矩和權威

安守本分的巨蟹座需要強大的權威形象，讓他變成順從的小士兵。他喜歡有人告訴他該做什麼和該去哪裡，而不是自己去世界裡闖蕩。這不是說他對什麼權威都聽話——只是想要給他心理準備。事實上，這個星座可以非常霸道，他喜歡像訓練童子軍（或牧羊人）一樣，告訴其他孩子各種規則！

限制

巨蟹座想要知道規則和界線。注重安全感而喜歡限制，這會讓他們感覺安全。其實，妳需要記得將這些孩子推出限制以外，教導他如何冒險和建立自信。

分離和獨立

巨蟹座跟媽媽走得很近，是媽媽的重要男孩和女孩，也因此，妳需要花很大的力氣才能讓他冒險，離開妳的保護。如果妳在育嬰假後重回職場，帶他到有家庭氣氛的托兒所（或是去親切的親戚家）會比送入缺乏人情味的大型托兒所來得好。這些孩子需要很多熟悉的物品陪他們適應過渡期，因此妳需要讓他從「溫和」的分離過程開始。

弟弟妹妹

可能會出現兩種情況：巨蟹座變成妳的迷你版、助手，幫忙照顧弟妹，或變得更有占有欲，不希望妳的注意力被瓜分。敏感的巨蟹座孩子需要知道弟弟或妹妹來臨後，他仍然是妳重要的人。

哥哥姊姊

忠誠的巨蟹座是忠實的弟妹，他們渴望與兄姊建立羈絆，黏在他們旁邊尋求保護。即使巨蟹座是年紀較小的，母性的本能也很強，甚至可能試著像媽媽一樣照顧哥哥姊姊——同時也對他們頤指氣使。

寶寶，掰掰：斷奶和如廁訓練

「媽咪，別走！」對這些媽寶來說，分離是困難的，如果允許的話，可能要餵奶直到上幼稚園為止。還有個方法是把他放到老師的角色，比如給孩子玩具熊或娃娃，教它們一起學習用便盆，或給他感到安心的書本、歌曲、儀式和點心，當作激勵的誘因，當然妳也得確保書籍、歌曲、儀式和娛樂是他們所喜愛的，並在溺愛與推出舒適區之間找到平衡。「我就在附近時，我兒子自己可以做得最好。」一個媽媽說。「我不在身邊時，他要花一陣子才能適應，所以我先在一旁陪伴來鼓勵他，再慢慢拉開距離。」

性觀念

天性保守的巨蟹座容易難為情，太開放地談論基本性知識會讓他們不舒服。同時，他們一旦跟其他孩子相處自在後，就會變得有點激進，過於積極地想要給人好印象。萬一出現問題，妳必須教導敏感的巨蟹座追求別人的規矩，甚至教導他們「因有愛而有性」才是最好的。

學習：學校、作業和老師

巨蟹座會取悅他人，通常是聽話的學生，甚至是老師的寵兒。

家庭衝突

家是小巨蟹心之嚮往，敏感的巨蟹座無法忍受他的聖地裡有衝突發生。小巨蟹就像塊情緒海綿，吸收任何強烈的情緒，也許是躲進他的蟹殼裡（變得沉默、陰鬱及躲在家裡），或表現出極端和挑釁的行為，像是打人、摔東西或是大聲嘶吼。

✶巨蟹座男孩

呼叫媽寶男孩！在這敏感孩子還小時，妳會是他生活的重心，即使長大以後仍是。就算巨蟹座兒子沒在他的胸膛刻上媽媽的刺青，他仍是妳忠實的粉絲男孩，會在母親節送花並爭取妳的認同。即使媽媽是「難搞」的類型，他仍然是盡責的兒子，會把母親擺在第一位（這點會讓他未來的伴侶感到挫折）。

巨蟹座男孩有同理心，但是敏感不等於溫和。他們的情緒可以很強烈，其能量超越他小小身體所能負荷，如果沒有釋放會變得有攻擊性。若沒有適時發洩，教養再好的小天使也會發展出暴力傾向。看過巨蟹座演員湯姆．克魯斯（Tom Cruise）在《歐普拉秀》裡在沙發上蹦跳，或是演出電影時不用替身，就可以看出巨蟹座男孩多麼瘋狂和情緒化；但在巨蟹座男孩覺得安全，可以表現出脆弱的溫和時刻時，他比任何其他星座都能觸動妳的心弦（就像湯姆．克魯斯說那句催淚臺詞「是你讓我變得完整」時一樣）。

在某種程度上，巨蟹座男孩可以像雙子座一樣雙面，從害羞變得非常活潑。但是不像反覆無常的雙子座，他不見得會毫無來由從一個性格變到另一個。巨蟹座男性的表現力取決於他感到足夠「安全」，才能放心顯露出他的情緒反應。說起這件事，難道他顯露出真正面貌的話會被取笑、拒絕或戲弄嗎？他是否曾經沉浸在「男孩不可以哭」的環境？如果是，他可能不會揭露自己——直到他有一群無條件支持的朋友站在他這邊為止。有時他的退縮是因為他跟太多人相處，吸收太多能量，因此他需要解壓。巨蟹座的守護星（跟他的星座最像的星體）是不斷變化的月亮，就像月亮時而「躲藏」、時而出現——或者螃蟹時而從殼探出時而退到自己的世界裡，經過恢復精力的休息期後，才會帶著豐富的自我表達出現。（在他悶悶不樂時，請不要強迫他，否則他就像螃蟹一樣，會夾痛觸碰他柔軟要害的人）。如果妳有觀察星座，甚至會觀察月亮週期，將會注意到孩子在接近新月時較安靜（幾乎沒有月光），但滿月時就完全活蹦亂跳。

對巨蟹座男孩的極端情緒來說，演戲其實是很好的出口，他可以安全地把情緒投射到另一個角色上；當他透過角色模仿出強烈情緒，當作是試水溫時，他會知道公開自己的獨白和感受是沒有關係的。活躍的巨蟹座演員羅賓．威廉斯（Robin Williams）據說是安靜的孩子，直到高中加入戲劇社。他語速飛快的即興獨白就跟他在《心靈捕手》（Good Will Hunting）和《春風化雨》（Dead Poets Society）裡賺人熱淚的角色一樣令人記憶猶新。說來有趣，他最初嘗試表演是模仿祖母來逗她笑。對巨蟹座男孩來說，媽媽的掌聲就是他唯一需要的鼓勵！說不定妳還不知道，這害羞的孩子可能已經登上舞台，接受大家的安可聲。

巨蟹座掌管的身體部位是胸部，走路時可能會氣喘吁吁；身體語言可能趾高氣昂，只是用大搖大擺來掩飾他的敏感。在堅硬的外表下有一顆柔軟的心在跳動，因此「表現男子氣概」只是巨蟹座的自我保護。早期他可能表現出冷淡或雄性領袖的性格，藉由沉思、自誇或是耍討厭的手段爭取注意。請確保孩子沒有因為敏感性格被霸凌，或是為了避免被其他男孩取笑，變得過度有攻擊性。（因為在班上哭會被稱娘娘腔）。除非妳想培養一個愛發怒的超級保守分子，或是幽禁一個掩飾不安全感和挫折的男人，妳要讓他知道，在家裡男孩是可以哭的。

引導巨蟹座兒子接觸藝術，或進入培育人才的私立學校，可以幫助他接受自己。巨蟹座男孩需要知道富有同情心的天性是資產，而不是缺陷。這男孩也能很優雅，成為很棒的運動員，像是職業棒球選手德瑞克・基特(Derek Jeter)或奧運游泳選手麥可・費爾普斯(Michael Phelps),他們都是巨蟹座。就算巨蟹座不運動,也會看比賽,忠實地為最喜愛的運動員加油。

成為運動隊伍的一員,可以讓巨蟹座有所依歸,給予他家人的感覺和歸屬感。儘管巨蟹座男孩喜歡女性陪伴,通常會圍繞在一群女性朋友旁(想像一位男性「女王蜂」坐鎮蜂巢)。他也會創造出「男性情誼」,一群忠誠的兄弟迎合巨蟹座的多愁善感,會有幾個支持他的搭檔;妳得存錢以備幫他繳會費,因為他未來進大學後可能會想加入兄弟會。同時間,只要他一有能力就會開創自己的祕密俱樂部,跟幾個能保守祕密的夥伴建立一輩子的情誼,這些朋友能讓他耍笨,但不會讓他感到自己「低人一等」。

✶巨蟹座女孩

究竟誰才是媽媽?巨蟹座女孩是天生的照顧者,她有如小媽媽,照顧朋友、玩具、寵物,甚至是妳!這些直覺性強的女孩對錯誤也很敏感,容易受傷且經常需要安慰。如果妳是情緒豐富的人,夢想記錄小女孩每個珍貴時刻(第一次邁步、第一次約會與結婚),她會提供妳足夠裱框的母女照掛滿整個家,這個天使般的可愛孩子會開心地擺姿勢。巨蟹座女孩在公眾場合很害羞,但她在自在時表演慾就會變得旺盛。幫助她走出自己的殼,就要把變動減到最少,幫她找到能長期堅持的嗜好、社交團體和俱樂部(像是女童子軍)。

雖然巨蟹座擁有柔軟的心,但是她的殼可能很堅硬。在巨蟹座體內有一些好鬥的靈魂;我們高中時認識一位爭取進入大學橄欖球代表隊的巨蟹女孩,美國教育法修正案第九條(規定任何人不因性別被排除在任何運動之外)根本是為這星座所創設;另一個巨蟹座女孩在大學時期住進維多利亞風格的姊妹會會所,一種榮譽與共的女性社團。我們不知道她是為了馬上擁有替代家庭、歷史建築、還是無數的男性注目禮(巨蟹座女孩就像麵包吸再多的醬汁都可以，她會吸收這樣的注目）。許多巨蟹座女孩享受成為「男生圈中的異類」——一群小伙子裡的女性領袖，她寧可不要同性間的嫉妒、背叛和壞女孩政治。

儘管如此，巨蟹座本質上是女孩中的女孩。她可能只有一、兩個親密的女性朋友，但交情會延續一輩子，但她會把朋友的拒絕當作刺入心裡的刀。有個巨蟹女孩說：「在我成長時期沒有很多嗜好，我想朋友就是我的嗜好！」巨蟹座偏愛親密、忠誠的女性朋友小團體，當她感覺害羞或沒安全感時，朋友會是她的情感依靠。她喜歡計畫出遊、睡衣派對、手工藝課及其他可以和摯友共同參與、規劃詳細的活動；沒有人能像巨蟹座這樣，妥善辦好一場生日宴會或睡衣派對，因為對她來說，這一切關乎於跟最親近、最摯愛的人創造回憶和共享特別時刻。來，笑一個！

由於巨蟹座會配合周遭環境（和媽媽），妳可能需要強迫他們切斷連結。巨蟹座女兒會成為妳重要的密友，但這既溫馨也棘手。雖然她從幼年就會端茶，對妳表達同理心，但她會吸收妳的情緒，甚至變成互相依賴。妳得當心讓她暴露在什麼樣的家庭氛圍，尤其是在父母情感混亂的時期。雖然她看起來足夠成熟，能理解大人的問題，甚至提供出乎意料的聰明建議，但把孩子變成自己情緒的反應測試是不公平的事。天才童星琳賽．羅涵（Lindsay Lohan）在媽媽經紀人迪娜（Dina）和爸爸離婚時，曾感到困惑與不安，這些重視家庭的女孩不容易從家庭不和中恢復。除非妳想幫她付好幾年的心理治療帳單，不然最好在混亂時期幫自己找個優秀的心理師，讓孩子就安心當個孩子！

巨蟹座女孩的青春期會很混亂，因此要小心處理這段成為女人的過渡期。作為代表女性的星座，她通常擁有曲線明顯或圓潤的體態，比如胸部豐滿的巨蟹座歌手潔西卡．辛普森（Jessica Simpson）因雙D罩杯而變得知名。由於巨蟹座女孩在情感準備好之前身體就先發育，可能因此而難為情，需要正面的身體形象支持（身為媽媽，妳就是第一個榜樣）。以儀式和特別的母女約會慶祝她轉變為女人，像是一起做美甲及看表演，或是送她能帶來力量的書，像是以女性觀點重述大部分聖經故事的《紅帳篷》（The Red Tent）或者任何一本珍．奧斯汀（Jane Austin）的作品。

無論如何，她都想跟隨妳的腳步——尤其是妳給她很好的方向。留一箱妳的舊衣服（與她祖母的衣服），因為巨蟹座女孩喜歡盛裝打扮；帽子、長袍、手套、假皮草、幾串人造珠寶，她會沉浸其中、玩上好幾個小時。幫助她跟家族的女性祖先建立連結，像是給她傳家寶、妳的古董娃娃屋、一只戒指或是象徵根源的物品，都會讓她感覺有所依歸及安全感。

巨蟹座孩子

這代表……	妳應該這麼做
這是新鮮事嗎？這個敏感的星座經常瀕臨哭泣邊緣，理由通常成千上萬個。	馬上確認是真的受傷了？或是心煩？或只是暫時情緒化（悶悶不樂）？也可能只是像鱷魚一樣流著虛假眼淚。
害羞的巨蟹座可能在社交上感到焦慮，對融入團體感到不自在。這個巨大的能量，讓他需要縮回自己的殼裡。	如果巨蟹座悶悶不樂，就讓他這樣，或擁抱他、讓他放心。在這種時候，不要不管他。在他覺得脆弱時，別逼他要「動」起來或加入其他孩子。
情緒過度累積！巨蟹座的小身體無法承受所有感受，需要透過身體活動釋放出來。 是時候報復了！溫柔的巨蟹座覺得受傷，正在反擊。	用身體活動轉移體力；能量運動＝運動中的能量。試試隨興跳個舞、騎腳踏車、打枕頭仗或是任何能讓他釋放能量的活動。 該出門了！
照常做妳的事。當巨蟹座覺得害羞、脆弱或害怕才會黏在妳旁邊找安慰。	先抱抱他或是講些鼓勵的話，再慢慢掙脫他的手。如果可能，幫他在陌生人的環境中破冰，或是給他幫助他能經歷過渡期的物品，像是毯子、熊玩偶，甚至是一張妳的照片。
巨蟹座吃東西是情感需求，渴望食物的慰藉。妳給的食物可能不是他熟悉的口味，不是他喜愛的家常菜。	給他新菜色時，附上他習慣的菜（比如上新菜色土耳其式肉捲，配上他喜愛的馬鈴薯泥）；加入新食物時要慢慢來，也可以讓戀家的巨蟹座幫忙準備食材。妳也可以試試潔西卡．賽恩斐爾德（Jessica Seinfeld）《看似美味》（Deceptively Delicious）裡的食譜，偷偷加入健康食材（比如在果泥裡加入菠菜）。如果這些做法都失敗，跟他說再不吃就要取消甜點！
壓抑的情緒已經到達臨界點，巨蟹座需要身體活動來釋放。	參見上面的「妳應該這麼做」段落。

✶行為解碼：

巨蟹座有這種行為時
哭泣
社交上退縮、沉默或喜怒無常
搗亂（打、踢、回嘴）
變得黏人
不吃妳給的食物
坐不住

✶巨蟹座的社交屬性

家庭中的角色

巨蟹座是家裡的核心，也是家庭連結的守護者。戀家的特質渴望擁有安穩的家庭根基，這也提醒我們，家庭是一切事物的基礎；起碼這心態傳統的星座是這樣認為的。巨蟹座孩子最喜歡親近的家人團聚一起過節，慶祝特別的事。從小就對家族史感興趣、喜歡翻看家族相簿、聽祖父母認識結婚的故事。妳有搭不上話的親戚嗎？或是跟自己的父母有難解問題？即使是羅密歐和茱麗葉那種互為世仇的家族，感性的巨蟹座仍會試著當中間人幫助他們和好。當巨蟹座出生到妳的家族時，凡事以家庭優先。

朋友和同儕

永遠的好朋友！忠實的巨蟹座會跟一組人緊密相處，培養出一生的友誼。一旦打勾勾加入他的團隊就別想叛逃。敏感的巨蟹座可能只有幾個信任的人，他們不管艱難困苦都會緊黏一起。這個星座很黏人，一部分是因為巨蟹座需要時間才能真正敞開心胸，當他們終於足夠安心放下防衛時，寧可不要重複那樣痛苦的過程，因此轉而緊黏在喜愛的對象身邊。

學校裡的心靈雞湯大師？巨蟹座孩子直覺強烈、關愛他人，是個隨時準備好給予有需要的朋友安慰的知心朋友。他們擁有多愁善感的心靈，從不會錯過任何寄送卡片問候的時刻，會為好朋友精心策劃生日慶祝或準備節日禮物。他們樂於照顧朋友，甚至會為沮喪或遭遇困境的朋友擔心。無論男女，巨蟹座對朋友可能就像「媽媽」一樣關照，有時甚至會有些專橫或占有欲太強。

當他感到受傷時，也可能會罵朋友而造成失和。這樣的狀況通常發生在巨蟹座感到「被拋棄」時，比如本來形影不離的好朋友跟其他人建立忠誠友誼關係。巨蟹座的朋友跟別人一起玩，會讓他悶悶不樂，這時可能需要安慰他，提醒他所有人都可以擁有超過一位的好朋友。將巨蟹座推出他的舒適圈，進入全新的社交情境，他才不會只依賴一個人。害羞的巨蟹座也可能試著躲在朋友後面；請引導他們接觸運動、藝術、戲劇或其他活動，在那裡可以學到成為焦點是令人愉悅而非威脅。

兄弟姊妹：巨蟹座在其中的角色

占有欲強的巨蟹座會黏得很緊，這是好消息也是壞消息，取決於他們緊黏的對象。如果愛照顧人的巨蟹座宣告一位手足為他所有，妳走好運了他會是個全天候的固定幫手。得分！年紀接近的手足也兼任巨蟹座最好的朋友，他會開心地共享房間，照料對方，一起共度可以拍照留念的美好時光。

不過，如果巨蟹座把妳標示為他的地盤，那麼要當心了。（他當妳是「他的」）這個星座不喜歡和別人共享妳的注意力和感情，會有嫉妒傾向。手足之間的對立可能一觸即發，他會變得愛搬弄是非或搶占注意力。他不喜歡被人搶風頭，特別是妳如果開始逗弄新生兒或是關注其他孩子。巨蟹座很怕被拋棄，妳需要撥出時間和他獨處，讓他知道他沒被取代。否則，某個倒楣的手足會成為他挫折感下的攻擊對象。

✶教養妳的巨蟹座孩子：進階篇

深呼吸、走出去，對巨蟹座大吼大叫根本沒用，即使他們犯下最不當的行為。作為十二星座最感情豐富的星座，可能像火山爆發一樣突然爆哭、亂踢、亂丟東西大發脾氣。妳可能需要約束他們，免得他們損壞東西，要知道巨蟹座的攻擊性來自於他們過於敏感。想像一隻受驚嚇的動物以「咬」作為自衛手段（或夾人的螃蟹）。他們受傷了——會以牙還牙。反覆無常的巨蟹座可能會令妳發怒，妳可能需要到車子裡大吼或是捶枕頭來紓解壓力。不過，如果妳想深入問題根源，就必須承認他的感受。先安撫，再問問題，肯定他們有沮喪的權利，雖然妳禁止他們以破壞性方式表達。當他用哭泣發洩時，給他一個擁抱，有時這樣就能帶給他生理上的安全感和自在。小巨蟹也可能緊抱安慰玩具、毯子或物品冷靜下來，找回安全感。

其他時候，妳需要讓他在休息時間自行處理怒氣——但是妳要待在他周圍。情緒失控對巨蟹座而言，可是比妳想像中還嚇人，如果他們感覺在不知所措的狀態下被妳拋棄，只會讓事情每況愈下。等到風暴過去，孩子可能會靦腆、帶著歉意衝進妳懷裡。有個巨蟹座小孩的媽媽說：「我讀很多本教養書都建議設立一個冷靜的角落，讓孩子在那裡哭出來發洩。但是那個方法對我女兒沒效。有一次她哭泣時一直說：『媽咪，妳不愛我！』結果是她擔心自己的行為會讓我不愛她。我安慰她，即使不喜歡她的行為，但是不管她做什麼我都愛她。從此以後，管教她就變得容易很多了。」

另外也要記得，巨蟹座對自己周圍的混亂和情緒騷亂相當敏感。如果他從頂著光環的天使變成製造麻煩的惡魔，妳要先確認是否家裡的環境、學校、托兒所、或者任何他待上很多時間的地方出了什麼狀況。敏感的巨蟹座會吸收每個人的心情，可能對混亂或改變有反應。與其訓斥或處罰，不如把他的不良行為視為事情不對勁的徵兆，然後再追根究底詢問原因。

✶處理過渡期：搬家、離婚、死亡和其他難題

請溫和地宣布消息！多愁善感的巨蟹座討厭變動，特別是有關他珍愛的家和家庭。從孩提時代的家搬離、或從喜歡的學校轉學，對害羞的巨蟹座來說可能會造成創傷，因為他不喜歡又要重頭開始建立關係。他需要足夠的時間才能建立舒適圈，如果非必要，不想重頭再來一次。因此請試著不要變動他的學校、俱樂部或活動。

這些孩子特別害怕被拋棄，如果父母離婚時，請確保只要開口要求就能和分開的家長接觸，即使只是透過電話或視訊，有總比沒有好。努力讓他和最好的朋友維持見面的關係，即使現在他和朋友相隔較遠的距離。

對於這個天性容易依戀的星座，死亡是格外難以克服的難題。失去一位親戚或寵物對他而言都是巨大的打擊。他會把物品、相片和其他值得記憶的事物保存在旁，為紀念這個摯愛的人做點事：到去世寵物生前玩樂的公園散步、做祖父母最愛的一道菜，甚至在餐桌旁為這位故人留一個位置。巨蟹座依戀過去，也確實如此；雖然他會繼續前進，但從未真正放手，這就是人生。別告訴他要「恢復」，或催促他的哀悼過程，而是尊重他需要過渡性的物品和儀式，這有助於他感受摯愛還在身邊的安全感。

✶上學期間

最佳教育風格

學校是巨蟹座第二個家，必須在神聖的學習大樓和課堂上才感覺自在與舒適。大型公立學校可能會讓害羞的巨蟹座感到被淹沒和受威嚇，冷冽、公共機構的氛圍——日光燈管、簡陋金屬和其他一九七〇年代殘跡等，對戀家的星座相來說相當於一種苦難。

私立學校和教區學校很適合巨蟹座，如果學校有制服更好。服裝要求對一些孩子是拘束，但他一穿上制服自動就會產生歸屬感，制服也能緩和他在同儕之間的社交焦慮。理想的環境是同學都像家人，老師都是有愛的領導者，認真關注孩子的前途。巨蟹座會予以回報，並以學校和校風為榮。（嗨，未來的校友委員會成員。）

巨蟹座富創意力，密集的藝術課程，可以幫助想像力豐富的孩子找到適當的位置和活動地盤。有些巨蟹座會在友愛、無競爭的課程中（比如魯道夫．史代納（Rudolf Steiner）創立的華德福教育學校）成長茁壯，不過也需要他人的督促，不然，愛好舒適的巨蟹座會變得懶散，在畏懼的科目中表現會越來越差。一堆標準化考試和講求成績表現的學校會讓他承受巨大壓力。妳可不想讓孩子畢業時數學分數奇差，或是寫文章還要仰賴拼寫檢查。因此，給孩子自給自足的工具，即使這意味要採取嚴厲手段。

✶最好的嗜好和活動

表達自己！富有想像力的巨蟹座需要出口宣洩他們對文化和藝術的愛好。上素描課、進入學校報社、報名演戲課或歌唱課——這個星座的孩子可能害羞，但是說到才華，他們可是多才多藝。一幅畫在巨蟹座看來可訴說千言萬語，他或許無法用言語把真實感覺表達出來，但透過詩歌、攝影或一首歌就能清晰表達他的想法。

聽起來像有團隊精神？巨蟹座加入安全、關係緊密的團體會表現出色，裡面有團體才知道的笑話，而且有機會培養出一生的情誼。請不要帶他們恣意地更換活動，或是幫他報名短期課外活動，以致他每次都得遇見新的一群人。巨蟹座善解人意，會體諒錯誤，跟人建立深刻關係，他們想培養長久友誼，而非短暫交情。雖然他們會跟異性孩子社交來往，但巨蟹座在同性團隊裡表現會更好，像是童子軍、運動隊伍或是青年服務隊。等到孩子年紀大一點，可以送他參加夏令營，首先是參加者，接著當輔導員。他很愛有趣的睡衣派對，也會教養年紀比他小的孩子。我們認識的一位巨蟹座女生，在年度的夏令營裡對一位男生一見鍾情，最後他們結婚了。他是被她當偶像崇拜的輔導員哥哥，她的迷戀從未消逝。這就是一位情感豐富、忠實的巨蟹座會做的事！

✶禮物指南：送給巨蟹座的最好禮物

- 任何歷史相關事物，比如復古風的茶具組、古董火車模型（加分點：他樂於繼承家族的一切東西）。
- 藝術工具：縫紉、編織或其他工藝工具。
- 娃娃屋或樹屋（或可讓這個有築巢傾向的星座打造出自己小屋的東西）。
- 樂器。
- 運動器材或是運動衫（愛國的巨蟹座一旦成為球隊的粉絲就會忠誠不變）。
- 一齣戲劇、芭蕾舞、演唱會、馬戲團表演或運動比賽的門票。
- 在市區度過特別的一天，進行喜歡的活動（像是學《廣場上的愛洛斯》（Eloise at the Plaza）裡，紐約廣場飯店棕櫚廳的華奢下午茶）或是去參觀喜歡的表演後台。

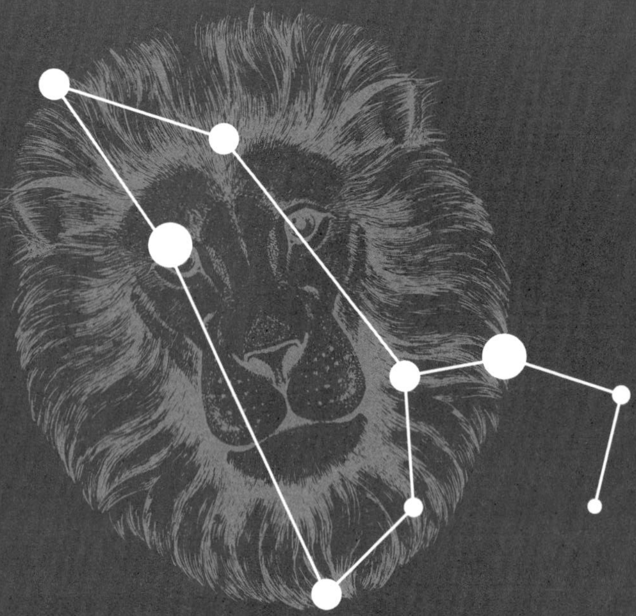

獅子座孩子

（7月23日～8月22日）

符號：獅子
守護星：太陽
元素：火
身體部位：心臟、脊椎、上背部
誕生石：橄欖石
顏色：金色
優點：勇敢、慷慨、保護人、有趣
缺點：自我中心或虛榮、貪心、倔強、要求嚴格

喜歡：
讚美和受到注意
電影、遊戲和演唱會
藝術和工具、DIY 自己動手做的計畫
明亮顏色、閃亮表面或毛茸茸的質地
沒有受限的遊戲時間
盛大派對和事件
收送禮物

不喜歡：
被忽視
第二名或是拚輸
說再見
太安靜或獨處
批評
沒感情或保守的人
平淡無味的食物，中性顏色，低調穿著
缺少活力或謙虛

妳想要一個**獅子座**孩子嗎？

獅子座孩子的目標受孕日：10 月 25 日～ 11 月 15 日

過去和現在的獅子座名人——

安娜．派昆、丹尼爾．雷德克里夫、黛咪．洛瓦托、索雷爾．默恩．弗萊、馬杜斯．袞莉－彼特、迪倫．史普洛茲、海莉．凱特．艾森柏格、傑西．契西、喬．強納斯、凱莉．詹娜、小羅密歐、里科．羅德里格茲、瑪琳．麥考米克、田培斯特．布雷蘇、祖瑪．羅斯代爾、桃樂絲．漢彌爾

✶教養妳的獅子座孩子：基礎篇

注意，請鋪開紅地毯迎接：未來的獅子王或獅子后誕生了。獅子座孩子重感情又驕傲，需要崇拜人也需要被崇拜。妳很幸運！這些孩子可能是最好教養的孩子。獅子座守規矩但不被動，獨立自主但是對家族忠心。許多獅子座孩子在太陽一升起就起床，他們微笑、開心，急於迎接新的一天。還是嬰兒時獅子座就不太哭。他們是真的小孩嗎？

多數獅子座很容易表達感受，甚至流露感情；少數獅子座則偏向安靜，沉默寡言但散發出強烈存在感。無論是哪一種，都能引起注意，有時甚至不需要多說一句話。前一分鐘緊緊抱住妳，下一秒他會以大膽行為讓妳大吃一驚；可能是攀爬到架子的最高點或是在草地上側空翻，這個星座毫無限制的熱情，及孩童般令人驚奇的表現從不會消失，有他在，總有即興舉辦的茶會、野餐、戶外冒險、時裝秀或互動遊戲等著登場。給我票券，謝謝！獅子座在劇場裡簡直玉樹臨風，甚至會是出色的新手編劇，也在劇中自導自演，連鄰家的小孩都會嘎上一角。

獅子座需要妳的專注，有時會令妳疲累不堪，但只有少數孩子會如此忠於父母、手足和喜歡的人。他就像調皮的小獅子緊跟在後，想要盡可能和妳共度最多的時光。他很關注家族歷史並引以為傲，就像帝王追溯王朝起源一樣，準備好拿出相簿，成為業餘系譜學者。他想聽到每個懷舊故事，像是祖父母怎麼相遇、或是妳孩童時期喜歡的度假地，甚至可能想要重新經驗妳的故事，拜訪祖先的家鄉、國家來尋根。

這些擅表達、活力充沛並由太陽守護、充滿太陽能量的孩子是不容忽視的力量。由於太陽是太陽系的中心，獅子座想要成為所有注意力的焦點，讚美和欣賞永不嫌多。即使是看起來謙虛的獅子座孩子，也會從掌聲得到鼓勵，他喜歡用一流的表演或成就讓妳刮目相看。請在壁爐架上清出空間來擺放他的藍緞帶、獎盃、報紙專題報和徽章。別想扔掉他們得獎的報導和一百分成績單，對獅子座來說，每個成就都重要。

他們當然有資格，因為獅子座用心投入所做的每一件事，早年的活動可能變成一生的愛好，甚至是職業。我們的獅子座朋友吉巴是藝術家，他從孩提時代就是漫畫迷，創造出一隊名叫「馬人」的黑色超級英雄，過了一段時間，即使其他人都認輸放棄，但是他繼續發展和展出其作品。有一天，我們打開《紐約時報》（New York Times）讀到吉巴那些角色的專題報導，頂尖藝人經紀公司「威廉．莫里斯奮進」（William Morris Endeavor）打電話給他不久後便簽約。

妳會學到一課：即使妳認為他太有自信或不切實際，也要鼓勵孩子堅持那些遠大、不可能的夢想，他的想像力就像強大的顯像儀器。「要求、相信、收到」或「如果你能夢想它，就能達成。」這些話對大部分人來說像是陳腔濫調，卻對獅子座很見效。將創意具體化是獅子座最有效的擊球點，毫不意外，他能吸引想要的一切。這樣驚人的自信讓獅子座女孩瑪丹娜（Madonna Louise Ciccone）帶著三十五塊美金從密西根到紐約發展。親愛的，妳看看現在的她。

獅子座守護星座第五宮創意宮和自我表達宮。如果他不是在唱歌、跳舞或表演上發光發熱，那麼就會在色彩、藝術作品或個人風格上有獨具一格的表現。獅子座喜歡以明亮色調強調自己的地位，可能經常重新裝潢房間；他也喜歡手工藝、互動遊戲及運動——任何可帶來夥伴情誼和有趣的事。

對獅子座來說，朋友很重要，他天生的領導特質讓他自然而然成為社交圈的領袖。總有一個人得負責——既然幾乎沒有人樂意站出來，那麼他通常就會變成領導者、計畫者和組織者。他心裡不會介意，因為是表現自己的良好品味和隨心所欲的機會。小獅子可能需要別人溫和地提醒他：「讓每個人輪流」，但其明星魅力不會因此變得黯淡。妳的手腕可能因為一直鼓掌而發疼，但是獅子座會以絕對忠誠或是滔滔不絕、發自內心的讚美來回報妳的熱情掌聲。

妳不可能對獅子座永遠生氣，即使他的過度要求令妳煩躁時也是；因為這是通往地獄之路——獅子座的錯誤通常是由好的意圖鋪成（多數如此），只需要他一個燦爛微笑、衷心稱讚或誠心道歉，一切就能被原諒了。獅子座美國前總統比爾・柯林頓（Bill Clinton）以全世界最具創意的使用雪茄方式來調情；獅子座瑪莎・史都華（Martha Stewart）因內線交易罪入聯邦監獄服刑，之後成為億萬富翁。獅子的毛皮上不會沾黏醜聞或罪行。小獅子是重頭來過的王子或公主——大膽、有韌性，就像他的守護星太陽，始終會讓他東山再起。

★獅子座：應對挑戰

規矩和權威

獅子座通常不會是「問題小孩」。事實上這些孩子可能是家長的天使——沒有叛逆期和頂嘴。身為未來的叢林之王或叢林之后，獅子座明白階級制度並對此帶著尊重態度。畢竟，王冠總有一天會落在他頭上！同時，獅子座會對其他孩子頤指氣使，在能力所及處扛起責任，鍛鍊他的掌權技巧，妳會發現很多正能量積極的人、老師寵兒，甚至在同儕間搬弄是非的人都是獅子座。威嚴的獅子座不喜歡使用蠻力，如果他被控制或宰割，他只會「咆哮」。別壓抑這些孩子或奪去他的地盤。妳要當個公平、一致性高的角色模範，命令（而不是要求）他們遵守規定。

限制

除非妳指出來，否則在他眼中看不到限制，畢竟這個世界是他的遊樂場！事實上，活力充沛、張開雙臂擁抱人生的生活方式，使他經常不會意識到界線的存在（是的，孩子會跟陌生人講話，請留意）。一般來說，如果限制是公平的，獅子座會遵守，但是別妨礙他們的創造力或自由，不過一旦這些孩子設定目標，就不會輕易放棄夢想——即使有也是少有的狀況。

分離和獨立

對小獅子來說大家一視同仁，到哪裡都能交到朋友，妳可以放心接送就直接離開。如果他想要妳在場的話，只是想要妳去看他登場的學校戲劇、演唱會、比賽、頒獎典禮等當個崇拜的觀眾。有些獅子座最初可能是害羞，但他通常不畏懼，只是想在投入前先觀察環境……然後自然得融入其中。

弟弟妹妹

有保護欲的獅子座是有愛的導師和自豪的兄姊，總是當弟弟或妹妹的靠山，會想要幫弟弟妹妹換尿布、洗澡、養育、逗弟弟妹妹開心。真是一大幸事！

哥哥姊姊

可以說是「頭號粉絲」嗎？忠心耿耿的獅子座會想跟著兄姊做任何事。不過，如果那位兄姊瞧不起人、壞脾氣或競爭心強，高傲的獅子座當然會反擊回去，然後把感情轉移到其他地方。沒有人可以耍弄天不怕地不怕的獅子座！

寶寶，掰掰：斷奶和如廁訓練

小獅子願意配合，也很有彈性，大多是容易養育的寶寶。稱讚可以給予這位小小成就者動力，衷心的掌聲可以激勵孩子表現出他有多快能擺脫尿布；點心和獎賞也有效，可以訂立獎勵計畫，但是要有所節制，否則他可能會變本加厲。不見得每次成功使用便盆，就必須獎勵他聖代甜筒或新上市的蜘蛛人玩具。

性觀念

獅子座特性是浪漫的星座，掌管心臟。當時候來到，性在獅子座青少年眼中可以是兩位成年人表達真正愛情的方式。他對人生可以實事求是，他有滿滿的好奇問題，想要知道一些身體部位的真正名稱和寶寶是如何創造。不過，他也是浪漫的星座，寧願戴上粉紅色眼鏡；即使很他想知道寶寶是從哪裡來的，但是並不想讓自己的純真被汙染。因此，直到他準備好前，可能會刻意避免成熟的議題。

學習：學校、作業和教師

「選我、選我！」妳知道課堂上哪個孩子會高舉著手、期望被點到嗎？這樣的孩子很可能就是獅子座。這個善於表達的星座，不會掩飾想被叫到或在需要報告的課堂當第一位發表人的強烈慾望。許多時候，甚至不需要從座位起身就能成為焦點人物。有才華、討人喜歡，光芒就是比其他學生耀眼；同學會開始期望他贏得拼寫比賽、在學校戲劇演出中擔任主角，在學生會裡奪得一席。所幸獅子座的溫暖性格讓他就算當不了萬人迷，也會有一群忠實的朋友。僅有在少數情況下無法在學校（課堂上或課外活動）得到正面的關注時，才可能會走向另一個極端，成為搗亂、被送到校長室的孩子。如果孩子開始出現行為偏差，請幫他找到一個能讓他發光的活動：運動、鋼琴課、爭取童子軍徽章或是課後的下棋俱樂部。讚美和鼓勵最能讓這個星座的孩子保持動力。

家庭衝突

獅子座只有在年幼或弱小親戚被欺負時，才會介入家庭紛爭——或是對任何敢侵害他權益的人大吼。雖然獅子座以小題大作出名，但卻不想進入任何人的狂妄世界裡，他會逃進自己的創意活動，隔絕周圍的紛亂。想像力豐富的獅子座會回到房間，唱歌、閱讀、玩遊戲——或是幻想自己必然成為名人的未來，他唯一聽見的尖叫聲是粉絲大喊他的名字。

✶獅子座男孩

來啦！獅子座男孩帶著大吹大擂和無限熱情到來，準備好好嘗一大口生命的滋味。獅子座男孩從誕生第一天就是陽光、迷人，他會抓住妳的心，永不放開。不過他並不會總是像個天使：獅子座就像愛玩的幼獸，喜歡混戰遊戲，一旦放開會是相當狂野的孩子。妳必須經常提醒他降低聲量，但是聲音仍大到連牆壁都在震動（或歡樂的獨唱帶來震撼力）。勇敢無畏的獅子座沒有停下的時候，總在尋找下一場要完成的冒險。最好投資一台有變焦鏡頭和快速快門的頂級相機，因為妳會想為他每個值得紀念的時刻留影，但他的動作可能快到只能拍出模糊的照片！

等他大一點，妳也會需要一台有低光源和錄影功能的相機，因為妳可能花很多時間在觀眾席看孩子領獎、在學校戲劇表演裡成為焦點、發表賺人熱淚的致詞。獅子座為十二星座中最具戲劇化的星座，他可能是有才華的演員，甚至是優雅的舞者，就像獅子座的派屈克．史威茲（Patrick Swayze）和金．凱利（Gene Kelly）。妳的小男孩會讓妳非常驕傲！獅子座男孩都愛媽媽，你們很快就能形成互相敬佩的關係。前美國總統比爾．柯林頓和巴拉克．歐巴馬（Barack Obama）都是獅子座，他們都將成就歸功於媽媽的鼓勵和影響。

說到總統，這些外向的孩子會是未來的政治家。獅子座男孩是天生的領導人或是兄弟圈裡的領頭羊。作為代表族群的星座，他需要與人建立連結且對好友都很有感情；班．艾佛列克（Ben Affleck）和好友暨《心靈捕手》（Good Will Hunting）的共同編劇麥特．戴蒙（Matt Damon）就有著情感洋溢的關係，啟發了兄弟情（bromance）這個字的誕生。這個愛擁抱的星座掌管心臟，他會公開掏心，表露出與兄弟間的情感，對自己的男性氣概有足夠自信，所以不怕難為情。他也跟女孩很合得來，經常被一群崇拜他的女性朋友圍繞（當中很多人對他一見鍾情）。

當然，這樣的自信也可能轉變為自大，因此妳要密切注意獅子座孩子過度的自我推銷，法國軍事領袖拿破崙就是獅子座（哈囉，拿破崙情結）。獅子座演員阿諾．史瓦辛格（Arnold Schwarzenegger）、弗里德．德斯特（Fred Durst）、勞勃．狄尼洛（Robert De Niro）的名氣皆來自他們的強烈性格及其作品。

是的，獅子座男性不時會展現過度的自我。獅子座導演詹姆斯．卡麥隆（James Cameron）以《鐵達尼號》（Titanic）奪得奧斯卡獎時，得意地高喊：「我是世界之王！」獅子座男孩有其獨特的「注意力缺失症」，要是其他人沒將注意力放在他身上時就會發作。他需要被注意，這點可能也會成為讓人卻步的討厭特質。

先天性格還是後天養育？在動物王國裡，雄獅每天睡眠達二十小時，由母獅做大部分的狩獵工作。雄獅只有在盛大、壯觀的殺戮中會挺身而出。同樣地，獅子座男孩對過往成就心滿意足，唯有在盛大、華麗的秀上才會開始採取行動。

小獅子知道自己是未來的獅子王，因此妳無法指責他自認為有這樣的權力；不過，需要提醒，他不會自動成為王位繼承人，覺得自己有資格能不勞而獲。他失敗時會惱火，得勝則令人不快，而且未能如願時，沒有人會像他如此地自艾自憐。妳可能需要嚴厲教導他運動員精神。有一個媽媽讓獅子座兒子整整一季不能回到棒球隊，因為他沒碰到球棒就會生氣，甚至打架，這位媽媽說，直到他錯過球賽後的冰淇淋活動、同伴情誼和滑回本壘的快樂，他才變得沒「那麼自大和過度敏感」。她回憶：「看他百無聊賴雖然令我心痛，但這是他必須學到更大的教訓：不是所有事都圍繞著他打轉。」

妳可以幫助獅子座以收到回報來感覺自己的重要性，將他的活力引導到服務活動，從中發現生命的喜悅，即使事情不是圍繞著他打轉；提早讓他參與童子軍或志工活動會是最棒的出口。等他大一點，會成為忠實的營隊輔導員、顧問或指導者。獅子座有顆赤子之心，跟年幼孩子一起工作能夠展現他特別的天賦——我們認識的一位獅子座男性開設了孩子人生教練服務，目前進行得相當成功。讓獅子座進入可以當明星的情境，但也要讓他懂著扮演最佳男配角。他喜歡留下好的影響，把某人納入自己的羽翼下，能給他自豪和崇高的意義，並帶出他威嚴，高貴和最好的一面。

✶獅子座女孩

她的未來前程光明到妳必須戴墨鏡以防刺眼！獅子座女孩是未來的明星，一個帝國的建立者，無論做什麼都能有出眾表現。就跟牡羊座一樣，驕傲的獅子座會吸引聚光燈，但這個女孩具有牡羊座所沒有的討人喜歡的特質。獨立自主的牡羊座就是自己的頭號粉絲，獅子座女孩則想要被大眾喜愛、崇拜和鼓掌喝采。喜歡和人們建立關係，可能從小就在朋友中擔任社交領導人。獅子座女孩就像群居的母獅，喜愛保護和養育她摯愛的對象，大方送他們各種禮物和禮品。她的胃口很大，喜歡被溺愛，但她喜歡接受也樂於付出。「這裡有派對！」獅子座是慶祝活動的女王，生活樂事就是精心規劃生日宴會、睡衣派對和有趣的出遊活動。獅子座女兒感情充沛、耀眼迷人、直率過頭且非常獨立自主。只要妳對她表示欽佩、給予關注，當她的觀眾，她就不會讓妳操心。

對獅子座來說生命短暫，根本沒有時間後悔和設想如果。此外，這個女孩善於得到任何她想要的，根本不用設想「如果」。許多獅子座女孩都美得驚人，這沒有什麼壞處，她有著陽光般的微笑和招牌長髮，容光煥發、充滿魅力。獅子座可能根本不會有麻煩期。如果有，也許很快就能度過。所幸大部分的獅子座女孩不是那種「別因為我漂亮就恨我」的類型。當然，她可能有點愛慕虛榮，會精心打扮，細心挑選服裝，跟媽媽去做美甲，甚至在一家人到餐廳時會在嘴唇上點唇蜜。不過獅子座女孩知道自己除了美貌還有別的——更多別的。

是的，各位女士先生，這是這場競賽的才藝表演，獅子座可能也會在此項目拔得頭籌；奧斯卡獎最年輕得獎人的珍妮佛・勞倫斯（Jennifer Lawrence）和希拉蕊・史旺（Hilary Swank）都是獅子座。她可能是啦啦隊裡做後空翻的孩子，能做出無懈可擊的漂亮舞步（非常珍妮佛・洛佩茲（Jennifer Lopez）的風格），或在音樂廳裡唱流行歌。有時候，她會太惺惺作態（例如索蕾爾・默恩・弗萊（Soleil Moon Frye）飾演的龐克・布魯斯特（Punky Brewster）和艾美・亞當斯（Amy Adams）在《曼哈頓奇緣》（Enchanted）裡演的那位甜美得膩人的公主）。獅子座不經意之下能成為小小完美小姐。她是好女孩，通常是老師或雙親最寵愛（不是祕密）的孩子，獅子座超級巨星瑪丹娜曾是科科拿一百分的高中生和啦啦隊員，最後以舞蹈獎學金進入密西根大學。

有些獅子座女孩可能很安靜，偏向高貴莊嚴的女獅王類型，然而不愛交際的獅子座女孩最終也能找到留下印記和發光的地方。這星座擁有強大的領導特質，喜歡承擔責任，甚至以無恥的方式得勝。有些獅子座女孩可能被指為霸道，或被人批評（無法應對有競爭心女孩的那些人）。要是出現這樣的事，妳要立即介入。問問妳自己，如果她是男孩，人們會認為她的自信心是個問題嗎？也許不會。我們認識的一個獅子座女孩，小時候被爸爸說她炫耀與賣弄，多年過去後，她在表現強大的本領前仍會道歉或展現虛假的謙虛。

獅子座女孩是巨星，她需要他人允許才會承認。她不應該減輕自己的光芒來讓其他人發光，同時，妳不會想要她太自我，或是教導她搶奪別人的聚光燈。請確保獅子座女兒參與一些服務工作：像是女童子軍、志工服務、指導更小的孩子。獅子座很自我中心，但卻不自知，所以可能會滔滔不絕地講述自己的事蹟或任何想法，以致天真地被當作自私自大。當妳正想翻白眼，她會突然打斷妳，熱情稱讚妳或是讚美起妳的才華、好心或美麗（「媽咪，妳比學校任何一個同學的媽媽都漂亮多了」）。突然間，妳明白到，喔，她終於注意到房間裡還有別人。

手工藝、時尚和裝飾是她最喜愛的消遣，女孩的創造力能讓她專心好幾個小時。只要有機會，喜歡閃閃發光的獅子座會在任何樸素表面點綴亮片、寶石、發光配件或人造皮。女兒的家庭手工很快就會烝烝日上，開始幫朋友的泰迪熊做T恤或房間重新裝飾。歐菲拉的獅子座繼女雷蒙婷在十一歲就建立孩子星座網站，開始向同學販售馬克杯和其他商品。就像獅子座瑪莎．史都華這個有生意頭腦的孩子建立起自己的帝國。

獅子座女孩天真、熱情，只想要每個人都快樂及享樂！雖然她不會拿自己的需要做妥協，不過她會努力取悅他人。當獅子座明白不是所有朋友都和她一樣忠心時，這會讓她對現實感到大失所望。獅子座天才童星暨歌手的黛咪．洛瓦托（Demi Lovato）在青春期遭到霸凌，當時為了替飲食失調找到解方，她以獅子座的方式做了盛大回歸，倡議女孩的自尊和反霸凌措施，後來成為選秀節目《X音素》（X Factor）最年輕的評審及影集《歡樂合唱團》（Glee）的卡司。

借用歐菲雅獅子座婆婆的話（嬌小的紅髮荷蘭人，會穿戴大片金色的服飾，孫子都叫她「閃閃阿嬤」）：「獅子座就和鋼鐵一樣，可以讓它彎曲，但無法折斷它」；對於馬不停蹄的獅子座來說，成功就是最好的復仇。

✶行為解碼：獅子座孩子

獅子座有這種行為時	這代表……	妳應該這麼做
哭泣	獅子座孩子需要妳的關注。他可能因為沒辦法拿到玩具或得到想要的東西而生氣沮喪；或者感到喘不過氣，需要和妳接觸；這或許是他傷感的眼淚，獅子座很容易受感動，會公開表露感情。	在安全、適當的條件下，協助孩子滿足他的需要。花一分鐘抱抱他或握著他的手，他很快就會開心地回去一個人玩。跟獅子座孩子共度溫馨時刻，或是擁抱他，給他安慰。
社交上退縮、沉默或喜怒無常	獅子座覺得被忽略或不是房間裡最特別的人，這可能是他透過裝「神祕」來獲取關注的手段；他可能在摸清楚狀況後才會投入。 獅子座陷入幻想中，正在想像一個有趣、有創造力的計畫。	讓獅子座和其他孩子一起活動。只消幾分鐘的遊戲互動就能化解短暫的害羞。 給他工具，讓獅子座內在的藝術細胞盡情發揮。
搗亂（打、踢、回嘴）	小獅子被禁閉太久，需要釋放，讓他放肆一下。 他沒有得到足夠關注或是氣惱有人搶走他的風頭。	讓獅子座自由閒蕩，甚至放寬幾個規矩和限制。 教導他輪流的重要性，告訴他真正的明星也知道如何和別人有良好的團隊合作。
變得黏人	獅子座對周遭環境感到不舒服……目前為止如此。	給他一分鐘來了解自己在哪裡、跟誰在一起。主動開始一個遊戲或活動來打破冷場，獅子座可以透過遊戲活躍起來。
不吃妳給的食物	獅子座知道自己喜歡什麼、不喜歡什麼。	因為沒法強迫他，請給他想要吃的食物；或者（不建議）用甜點換取他吃下「他不想吃」的那份食物（比如起碼吃一口）。
坐不住	要當心，獅子座有個重大計畫等不及要嘗試了；或者他非常想玩某個遊戲。他很興奮，等不及要開始做。	分散獅子座的注意力，或是設定計時器，告訴他時間一到就能自由去玩。他希望有可以期待的東西，所以預先給他期待就能奏效。

✶獅子座的社交屬性

家庭中的角色

玩樂時間！喜歡樂趣的獅子座會為家裡帶來驚奇和節慶感，他們喜歡宴會、禮物（送和收）及盛大的節目聚會，他可以為嚴肅的家庭帶來陽光和歡笑。這忠誠的星座可是能讓家庭聚在一起的潤滑劑——在一個分派系或戲劇化的家庭裡和每個人都能相處。由於獅子座掌管心臟和脊椎，他可以成為他們家族的骨髓，重新創造驕傲和傳承，他也想追蹤家譜和保持傳統，可以仰賴這點維繫這些祖先的血緣關係。

朋友和同儕

獅子是群體動物，妳的獅子座孩子也是。這星座最希望有一群親密好友一起玩耍，有可以拍背鼓勵的夥伴情誼。他甚至有點小集團傾向，會在學校裡建立自己的「俱樂部」，興高采烈地開一些自己人才懂的玩笑，或是跟一群高歌音樂劇歌曲的劇迷（是的，獅子座也能是唱歌的孩子）往來。獅子座自然會變成小團體的中心，只要確保他不會變成小圈圈的一員，或是刻意想爭取人氣（大聲說話、令人不悅的特性）。即使獅子座心地善良，也需要不時提醒他不要排斥其他人。

勇敢的獅子座會讓朋友嘗試一些新冒險，走出自己的小天地。受到呵護的孩子跟獅子座做朋友後，會有一些大開眼界（神奇的）經驗：「去騎馬！」或者「萬聖節那天，把家裡後院變成鬼屋！」團體領袖獅子座喜歡跟最好的朋友一起探索世界——運用他的勸誘能力讓任何邀請變得不可抗拒。獅子座的霸道特性有時會搶走朋友光彩，但是獅子座很有說服力地堅持：「你得試試這個」或是「天啊，這是最棒的事情了」，怎麼可以對他說不呢？

乾杯！獅子座將是未來會在婚禮上擔任伴郎、伴娘的朋友（負責任的獅子座會籌備單身派對，說出賺人熱淚的致詞以及跳舞帶動氣氛）。妳會在孩子擔任學校布置委員會會長、把臥室變成很棒的睡衣派對或提前六個月籌辦主題生日派對時，注意到他籌備活動的天分。

朋友可能會被威嚇或感到嫉妒，因為獅子座是小小完美小姐或黃金男孩，比任何人優秀、亮眼。鼓勵獅子座保持謙卑和共享關注，否則他可能會因為自誇或熱烈讚美自己而惹怒同儕。如果獅子座有「談我談夠了，來談談你吧！那你覺得我怎麼樣」的情況，妳要當心了（這個笑話正是從一個十二歲獅子座男孩半開玩笑聽說的。）獅子座可能贏得每個競賽、遊戲，在戲劇出演主角，讓他的優秀似乎有點浮誇。獅子座在最好的狀況下，會是朋友眼中不屈不饒的支持者和啦啦隊，他會用勉勵提升朋友的自信，說服他們進行全新冒險。

兄弟姊妹：獅子座在其中的角色

獅子座的正字標記是對家族自豪，這些孩子是忠誠、友愛的兄弟姊妹。對弟妹來說，獅子座可能如同父母一樣幫助養育並對他們造成影響。小獅子座深情親暱，會黏著兄姊；年長的獅子座會老是想抱抱、餵新生寶寶，這個弟弟或妹妹會是他第一個忠實粉絲。驕傲的獅子座會跟每個願意聽他炫耀的人吹噓手足的成就，如果某個手足遇到困境，他會變成其支持者和專屬的激勵教練。

獅子座通常對手足沒有競爭心，但肯定會有嫉妒心。獅子座通常是家裡的金童或寵兒，欠缺安全感的手足在獅子座出生後會覺得自己變成家裡的害群之馬。呃，妳要注意，不要將獅子座孩子跟其他兄弟姊妹比較，以免激起競爭和對抗。如果獅子座本身實力不夠，他會全力表現讓注意力和焦點重新回他身上，他可不想位居老二！如果有個手足對他不好，帝王般尊貴的獅子座鮮少會屈就，若他受到攻擊也會反擊——沒人能擺布他。但他大多數只會變得傲慢冷淡，迴避衝突，專注在自己的事情上；或變得愛評判、自以為是，如果責任在別人身上，他會指出自己會以哪種有道德的方式處理。

✶教養妳的獅子座孩子：進階篇

呼叫魔術團體齊格飛和羅伊（Siegfried and Roy）！獅子座需要馴服時，可能需要專業團隊的協助。獅子座的反叛相當罕見，但一發生便石破天驚，肯定是世上最精彩的秀。當妳對這隻野獸揮出鞭子時，要從容別企圖打擊他的精神。要記得獅子座演員派屈克．史威茲（Patrick Swayze）在電影裡著名的臺詞：「沒有人可以把寶貝冷落在角落」。其實，妳可以摟摟他，給予溫暖會比一百次禁足或取消特權更能達到治癒的效果。獅子座不是給妳洗腦，就是對妳言聽計從。把他當小貓寵愛，運用說服力讓他開心地發出「咕嚕」聲臣服，減少獅子座的戲劇性。只要暴風雨過去，這個孩子通常相當溫順。

跟獅子座說話時，銘記一句箴言：「批評行為，而不是批評孩子。」驕傲的獅子座不願讓妳失望，如果妳攻擊他的性格，他可能會難過。事實上，他會開始崩潰，因為他害怕失去妳的認可。我們的獅子座媽媽曾是科科拿一百的學生，有次鋼琴課不及格就蹺家了，因為她不想面對父母。是的，獅子座可以是小題大作的國王／王后！

對這喜歡讚美的星座來說，正向鼓勵會帶來神奇效果。當他做了任何一件「好」事，由衷讚美他。妳可以參考記者愛咪．桑德蘭（Amy Sutherland）寫的《枕邊的馴獸師：動物訓練王國教會我如何愛與生活》（What Shamu Taught Me About Life, Love and Marriage），她從觀察動物訓練師訓練殺人鯨得到靈感寫出的書。根據她的說法，成功的訓練師「忽視」負面行為，稱讚正面行為。於是她在生活裡嘗試這個技巧並收到效果。若要獅子座不走歧路，就永遠不要低估閃亮金星星的效果。給孩子一天一個鼓勵，妳就不必進校長室！有個獅子座女兒的媽媽說：「雖然我討厭賄賂，但是對我女兒真的有效。她很喜歡那些可以收集的娃娃，所以如果她累積足夠的良好行為和樂於助人，我就買一個給她。但我必須提高獎勵標準，因為她為了想集到最新的娃娃變成一位過度樂於好施的人。我們現在有一張家事清單，如果她「沒有原因」就做，就沒有獎勵，這樣她才能學習到快樂、運作良好的家庭有賴每個人的力量。我希望她出於動機行事，而不是被事情操控！」

✶處理過渡期：搬家、離婚、死亡和其他難題

一些改變對獅子座而言會令人興奮。依據獅子座的年紀，新學校、新家或新社群，都是能結交新朋友或重新裝飾房間的好機會，在他眼裡，一切都很有趣，他對改變也能適應得很好。不過，獅子座依舊是需要紮根的固定星座，因此若是要他離開珍愛的地盤，是不太能接受；倘若妳把改變轉變為冒險，增加足夠的動機，他很快就能適應，建立起新的忠誠度、快樂記憶和盟友。很幸運地，他會擺脫困境，只要改變不要太極端。比方說，將獅子座從公立學校轉學到早有清楚派系、孩子彼此都相識已久的私立貴族學校，他可能要多花點時間打入緊密的社交圈。儘管如此，他還是能以課外活動或科目，在有相同目標或計畫下建立起新的友誼。

對孩子來說，度過失去摯愛或任何跟摯愛有關的改變會是個挑戰。敏感的獅子座用情很深，比如祖父母生病，他去探病會難過流淚。善於表達的獅子座需要盡情哭泣和宣洩情緒，別跟他說「大孩子不哭」或「勇敢一點」，他有勇氣，但是「心」是他渴望守護的部位。

家庭失和對他而言是格外嚴重的打擊，因為他具有五〇年代核心家庭的理想，會將其浪漫化（即使是兩位媽咪或爹地的組合）。如果父母離婚，他會需要很多安慰與證明，確定自己仍然被愛，並不是他的錯。他會經歷生氣或發洩期，直到重新找回安全感。

✶上學期間

最好的教育風格

對於族群觀念強的獅子座來說，學校是固定的社交和社群中心。他天生就有人緣，可能在鐘響前就興沖沖地上學，急著跟朋友閒話家常，或在校門打開前就衝去玩單槓。即使他抱怨某個科目無聊，某個老師愛發脾氣，但他還是熱愛學習，可以很快投入互動課程和有創意的作業。

課堂熱鬧、老師有趣、上課好玩，這是他心目中的天堂。他喜歡校外旅行和任何全校一起參與的節日。獅子座很快就能成為老師的寵兒，放學後留下來幫忙裝飾告示板或是餵養班上的倉鼠。這些孩子會在老師每次提問時就急著舉手，揮動手臂大喊：「選我！選我！」

競爭心強的獅子座會受到獎勵變得積極，並過度表現來爭取——無畏地站起來做口頭報告或為一樁計畫增添喝采，他會交出得獎的文章，或在冬季演唱會上成功完成迷人的獨唱演出。說話課幾乎是為他量身打造的，老師可能需要買個鑼來打斷他熱情洋溢的報告。

乖乖坐著，保持安靜？不太可能。他可能努力維持，但最後會變得躁動不安，甚至開始行動。獅子座在鼓勵創意、具備良好藝術課程的學校會成長得最好。他可能也擅長運動；再長大些，會競選學生會，或在任何合作報告裡自願擔任組長。如果他學業成績不佳，往往是因為受到忽略或無法取悅老師。如果孩子過度依賴外界的讚美和肯定時，妳必須介入，雇用家教來給予他需要的一對一關注。

✶最好的嗜好和活動

獅子座熱衷課外活動，他放學回家的時間可能會延遲到晚餐（或更晚）；跳舞課、戲劇、運動、合唱團……任何讓他積極報名的課外活動。創意十足、抱負遠大的小獅子，其嗜好甚至可能成為長大後事業的種子。由於他喜歡表演，妳會在試鏡或選美競賽為這位潛力新星扮演「經紀人」的角色。獅子座是領導者，但也是參與者，既喜歡當明星，也愛成為有趣群體的一員；喜歡參加教會或寺廟的青年團體、童子軍，或是提供社區服務的志工課後團體，例如到醫院探望病童或到動物救援中心幫忙。在行走募捐活動中，有競爭心的獅子座也許會賣出最多餅乾，取得最多標章或是募到最多的經費。他喜歡征服新領域，健行、划船、短劇表演和其他戶外活動的夏令營，會給他留下一輩子珍藏的回憶。

等他年紀大一點後，會成為出色的營隊指導人或同伴指導。他與小孩相處自然，可能會想趁閒暇時兼職保母，將賺來的錢投入未來的手工小型事業。這星座普遍很早就有創業精神，妳可能很快就要為孩子木莓檸檬汽水的攤位大量製冰，或在他手工藝市集串珠飾品攤位幫忙將二十元鈔票換成零錢。為什麼不呢？他喜歡用自己的創意賺錢，只要孩子不貪婪或拜金，做一點粗活沒有壞處——特別是對獅子座來說！

✶禮物指南：獅子座最好的禮物

- 樂器或是卡拉ＯＫ伴唱機。
- 遊戲，特別是一家人能一起玩的（大富翁！）
- 一對一的發聲課或演技課。
- 百老匯戲劇門票或熱門電影首映票（獅子座愛當第一個）。
- 戶外或運動器材供他探索野外世界。
- 衣服、鞋子、珠寶和裝飾臥室的小擺設。
- 手工藝或縫紉工作組，或其他用具提供他完成ＤＩＹ計畫。
- 電玩遊戲機，特別是模仿真實的遊戲，或可以跳上跳下控制的遊戲。

處女座孩子

（8月23日～9月22日）

符號：處女
守護星：水星
元素：土
身體部位：腹部、消化系統
誕生石：藍寶石
顏色：奶油色、棕褐色
優點：樂意合作、機智、好奇、勤勉
缺點：愛管閒事、膽怯、愛自我批評、負面

喜歡：
到戶外
大自然和動物
需要技巧、練習和技術的運動和活動
精通一件事，以自己的完美標準做事
幫助別人，做有用的人
有獨自安靜閱讀、做夢和計畫的時間
好氣味，乾淨，新鮮空氣

不喜歡：
被強迫社交或見陌生人
匆忙
待在室內太久
感官超越負荷、吵雜的地方
半途而廢
懶散、混亂、喧鬧、失序、臭味

妳想要一個**處女座**孩子嗎？

處女座孩子的目標受孕日：11 月 25 日～ 12 月 15 日

過去和現在的處女座名人——

麥考利．克金、麥可．傑克森、傑基．庫珀、黎安．萊姆絲、布蕾克．萊芙莉、魯伯特．葛林特、尼克．強納斯、瑞凡．費尼克斯、史考特．拜歐、班．薩維奇、「甜心波波」愛拉娜．湯普森、伊雯．瑞秋．伍德、羅密歐．貝克漢、傑森．普雷斯利、艾娃．菲利普、查德．麥可．莫瑞、哈利王子、阿麗夏．維加、強納森．泰勒．湯瑪士、亞莉山卓．妮齊塔

✶教養妳的處女座孩子：基礎篇

請幫一點忙！處女座是十二星座中的服務者，天性就是給予，想被人需要。處女座對任何需要溫柔、愛心和關懷的任何人／事有著無私的大愛，如沮喪的孩子、被忽視的動物，甚至是被踏踩的花或是被遺棄的植物。這些孩子年幼時可能安靜、順從，但是靜水流深。處女座的小小腦袋總在轉動——沒有關閉按鈕！

處女座是溝通星座由聰明的水星掌管，是熱愛學習的好奇孩子，善於分析的腦袋總在整理、排序和分

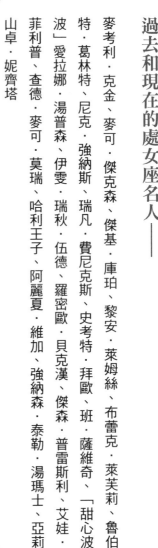

類。頑皮的水星也讓處女座是個愛開玩笑、惡作劇的人，讓他眼裡閃爍著狡獪的光芒。喜歡琢磨、破解謎題或解決問題；也是十二星座的編輯者。總在重新整理其收藏品，把玩具或衣服就定位；喜歡每樣東西各安其所，這樣做最有安全感。

甜美、有天使臉蛋的處女座孩子似乎誕生時就有光環圍繞，他就像個細緻的小天使，對待起來要格外細膩，否則這樣的光環會變成一種因果循環，讓帶處女座進入世界的人自食其果——哎呀，妳的忠實一號粉絲也會是妳最嚴厲的批評者。

處女座是象徵純潔的星座，意味著他暗自期望一切事物維持在純淨狀態，彷彿永遠維繫新生至福的神奇時刻；不過人生不會凡事順遂，處女座會比其他星座更容易遭受失望打擊。作為十二星座中的完美主義者，他把每個人包括自己，放在不可能達成的高標準——他的聖壇會變成監獄。

人都有人性、難免會犯錯，小處女座隨著長大可能感到幻滅，甚至變得憤恨；會自我批評和感到受傷，為每個錯誤自責，當然他也不會輕易原諒妳的錯誤。他可能會蒙受人生教練路易斯・巴斯（Lois Barth）所說的「一步錯誤症候群」——激發出嚴重的表現焦慮或是未真正嘗試就放棄以免出錯。在此為妳的孩子推薦一首歌：《芝麻街》大鳥（Big Bird）唱的《每個人都會犯錯》（Everyone Makes Mistakes）。

在孩子成長的過程中，妳也要時不時溫習與孩童發展相關的書；這些機敏的孩子需要妳既當父母也當治療師，妳可能要花很多時間安撫他的心神，鼓勵他不斷嘗試。同時也要教導孩子批判性思考技巧，這樣他才能超越善惡二元的道理。堅持己見的處女座會倉促做出判斷，很快陷入狹隘視角；需要小心謹慎解釋人生的運作，幫助他採取更寬廣的觀點。

當處女座想討人同情，或開始為小事煩惱時，得讓他趕緊恢復信心；志工、家務，或是照顧植物、寵物的小任務都能建立他的自尊。服務取向的處女座需要產生影響，證明他對世界有用。這不是妳該寵的孩子，當妳輕易予其所需，而不是讓他自己爭取時，會帶出他最糟的一面。勤勞的處女座必須付出，替自己掙得生活費，這是讓他覺得自己在世上有能力且感到安全的方式。

處女座孩子也可能是自尋煩惱的人，甚至是個控制狂。如果他們不知道如何照料自己，腦子裡可能出現一些驚人幻想——如果我被困在沙漠荒島上，不知道怎麼生火，會餓死嗎？他想要妳提供求生工具，然後自己組裝。用諺語來說，給處女座一條魚，他可以吃飽一天（一小時後就餓了）；教他捕魚，則會永遠餵飽自己和一家人。

關於處女座，妳很少會聽到有人說他是有趣的——甚至是令人捧腹大笑的程度！但這是真的。獨角喜劇演員戴夫．查普爾（Dave Chappelle）以犀利、譏諷的機智挖苦美國流行文化、政治和種族刻板印象，他就是處女座。這些觀察力強的孩子也是模仿高手（畢竟他會觀察妳的每個動作），把妳的腔調、身體語言和特點模仿得惟妙惟肖。他在攝影鏡頭前可能害羞，但一旦自己要求聚光燈，就會是天生的娛樂家。麥可．傑克森（Michael Jackson）、碧昂絲（Beyoncé）、黎安．萊姆絲（LeAnn Rimes）（葛萊美獎最年輕得獎人）、演出《小鬼當家》（Home Alone）的麥考利．克金（Macaulay Culkin）和奎雯贊妮．華利斯（Quvenzhané Wallis）（最年輕的奧斯卡最佳女主角獎提名者）都是處女座，從小就成名。他們的老成靈魂確實有力量能打動我們。

不過，處女座超齡的才華需要父母的忠告。一旦開始要求自己，就會導致他們過度追求完美，甚至自毀。許多處女座長大成人如艾美．懷恩豪斯（Amy Winehouse）、麥考利．克金、麥可．傑克森和瑞凡．費尼克斯（River Phoenix）都曾誤入藥物成癮的歧途，或許是想減輕成名壓力或試圖壓抑自己的內在批評。我們不是要特意警告處女座的父母，但是如果沒有檢視這星座的大腦，它就會變成危險的區域；因此要監控處女座孩子的焦慮和完美主義，為他積壓的能量找到很多發洩出口。處女座需要計畫，無論是固定的家事任務（用五彩繽紛標示的家事表單）、一隻飼養的魚或小寵物、一本字謎書，或是培養技巧的手工藝，如編織。技術取向的處女座喜歡精通某事，妳要確保他有活動和遊戲能參加，並在其中持續看到進步的跡象，體操、武術和網球都是很適合的活動。

最後記得提醒處女座，我們來到世界上是為了讓它變得更好。這些擁有自我批評傾向的孩子，很容易忘記他在地球上存在的重要性，激起他想幫助有需要的人的熱切渴望，就能帶來奇蹟。對土象星座來說，具體的結果就是最好的鼓勵。我們以前認識一位處女座，他去健行時會收集路上的莢果（如豌豆），在臥室裡種出一個迷你植物園。提醒處女座，如果他罷手或放棄了，某個有需要的人就無法從他身上獲益。請幫助處女座了解自己在某些美好事情上扮演的角色與造成的影響。

✶處女座：應對挑戰

規矩和權威

說到尊重權威，處女座是天使，也是麻煩製造者。當他對掌權之人有安全感時，會做任何事來取悅對方，甚至對同儕有點霸道，像個掌權者的縮小版。處女座想要有條理、清楚且實用的規則，這樣他才知道自己處在的位置，但這自律特質的星座可能需要少一點的規則——因為他已經自虐到無法單純玩耍和當個孩子了。此外，處女座也可能將其父母或照顧者置於一個崇高的地位，即使最強壯的大人都無法達到的位置，不過當生活裡的大人令他失望時，他會感到幻滅，甚至失去安全感。如果領袖人物前後矛盾或反覆無常，他可能會開始反抗，期望激起自己成為負責人的力量。為了處女座好也為了妳好，教導他「人都會犯錯」——沒有人是完美的。

限制

這個完美主義星座的孩子素以給自己限制聞名，而且通常限制太多。妳可能會聽到孩子責備娃娃、寵物或弟妹——表現出他的內在對話（「不行，不可以碰那個」或「那樣會違反規定」），但是太多的限制，無論是妳給的或是他自己強加的，都會使他變得偏執或膽怯，導致他對新的情況提心吊膽。請鼓勵處女座孩子冒些有助益的風險；同時間，過度寬容會適得其反。如果不為他劃分清楚的界線，他潛意識下會做些行為來懇求妳設定限制。

分離和獨立

處女座孩子只要覺得自在時，就可以是個有自信的小小領導者，但棘手的部分在於擊碎他的心牆。處女座會有分離焦慮，討厭被留下和陌生人或新狀況打交道（這星座不適合「哭聲免疫法」或是「費伯法」，這類方法提倡讓寶寶慢慢習慣獨自留在睡房或睡覺區。）處女座孩子不太相信自己的本能，他們在冒險之前需要妳的准許和鼓勵。他總會想像這世界是個棘手的地方，自己的缺點暴露其中、或是環境很嚇人，讓他落入毫無準備和失控的地步（對處女座來說萬萬不可）。媽媽，這就像嬰兒學步一樣，有妳在旁溫和地推一把，幫助這隻小鳥相信自己能夠飛翔。

弟弟妹妹

善於照顧人的處女座會省掉妳很多工作！有處女座孩子等於有了可以幫忙餵食、換尿布、洗澡、教導寶寶的小幫手（儼然就像寶寶的父母）。只是要注意處女座有時會管太多，對弟妹可能掌控甚嚴。

哥哥姊姊

處女座會將高標準套用到所有比他年長的人身上，因此他會以對待父母、保母和其他角色模範同樣的方式來檢視哥哥姊姊。小處女座會盯著哥哥姊姊的每個舉動，如果他不是表達崇拜，就是以自以為是的方式表達不贊同。當心共同依賴問題：處女座會在有問題的家庭裡扮演英雄角色，會試著搶救陷入麻煩的哥哥或姊姊，或是成為爸媽的心腹導致手足間產生敵對競爭；處女座也可能受到忽略，安靜地逃回自己的世界，就算蠻橫的哥哥姊姊要求他注意，他也會置之不理。

寶寶，掰掰：斷奶和如廁訓練

處女座是注重感官變化的土象星座，需要被擁抱的觸感，感情和觸覺對他而言相當重要。不過以這星座敏感的消化系統，可能很早就從母乳變為餵奶粉（甚至是配方奶）幫助他們好消化。孩子在做如廁訓練時，當心不要強迫他，否則這會變成他多年後對心理師訴說他能力表現如何的議題！（我還小的時候……之類）處女座對批評相當敏感，他想要把所有事做到完美；教導他多次嘗試是沒有關係的，不應該碰上問題就放棄（要避免使用「不對、錯誤」的字眼）。

性觀念

處女座作為十二星座中的處女，這好奇的孩子可不像傳說的那樣天真。土象星座的他可能會對自己的身體有所意識，會問很多問題；會在遊戲場主動吻小玩伴，可能很小就會調情。好奇心重的處女座知道怎麼找到事實和資訊，甚至是背著妳去查寶寶是從哪裡來的；妳家書架上最好放著適合他年齡的相關書籍。在開始要聽他些談基礎知識時，妳會驚訝地發現他怎麼已經知道那麼多（或者知道的盡是錯誤資訊，哎呀！）妳最好積極主動教育處女座，讓他知道能盡情地發問問題。

學習：學校、作業和老師

處女座不是最好的學生就是最差的，兩種可能性都有，建議可以從他入學第一天就介入引導。在最好的情況下，學校會是處女座能夠學習、探索和展現出色智力的地方，這自以為聰明的星座可以是十二星座中最酷的那個。至於缺點？學校也是他會受到批評的地方。這星座對成績單及表現取向的學術知識很敏感，如果孩子開始落後或急著倉促交出作業，家長要當心了。完美主義的處女座孩子會認為：「如果我不是拿一百分、拿到高標準，那我何必麻煩又費力呢？」低於標準的成績單、或在課堂上回答錯誤的答案（在眾人面前蒙羞對處女座是最糟的事），都可能讓這個未來以優秀成績畢業的學生成為懶鬼。如果他在課業上開始落後，很可能是因為一個錯誤或不好經驗使他陷入系統關閉的狀態。處女座需要妳（還有幾個經驗豐富的人）重振他的自信。一位媽媽說：「我的處女座女兒很會寫作，但她沒被選入英語課和閱讀小組資優班時，自信受到打擊。她不再寫日記，不再寫詩給我，這真是最難過的事。我最後去找老師談，並安排她寫幾篇故事、做一些閱讀理解的作業，讓她有機會再進入資優班。」

家庭衝突

樂於助人的處女座討厭衝突，特別是衝突發生卻愛莫能助、感到受挫時。作為星座中的治療師，處女座孩子會嘗試調解，解決問題，重新恢復他渴望的秩序和控制。有些處女座會把一切紛爭關在外面，埋入書中，但觀察力強的孩子一樣能眼觀四處，耳聽八方。由於處女座渴望被別人需要，他可能會扮演拯救者、英雄和幫手的角色，成為親人都依賴的中間人。要是雙親之一失去人心或發生問題，他可能不顧現實直接把責任扛在肩上，試著「當好孩子」來扭轉敗局。然而，由於他是如此善解人意，這有可能會使他走向另一個極端，表現出失序行為的誇張版本——這是潛意識裡試著去認同那個陷入危機的人，以便明白真正發生的事。此時，請謹慎處理這孩子和妳的課題，這樣才不會讓他背負大人的問題。

✶處女座男孩

腦袋運轉中！處女座男孩是心智機器，他的大腦永遠都在運轉，臉龐像個小天使，但卻張大眼睛緊盯著看，這觀察力強的男孩不會錯過任何事。他也特別挑剔，對一些事格外小題大作。這個男孩從嬰兒時期就有強烈偏好——食物、氣溫、顏色到衣服，任何妳能想到的。

聰明的處女座男孩容易感到無聊，他必須隨時保持忙碌，需要很多智力和身體上的刺激，複雜的遊戲或計畫會讓他忙碌好幾個小時，但沒有重點的話，緊張能量可能會白白浪費。作為土象星座，到戶外玩耍是最好的解藥；他跟大自然和生物有深度連結，能花好幾小時自娛娛人。淘氣的處女座小時候雖是「乖孩子」，但也喜歡挑戰界線。無論他看起來多沉默寡言，妳還是必須時常關注，在他腦袋裡可是有一整個世界在運作，有時會創造出複雜、甚至危險的遊戲和實驗。

善於言語的處女座可能比其他男孩更能清楚地表達情緒，因為他喜歡說話和分析別人，使他有很多女性朋友；他也格外有保護欲——沒有人想招惹處女座喜歡的人！處女座可能是媽寶。他喜歡跟對方有深刻的談話或是促膝長談，並提出很多好奇的問題。

妳必須講得很明確，因為處女座男孩會照字面意義完全接受妳的話，也會從中找出漏洞。我們曾拜訪一位處女座朋友傑瑞德，他當時八、九歲。抵達他家時，發現他髒兮兮的腳踏車綁在樹幹上，他拿著一根鋁棒在敲它。他冷靜跟我們解釋：「我爸媽說，除非這台腳踏車壞了，否則不會買我想要的特技腳踏車。所以我得毀了它。」處女座的邏輯真不是普通的強！

處女座善於機械式和策略性的思考模式，因此能讓他嘗試精進某項技能。如何讓他有朝一日在卡內基音樂廳表演（或讓他免於留校察看）呢？練習、練習再練習。無論運動、下棋、武術、音樂、演戲或電腦科學，讓他投入能深入的主題。精通某事是他的繆思，他可以自豪當個愛鑽研的「迷」。他也喜歡助人，從小開始就能讓他協助家事並指派任務給他。

處女座男孩是了不起的說故事大師，他注重細節的頭腦（加上長時間的專注），可以將英雄史詩故事、動作片人物或其他玩具結合。這講求秩序的星座充滿韻律感（買貝斯或一組鼓給他）、時間感和方位感。不令人意外，一些最知名的嚴格導演是處女座：巴茲・魯曼（Baz Luhrmann）、泰勒・派瑞（Tyler Perry）、蓋・瑞奇（Guy Ritchie）、提姆・波頓（Tim Burton）和奧利佛・史東（Oliver Stone），作家史蒂芬・金（Stephen King）和羅爾德・達爾（Roald Dahl）也都是處女座。那些說處女座無聊的人，肯定不曾體驗這星座的想像力！

善於言語的處女座也會諷刺挖苦，他的幽默感可以帶有惡意，就像處女座演員亞當・山德勒（Adam Sandler）和查理・辛（Charlie Sheen）嘲笑自己也嘲弄世界。處女座也是批評的星座，他的玩笑對那些達不到高標的人會充滿鋒刃。喔！就像處女座的基努・李維（Keanu Reeves，因講粗話遭退學）和哈利王子，其粗暴言語可會讓他們陷入麻煩。

其實處女座男孩在他讓人想比中指的外表下，是個極其敏感的人。就像處女座演員雷恩・菲利普（Ryan Phillippe）和瑞凡・費尼克斯（River Phoenix），可能內心住了一個悶著心事、稍微受挫的靈魂。他的心思細膩，當他世界裡的事物發生錯位時，就會重新整理排序，因此，當感覺到家裡缺乏秩序時，通常會出現不當行為、大發脾氣或變得寸步不讓；雖然生性樂觀，但當人生不符合其理想願景時，處女座男孩通常會因此失衡。請密切注意他的心理狀態，特別在經歷重大過渡期，例如離婚、搬家、新生兒誕生或開學時。條理分明的處女座喜歡控制和管理，經常需要更多時間適應改變。耐心是種美德——對妳和處女座孩子都是。

✶處女座女孩

教養一個處女座女兒是高風險任務。總之，妳是這完美主義星座的第一個女性角色模範。別擔心，女兒需要妳的認可與同意，就像需要氧氣一樣，她可能緊緊跟在妳身後想取悅妳、幫助妳。她會研究妳的每個行動、學習，模仿，是的，還有批評。有時候，妳可能感覺她在打量妳，甚至不贊同妳的行動，究竟誰才是媽媽？

對處女座女孩來說，母女連心的時間不嫌多，特別是漫長的深度對話。迷人的處女座喜歡分析他人，可以是個小小長舌婦，所以別對她的八卦火上加油！引導她談論自己的夢想，或是帶著她參加特別的活動，這孩子有參觀博物館或進行長程健行的持久力（處女座喜歡大自然），讓她的能量有個出口。處女座敏銳，但也天真，她會把妳理想化；妳必須在這個容易被影響的孩子面前，展現高度自尊來作為她的榜樣，這點有助於她免於身體形象帶來的壓力和社交焦慮，她對這兩者特別敏感。另一個妳該展現給女兒的榜樣特質？那就是妳會犯錯，但會調整，繼續生活，並且恢復——甚至變得比以前更好。

處女座形影相隨的存在是可愛又累人，有時會覺得女兒的過度依賴是個負擔（哈囉……媽媽需要一點自己的時間！拜託了）。女孩小時候會小題大作、要求多又黏人。她對寬廣的世界感到畏怯，但有妳作為她穩定的靠山，她會走出自己的殼；初入社交界將會精彩無比！處女座女孩可以是擅長音樂、舞蹈、武術或體操技巧精湛的表演者；土象星座的處女座也有一些聲音出色的人，像是麗婭．米歇爾（Lea Michele）、黎安．萊姆絲（LeAnn Rimes）、紅粉佳人（Pink）和珍妮佛．哈德森（Jennifer Hudson）。妳要準備好應付表演圈或競賽圈的活動——甚至是選美，如暱稱「甜心波波」（Honey Boo Boo）的處女座演員愛拉娜（Alana）。女孩有時可以表現正經，但也有完美的喜劇時刻；當她情緒沒失控時，她喜歡歡笑並帶給妳娛樂。

處女座掌管手部，女兒可能有一雙巧手，手工藝和ＤＩＹ通常是最愛的消遣，精細手工作業的節奏有助於平撫她煩心的情緒。她小時候喜歡拼圖、堆疊遊戲，及用顏色或形狀排列的玩具；長大時，送日記本和漂亮的空白冊子，她可能會是創造力強的作家。此外，讓她待在妳旁邊做事，她想要感覺自己有用處；讓她進廚房整理食材（等她大到可以操控刀子時就能幫忙切菜）。在家裡的辦公區放一張小桌子，就像處女座的碧昂絲和其媽媽蒂娜．諾爾斯，妳和女兒可能有一天會一起開創事業。

妳有時會希望處女座更外向或獨立，但也有些時候，妳會希望她不要那麼友善，比如她只因為對方看起來悲傷孤獨，就跟奇怪的陌生人講話。處女座女孩一開始可能害羞、難為情，但一旦建立起社交網絡後，她就會變成群體裡的女王蜂。

那些裙帶關係可能織成相互依賴的網，綁起和剪開時都要小心翼翼。處女座女孩極為敏感、臉皮薄，很容易就感到被拒絕，特別是被妳拒絕。莎莉．麥克琳（Shirley MacLaine）的處女座女兒薩奇．帕克（Sachi Parker）寫了一本尖酸苛薄的回憶錄《幸運的我》（Lucky Me），暗示她的名人媽媽把演員事業看得太重，忽視為人母的責任。喔！帕克這位觀察力十足的處女座似乎記得每個細節，也不曾原諒母親，她寫這本書已經五十六歲。

對善於言詞的處女座來說，言語是武器。處女座女孩受傷時，可能會拒絕溝通，在背後詆毀她所謂的敵人。處女座是天生的給予者，即使她不被要求就能付出善意，但她會計較；當受到輕視和嘲弄時，其怒火比地獄之火更強烈（表面上）。她需要持續被提醒，愛不僅是靠維繫關係而來；學習無條件地接受自己及其他人，對愛評斷的處女座來說是重要的一課。請教導她不求回報的去分享一切，並直接說出自己的需求。最後，妳要讓有愛心的處女座孩子知道，她不需要做任何感到不自在的事，「不」這個字就是完整的回應。

妳應該這麼做
真誠地讚美他，讓他知道「不必完美就能被愛」。 像個人生教練跟他談話，但也保持父母之姿，讓他發洩出來，但別捲入他的受害者情緒；帶出門做點活動，轉移他的心思。
確認處女座是否有心事，提供他可以閱讀、畫圖、寫日記、修補東西或看電視的空間。 把處女座帶到一旁（私下一對一）、做些健康、愉快的戶外活動，讓他吐露心事；他需要一對一的專心和理解才能緩和心情和恐懼感。
提醒他，妳不會讀心，請他用不同方式表達情緒，坦承告訴妳究竟在煩什麼。 即使妳覺得處女座孩子是愛哭鬼，仍然要停下手邊的事關照他；不理會是最糟的做法。短暫休息，再和他一對一長談，會達到效果。
溫和的分離過程會有幫助。處女座喜歡測量，給他計時器或計秒錶，讓他倒數妳回來的時間；處女座是代表服務的星座，給孩子一項任務或責任，幫助他打破沉默。
認命吧！在媽咪餐廳裡可能需要為他準備特別的餐點；所幸這星座通常對廚藝有些天分，妳最後會給他一條圍裙，讓他當妳的副主廚或學徒。
快帶孩子去上體操課、舞蹈課或加入球隊；身體活動是讓他釋放壓力的最佳方式！

✶行為解碼：處女座孩子

處女座有這種行為時	這代表……
哭泣	通常是對自己感到挫折。他沒達到自己的標準時會覺得生氣。 懇求憐憫，處女座辦了憐憫派對，每個人都受邀。
社交上退縮、沉默或喜怒無常	處女座很內向，比其他孩子需要更多的獨處時間；他們可能只是在充電。 處女座感到心煩、喘不過氣，可能對某事感到不安或不自在。
搗亂（打、踢、回嘴）	善於言語的處女座把言語當劍；他們受傷時就想以牙還牙。 敏感的處女座會「假哭」，所以當他真正心煩時，妳可能會因為以前虛假的眼淚而不相信。但現在他提高層級，發出求救信號。
變得黏人	性格猶豫的處女座會有很多恐懼和社交焦慮，可能還沒準備好融入新情境或環境。
不吃妳給的食物	處女座掌管消化系統，妳的孩子可能有一個敏感的胃，或麩質不耐症、挑食等問題。
坐不住	精神負荷過量！愛分析的處女座腦袋無法停止運轉，這會超過他小小身體的負荷；出現這種狀況時，代表他需要動一動了。

✶處女座的社交屬性

家庭中的角色

品格檢查！處女座是十二星座中的淨化者，能將家庭恢復到整齊、平衡的狀態。不過，就像任何良好的排毒劑，必須先挖掘出「有害物質」才能對症下藥。想要知道妳家哪裡出現問題嗎？請好好觀察處女座，他通常是家庭裡的機能障礙偵測器，會針對任何失衡做出誇張的反應。我們認識的一位處女座，其家人一直否認父親有酗酒問題，直到這位處女座在高中酒駕撞毀車子時，才喚醒了大家，父親終於去接受治療。

處女座擅長解決問題和找出缺失，但是這個特質日後可能會造成更巨大的裂痕。說到錯誤，處女座可能是指責、責怪別人的人。雖然他意圖高尚、想幫忙，讓自己介入其他人的衝突，或幫助某個陷入麻煩的親戚，結果卻可能造成更多混亂。妳需要偶爾提醒他置身事外——沒有任何家庭是完美的。確保他的善舉不會變成予取予求或是相互依賴。

朋友和同儕

需要幫忙的朋友就是處女座的朋友。這樂於助人的孩子，喜歡在朋友裡扮演幫手、傳聲筒和冷靜分析者；他可能也是很多玩笑惡作劇的始作俑者，通常是第一個說出諷刺玩笑或者取笑朋友的人。雖然他會在朋友間說笑，但其實多數的處女座害怕破壞規矩，陷入「真正的」麻煩。有個小氣的處女座小女孩被朋友暱稱為「奶奶」。不過，對這好奇的星座來說，好奇很快會變成誘惑。妳要謹慎控管他的玩伴，因為他可能變成真正搗亂者的幫手。處女座孩子可能是天使，但是拯救者情結會使他變成小惡魔。此外，無聊是處女座最有可能從正直走偏的理由；請讓他投入一些能抓住注意力和想像力的活動，確保他的同儕不是一群流氓！

在處女座班上或學區裡有新學生嗎？愛照顧人的處女座會將這「新孩子」納入自己的羽翼，樂於告訴對方怎麼做。不是說處女座無法組成小團體——其實這星座會聊八卦、喜歡知道所有內幕。然而處女座寧願只有幾個密友，而不是一群表面的酒肉朋友，因此妳可能需要柔性推動他面對新環境，擴展社交圈。提醒孩子不要在背後議人長短，這是愛自我批評的處女座感到不安時所衍生的行為。

若有朋友心煩或有麻煩，處女座會趕去幫他，任何人都放棄的弱者，處女座會站在他那邊，他甚至對此有點自以為是，嘛嘴反對任何膽敢評斷的人。當然，處女座孩子會是最嚴厲的裁判，對待朋友會特別高標準或私下打分數。處女座樂善好施，但不是非常寬宏大量。他會突然「不跟」好朋友說話，這星座的孩子老是把很多事藏在心裡，期待朋友讀出其心思，玩伴可能根本不知道他為何低落，直到他視若無睹走過旁邊。介入孩子的友誼時必須謹慎，妳只要偶爾出面就好。當妳確認他確實感到受傷時，可以鼓勵他出面與朋友解決問題；跟孩子先來場「模擬」談話，協助他表達自己的感受，但不要以對抗或興師問罪的方式進行。有個處女座兒子的媽媽說：「我的兒子是好意，但也許太過度。而且他不知道自己其實有些霸道，即使他的意圖很好，但不是每個孩子都想要他的幫助。他會感覺受傷，所以我試著教導他別把所有事往心裡去。我告訴他：『你的朋友不喜歡你做的事，或是不想玩你的玩具，不意味著他不喜歡你。』」妳那急於取悅他人的處女座孩子，很容易感到被拒絕或自討沒趣，這是跟他解釋的好方法。這些技巧對敏感的處女座來說一輩子受用，能為這容易小題大作的星座建立自信和正確的觀點。

兄弟姊妹：處女座在其中的角色

做事有條不紊的處女座喜歡知道他在社會裡的位置，在家庭裡也一樣。他可以是樂於助人、友愛的手足，但也絕對會跟兄弟姊妹比較，畢竟「分類」是這星座的天性。處女座喜歡列清單，他會好奇自己在妳清單上的位置。

處女座是完美主義者，偏愛「黃金寵兒」的角色，然而有時會因為排行、性格和家庭互動，使處女座相形失色。就像英國王室威廉王子和處女座的紅髮弟弟哈利王子，哥哥已經占據先天位置；另一些例子則是一位麻煩的手足鬧脾氣，奪取雙親的注意力，使得處女座感覺自己被邊緣化和遺忘——嫉妒和競爭可能就此爆發。如果處女座夠瘋狂，甚至可能激起家人間的衝突，接著他會以拯救者或中間人之姿介入，藉此強調自己的價值。父母絕不能將這孩子跟手足做比較，像是「你為什麼不能跟哥哥、姊姊一樣」，這種問題是刺入處女座溫柔、自我批判心靈的一把匕首。請時常提醒孩子他有被看見、被聆聽、被愛著，同時也是特別的，告訴他——原本的樣子就很完美。

✶教養妳的處女座孩子：進階篇

對這樣一個自律、上緊發條的星座來說，管教會是一種有趣的概念。有些父母甚至希望處女座可以多少宣洩一下——沒有孩子可以那麼乖。處女座是代表溝通的星座，跟他對話永遠是妳最好的第一步。不過，這聰明的星座懂得表面說「好」，但在妳背後偷偷行事。想知道真相只要直視他的眼睛，眼睛不會說謊！

處女座想要取悅雙親，如果做不到就會覺得受挫。他通常為特定的事心煩（一個朋友的處女座孩子在學步時，每次腳大到超過鞋子時就嚇壞了，對每雙新鞋都很挑剔）。他甚至會使勁談論這個問題，直到妳聽他說為止，如果妳忽略他的請求，他會令妳發狂，並用更激烈的方式表現。處女座想傳達一個問題時，會確保做到徹底——他尖銳的話語是會傷人的。

一些處女座無聊煩悶時會生事惹麻煩，這個聰明、好奇的星座需要一直保持忙碌；他可能是因為擁有太多自由，於是胡鬧想要求他人設定界線。其他時候，他的惹事則與創傷有關，比如離婚、過世、霸凌或是一些突如其來的改變。處女座渴望一致性，討厭驚奇，突然而來的行為問題可能是他表達內在混亂的外顯方式；有些處女座的反叛傾向則是出於憤慨，不喜歡被強迫一直要當「乖」小孩。他想表現和取悅別人時，會給自己太多壓力，於是就走向另一個極端，表現出搗亂的樣子。

就像小小的辯護律師，處女座總是準備好做出辯護。他們可以針對一句話做出爭論或為一個懲罰討回公道；一位處女座記得自己因禁足心煩，於是推倒家裡的聖誕樹（還指責貓咪）。家長們，始終給他嚴厲的愛（加強限制，寸步不讓），這可能是阻止自命不凡處女座的唯一方法。

✶處理過渡期：搬家、離婚、死亡和其他難題

講究條理秩序的處女座很難因應突然的轉變，除非鉅細靡遺對他解釋。他厭惡失控的感覺，因此出乎意料的改變可能會導致他感到心煩。如果可以，告訴他每個步驟，幫助他能重新得到秩序感，從而適應新的現實。孩子可能會避而不談自己的挫折和掙扎，他憂心一旦說出口會令妳困擾，請鼓勵他表達或說出感受。許多處女座會壓抑自己的情緒，照顧其他人的需要，然而他的壓力會以不由自主的方式發生：尿床、哭泣、整理東西、突然改變口味、打架。創傷時期，他需要更多無條件的愛、寵物及在大自然下享受一些療癒時間，對這星座特別有效。

✶上學期間

最好的教育風格

處女座可以是優秀的學生，實際上他比所有人都聰明，但卻拒絕努力。處女座孩子很像處女座演員麗娅．米歇爾在《歡樂合唱團》裡重視分數的乖女孩瑞秋（Rachel）。對另一些處女座來說，學校可能是折磨他、增加社交和成績表現焦慮的地方。他對自己已經很嚴格，現在還得站在全班同學面前發表口頭報告，或是交作業讓老師評分？這些頑固的孩子可能會故意搞砸作業或考試，因為他無法忍受等待知道自己是通過或失敗。有這些問題的處女座孩子可能在獨立學校會適應良好，在那裡不會給正式成績，而是讓孩子以自己的步調學習。

處女座也是代表完美主義的星座，想把所有事都做到最好，不然乾脆不做。他可能在做作業和計畫時覺得時間很趕，妳需要提醒他，作業有時只要「夠好」就行。許多處女座在真正能飛翔前需要協助，如果有必要，妳可以跟他一起坐下來學習或幫忙他寫作業。他一旦對自己的點子有自信，就能準備飛翔了。

對處女座最好的環境是讓他能樂在學習，在沒有壓力下仍有動機做出最好的表現。太多獨立自主的學習會讓他茫然失措，表現不佳；不過嚴格的分數制度或一連串的制式考試，反倒會讓完美主義的處女座深感壓力。一個願意支持他的老師也會讓處女座喜愛（或討厭）學校，請確認孩子是否願意讓積極鼓勵、感受力強的老師把他從殼拉出來，啟發他對學習的愛。大班級環境裡可能很難做到這點，可能的話，找一所班級人數較少或有重點分班的學校。課後的家教也能給予處女座一對一的關注，幫助提升他的自信和舒適圈。

✶最好的嗜好和活動

這孩子通常有少許的嗜好和興趣，是十二星座中的手工藝高手，喜歡掌握新的技巧；能讓他有時間練習、訓練、精進技巧、鍛鍊身體或累積知識的課外活動都會讓他如魚得水。許多處女座在體能上具天賦，能優雅呈現。他對需要節奏感和精確度的活動也很擅長，如武術、舞蹈、啦啦隊、體操，或是足球、網球的運動。有的處女座則是雙手非常巧，喜歡畫畫、寫作、手工藝和建造。

由於處女座擅長模仿，他可能在舞台上完全展現自己，在學校戲劇表演上有意外出色的演出。還是來件超小號的廚師服？今天對吃講究的他，可能成為明天的美食家；名人廚師馬利歐・巴塔利（Mario Batali）和瑞秋・雷（Rachal Ray）都是處女座。如果孩子喜歡混搭食材或下廚，請幫他報名美食營或廚藝課。

雖然處女座擅長競爭比賽（在大賽前，誰能練習得比他多），但一旦無法贏得渴望的名次，可能會喪失興趣。要記得，這些孩子以打擊自己出名，如果他想退出或放棄，就會對自己太嚴厲，往往需要妳的鼓勵。別強迫處女座做他厭惡的事，但請鼓勵他嘗試一次，或跟教練談一談，請他給孩子鼓勵，孩子可能就會重新振作。

處女座擁有樂於服務的性質，他可能喜歡到自然中心、社區花園或參與動物相關的志工活動。樂愛戶外的處女座喜歡露營、大自然健行及任何服務社群團體的機會；讓重視成果的處女座從頭開始養育，無論是一盆花或番茄。如果他能把種出的東西用於一道菜，或成為餐桌上的插花或擺設，將會是個加分點。一袋種子和一些陽光能啟發這位永遠的「綠手指」，並增加孩子的創意。

✶禮物指南：處女座最好的禮物

- 可以自行操控的遙控車或遙控飛機，或是坐得進去的玩具車。
- 訂閱雜誌或他最愛的書店禮物卡。
- 填字遊戲書、找字遊戲或拼字塗鴉板。
- 附鎖頭和鑰匙的美麗日記本。
- 樂器和音樂課。
- 可收納玩具的有蓋紙箱或有蓋的大箱子。
- 任何可以動手做的東西：一個小工具組（如木工、組合飛機模型或版畫），縫紉機，毛線和鉤針。
- 玩具廚房或是真正的廚房用具，如一組碗、湯匙及一本兒童食譜書。
- 瑜伽墊或是適合孩子的瑜伽ＤＶＤ，或協助處女座放鬆的課程。

天秤座孩子

（9月23日～10月22日）

符號：天秤
守護星：金星
元素：風
身體部位：下背部、後背
誕生石：蛋白石
顏色：淡紅色、深藍色
優點：迷人、可愛、公平和慷慨、富同情心
缺點：散漫、急躁或完美主義、控制欲、情緒化

喜歡：
漂亮衣服、音樂
環境和人群
社交和結交朋友
禮物（接收和給予）
粉彩或有趣的顏色（或任何一種粉紅色）
藝術、音樂、舞蹈和文化
糖和甜食

不喜歡：
感官負荷，巨大噪音、刺眼燈光和混亂的群眾
廉價或讓人發癢的布料
獨自一人
殘酷
被忽視
說再見

妳想要一個**天秤座**孩子嗎？

天秤座孩子的目標受孕日：12 月 25 日～ 1 月 15 日

過去和現在的天秤座名人——

柴克．艾弗隆、威爾．史密斯、小威廉絲、希拉蕊．朵芙、艾薇兒．拉維尼、柯克．卡梅隆、貝瑞．威廉斯、馬力歐．洛佩茲、艾莉西亞．席維史東、卡林．帕森斯、尼克．卡農，基倫．考克金、喬納森．利普尼基、蘿德絲．里昂、安格斯．瓊斯、萊西．察伯特、艾希莉．辛普森

✶教養妳的天秤座孩子：基礎篇

愛，甜美的愛！天秤座孩子心地善良、敏感，一出生就散發魅力。很快地，所有家人都會被天秤座胖胖的小手握住——連童子軍都來敲門。天秤由象徵美和愛的金星守護，是個外表可愛的孩子，可能擁有酒窩或是人樂於接近的甜美氣質。注意，妳可能在發現之前就先寵壞他了。

有品味的天秤座從小就是小小美學家，喜歡美麗事物，要當心他會有過度注重物質的傾向。天秤座對光線、色彩、噪音和氣氛敏感，需要美麗和平靜的環境。有位天秤座讀小學時，哭著要離開學校裡吵鬧的咖啡廳，因為他的耳朵承受不了太刺耳的噪音。喔！天秤座是妳可以放心帶著上漂亮餐廳的孩子，他會樂於盛裝打扮或在膝上鋪好餐巾，可能早早就選好銀餐具，並避開塑膠材質。妳也能省略磨搗豆泥的功夫或買嬰兒副食品，因為他寧願小口咬著任何妳準備的食物。此外，他也非常有藝術品味和文化素養，帶著他上美術館就和觀賞棒球賽一樣容易。

不過，別被這溫和的品味愚弄了，天秤座可是由糖和辣椒構成的。這個孩子討喜迷人，但他不僅是靈巧應對，當遇到不公平或極端時，他會直言不諱或拒絕讓步。不屈不撓（是的，甚至是頑固）是這星座最鮮為人知的特點。印度民族解放運動領袖甘地是天秤座，他推行不合作運動，以非暴力方式拒絕配合不公正的警察，這是終極的「你奈我何」的策略——天秤座的特長。

天秤座的象徵物為正義的天秤，他需要估量和測量一切，喜歡在做出選擇前謹慎評估所有的選項。他可能要花很長時間下決心，但一旦做出決定，就再也沒有更動的餘地。他討厭被催促做決定，不過等他做出選擇或決定方向後，就會全速進攻。（可以說「視野狹隘」嗎？）

很遺憾，步調快速的世界無法配合這星座深思熟慮的過程，當妳很急時，可能無法接受天秤座想要品味每個時刻的念頭。作為天秤座的父母，你們知道不能給這個孩子太多衣服或早餐的選擇，否則在中午之前都出不了門。他想要停下來品味每一朵玫瑰花的香味。真的很奇葩。如果是需要上班的父母或是忙碌的人，請將鬧鐘設定提早一小時，或是利用好處激勵他，才能讓他準時踏出家門。

是的，天秤座的優柔寡斷足以令人抓狂，但更好的字眼也許是「有鑑別力」。這星座對品質的眼力和耳力厲害到不可思議。天秤座依其本性，拒絕接受任何不完美的事物，完全是A型性格。天秤座西蒙・高維爾（Simon Cowell）在多個選秀節目擔任評審，憑其直言不諱的評論，成為電視世界最有名（也最令人畏懼）的評審。這星座會說出極其犀利的批評，令人難以承受！

當然，只要給他充分的時間，其評論會是最正確的；天秤座在被催促下會做出很糟糕的決定。有個例子是在美國《X音素》第一季，高維爾淘汰梅蘭妮・阿莫洛（Melanie Amaro）。兩週後，他搭機去拜訪她，宣布他犯了錯誤，邀請她回去。最終她成為該季贏家，獲得價值五百萬美元的唱片合約。雖然天秤座會出現像是猶豫不決或反覆無常的舉動，但他改變心意時，通常是出於更大的動機（比如為了公平、或是認知到自己因匆忙做出錯誤的決定）。天秤座孩子的父母必須謹慎推敲孩子的搖擺不定是因為慎重斟酌，還是只是感到混亂困惑！

所幸多數天秤座的社交技巧無人能敵，即使他讓每個人抓狂，妳仍然會愛他。他是出色的溝通者和社交高手，在同儕間很有人緣。天秤座需要人，就像所有人需要氧氣一樣，他喜歡互動遊戲。童年的朋友圈對他很重要。事實上，如果妳想要知道天秤座的想法，妳可以聽聽他怎麼談論朋友。調整到與別人的情緒同調，這是天秤座與自己情緒連結的方式。

唯一的缺點在於當他學到自己的魅力有多吸引人時，其說服力會有效到變得容易操控他人。守護星金星對享樂的追求，同時也讓他變得自我放縱。我們的天秤座姊姊莉歐拉四歲時就會在麥當勞裡擠到爸爸前面，告訴櫃檯人員：「我要一個大麥克漢堡，二十塊雞塊和一杯超大可樂！」所幸父親介入阻止，否則紀錄片《麥胖報告》（Super Size Me）的主角就會出現在我們家。

好在大部分天秤座的協商技巧都出自於良善行為，為朋友、家人和社會議題發聲。天秤座對精緻事物具鑑賞力，並確保自己做好事時看起來很棒。他會是鎮上穿著最流行的慈善家。

當然，天秤座做任何事千迴百折的方式可能會令妳抓狂（他習慣以史詩般的長篇大論說明一個簡單的回答）。妳可能得不時提醒他：「直接講重點！」哎，甚至懷疑他是否真的有重點。但在童話故事裡，天秤座的生活始終以「從此以後過著快樂幸福的生活」做結尾，即使他必須屠殺掉幾條龍或是穿過幾座森林才能到達那裡，同時，他會邀請我們享受這段旅程，而不是專注在目的地。

✶天秤座：應對挑戰

規矩和權威

小天秤座想要取悅他人，喜歡讓大家開心。他可以像個天使，甚至將父母、老師、保母和其他領袖人物理想化。嗨，模範公民。不過，天秤座有幾個強烈偏好，如果強迫他妥協，他會反抗，請別浪費力氣想改變他的心意。天秤座是代表正義的星座，因此規矩必須公平。否則妳會見識到溫和天秤座骨子裡固執的一面，這孩子會大聲反對任何不公平的事。

限制

天秤座樂於服從任何限制，除非他真的有自己的目標，否則什麼都阻止不了他的固執。天秤座是魅力大師，會對妳說好話，直到得到他想要的；或者他會溫柔地說出妳想聽的話，然後轉身去做他想做的事。妳家裡可能有個未來的政治人物。

分離和獨立

天秤座是象徵關係的星座，這些孩子可能永遠不想和父母與摯愛的人切斷聯繫。幸好天秤座是最會社交的星座，他一旦結交了朋友，就會忘了妳的存在，直到妳去接送或打電話叫他回家吃晚餐。一個天秤座女孩的媽媽原本很擔憂每天早上送女兒去托兒所她會不習慣，直到她明白女兒適應得有多好。這位媽媽說道：「當必須要出門時，她會睜著淚水汪汪的大眼睛說：『媽咪，我不想去托兒所』，我覺得相當內疚。我想把她留給別人照顧是不是做錯了，但我沒有餘裕，也不想當個家庭主婦。等我送她到托兒所門口，逗留一會兒，等到她與其他孩子相處融洽。只要幾分鐘，她就完全沒事。保母照了一張她和大家一起喧鬧的照片後，我就停止擔心了！」當妳帶小天秤進入新環境，像是托兒所或保育中心時，溫和的分離效果最好，起碼最初幾天要這樣，他討厭說再見。

弟弟妹妹

天秤座有耐心和保護欲，會成為喜歡同伴關係的友愛哥哥／姊姊。不過，他不一定總是願意被搶風頭或放棄當寵兒的好處。天秤座可能也是家裡的黃金男孩，特別是排行老大時，這使得弟妹很難取代其角色。

哥哥姊姊

天秤座會崇拜哥哥姊姊，希望得到他們的認可。不過，他也可能會激怒人，因為會問也不問就自行取用哥哥姊姊的衣服、玩具和所有物。注意，這些孩子有看樣學樣的傾向：當他將某個人理想化時，會想要模仿對方或一直跟在身邊，形影不離到幾乎可能激怒對方，因此請引導他培養自己的嗜好和興趣。找方法讓他培養領導技巧，也許是擔任團體隊長、成為學生會會長或承擔家裡的一些任務（甚至是照顧寵物或做午餐便當）。由於天秤座在十二星座中最具夥伴精神，可能太深陷於團隊合作，他會效仿其他人的身分（包括穿衣、說話方式和癖好舉止），而不是培養自己的風格。當然，模仿是最高的讚美，但是到了某種程度可是會惹惱哥哥姊姊。請鼓勵他走出自己的路！

寶寶，掰掰：斷奶和如廁訓練

天秤座做大部分事時都慢慢來。在他準備好前，可能會抗拒妳想推動改變的企圖。接著有一天，他會自己坐在便盆上或是使用杯子喝奶，他成長的過程就是這樣。天秤座討厭壓力——除非是同儕壓力，要是他的朋友都在使用便盆，重視團體精神的天秤座也會想這麼做！

性觀念

只給事實，別有羞恥。天秤座不喜歡感覺「壞」或「骯髒」（誰會喜歡）。由於他的守護星是享樂的金星，他必須了解到性是成人表達愛的方式。妳要教導天秤座每個身體部位的正確名稱，別大驚小怪。小天秤座會從容接受一切。

學習：學校、作業和老師

馬上有社交生活？是的。天秤座喜歡被同儕圍繞，很小年紀就能結交一生的朋友。當然，他可能過於陷入與人稱兄道弟，以致在上課時分心。天秤座是代表知性的風象星座，可以是很好的學生，甚至是每科都拿一百分的完美主義者，勤奮地進行每項計畫，直到合乎他的標準。這些孩子善於解決創意問題，深思熟慮的能力相當強，不過背誦（數學公式、拼寫）可能令他心煩——天秤座偏愛寫申論題。

家庭衝突

和平、愛與和諧是天秤座的長處，這些溫和的心靈厭惡衝突。當妳家變得比中東地區更硝煙瀰漫時，天秤座會漸漸成為家裡的聯合國大使。他是老練的調解人，能保持冷靜和客觀，幫助每個人看到各自的觀點。不過，如果天秤座的協商技巧沒效，或是事情失去「公平和平衡」，當心，他會變得很反叛，表現得極端——甚至會變成家裡的害群之馬。記住，這是天秤座表達自己內在混亂的方式，以及反應出家裡環境某處失去平衡。

✶天秤座男孩

讓路給這位熱愛對女性獻殷勤的男士。天秤座男孩從一開始就是溫文儒雅的大眾情人，未來的敏感都會美型男。他迷人又上相，能感受情緒，很快讀懂人心，讓人任他擺布。天秤座可能有雜亂的一面，但他內心沒有攻擊性，是個總會支持、關心朋友的人。事實上，天秤座男孩是用嚴肅、正直的行為來掩藏他夢幻的心。

天秤座是由愛美的金星守護視覺取向的星座，因此他喜愛細緻優雅的事物。他是時髦、講究衣著的小孩，保持整齊乾淨，甚至比所有朋友都還穿得更正式。（天秤座服裝設計師雷夫．羅倫（Ralph Lauren）正是這星座整潔體面、有古典品味的縮影）。有一個天秤座青少年的媽媽表示，她兒子每週都會規律地用牙刷刷亮白色球鞋。她悲嘆：「要是他把房間維持的跟球鞋一樣乾淨就好。」即使有天秤座男孩想使壞——阿姆（Eminem）、麥可．道格拉斯（Michael Douglas）、威爾．史密斯（Will Smith）、湯米．李（Tommy Lee），但是他們對稱的漂亮五官會構成阻礙，別因為他漂亮就恨他！

不過，天秤座真正有優勢是他的文字。這個表達力豐富的星座可以是多產的作家和演說家，一個談吐鋒利的詩人，並帶有自恃甚高的傲慢。比如奧斯卡・王爾德（Oscar Wilde）、法蘭西斯・史考特・費茲傑羅（Francis Scott Fitzgerald）、楚門・卡波提（Truman Capote），阿姆甚至還以《迷失自己》（Lose Yourself）贏得奧斯卡金像獎最佳原創歌曲獎，他是第一位以饒舌歌曲拿下此獎的歌手。

天秤座男孩帶有女性化的面向，（通常）不會羞於承認。（除了天秤座男孩，誰能創造出《第凡內早餐》（Breakfast at Tiffany's）裡荷莉・葛萊特利（Holly Golightly）這角色？）他甚至可能虛榮或勢利，過分講究穿著或吹噓自己的文化素養。我們認識的一位天秤座男孩就大方地帶著男士皮包，裡頭裝有去汙劑、口氣清香片和旅行修容組；未雨綢繆、凡事準備妥當。

有時候，天秤座男孩可能有點太沉迷於腦力活動，過於推理思考一切，使他陷入分析癱瘓。這完美傾向可能也是個缺點，他的A型性格傾向讓他變得有點緊繃和焦慮。天秤座的奧斯卡・王爾德曾說過：「我聰明到有時都聽不懂自己說的話。」

所幸天秤座有朋友（男性、女性兼有）能平衡他的天秤和保持現實。天秤座是重視夥伴關係和合作的星座，他若沒有同伴，恐怕會茫然不知所措。即使他有一百萬個熟人，也會跟永遠的摯友保持密切關係，講他們才懂的笑話和深度對談。天秤座的名人摯友組包括麥特・戴蒙與班・艾佛列克、史努比狗狗（Snoop Dogg）與德瑞博士（Dr. Dre）、約翰・藍儂與小野洋子（Yoko Ono）。小天秤找伴的速度比洪水裡諾亞方舟的動物還快。有個天秤座兒子的媽媽說：「我兒子試著冷酷，但只要是好朋友，他就很柔軟。我希望他有時候可以稍微不要那麼忠於朋友，但只要批評他的朋友，他就會變得有戒心，他把朋友當偶像。他們常常黏在一起，我都覺得自己有第二個兒子，他的朋友有時甚至叫我媽媽。」

許多天秤座男孩也是晚熟的人，這是他們能「好整以暇」的一種獨特風格，這使得妳不免納悶這孩子是否無法許下承諾，或永遠不滿足。在某種程度上，妳可能有預感這孩子二十年後還會住在家裡，成為永遠的單身漢。天秤座對約會對象跟放學後的點心一樣挑剔。

別擔心，當他的天平大幅擺動到失衡時，可能會有幾次錯誤的開始和失誤。這懷疑心重的星座一開始需要測驗、嘗試，甚至反抗一切，但別放棄他，這是他必經的過程。他知道那些擅於等待的人會得到最好的，何必先做決定？

✶天秤座女孩

女人萬歲！天秤座是所有女孩裡最有女人味的，不需要督促就自然受到任何粉紅色和公主風格的事物吸引，她喜歡任何芭比娃娃、芭蕾舞裙和娃娃屋，不過如果妳希望養出一個不受性別刻板印象影響的現代女孩，迪士尼可能會贏得最後的勝利。由金星守護的孩子有天使般的氣質，從出生就是美人，有酒窩、完美皮膚或長睫毛，而她對人群的喜愛吸引她進入世界。她是爹地的寶貝、媽咪的小跟班，她很滿意摯愛的人陪在身旁。

笑一個！天秤座可以做作地擺姿勢，拍出無數張上相的照片。這女孩需要大量的注意和感情，她喜歡穿戴妳的鞋子和珠寶盛裝打扮，表現得像個大女孩一樣和妳一起外出購物、喝下午茶。奧菲拉的女兒西貝爾兩歲時就穿上馬克．雅各布斯（Marc Jacobs）的尖頭鞋，以完美的平衡感走著。天秤座可說是小淑女！

別把天秤座的女人味當成弱點，她可以愛人也能是個戰鬥者。這漂亮、活力充沛的女孩是真正的「外柔內剛」，知道如何溫柔地還擊，並以絕對的意志力達到目的。英國第一位女首相柴契爾夫人（Margaret

Thatcher）就是天秤座，她因為不妥協的政治手腕，有著「鐵娘子」的稱號。天秤座可能是大家閨秀，但她不會落難等待拯救！柴契爾夫人曾經犀利地指出：「當個強大的人就像當淑女，如果妳得告訴別人說妳是，那就說明妳根本就不是。」天秤座的漂亮一擊！

柴契爾夫人也說：「我非常有耐性，只要最後達到目的。」這是天秤座女性說過最真誠的話。她在意志力戰役中能撐得比任何人都久，展現她強大的魅力、韌性和說服力。我們小學時，每年都派天秤座妹妹羅奧娜幫忙賣女童軍餅乾。她手上端著盒子，走到人們面前，眨動睫毛，輕聲說道：「女士，打擾了，您願意買幾片淡薄荷餅乾嗎？」若是由我們兜售，人們會無視匆匆走過，但換上羅奧娜，大家會拿出皺巴巴鈔票，熱切地說：「當然！妳那麼可愛！」

天秤座女孩有強烈的道德指南（即使偶爾失靈），會為自己的信念站出來。跟我們一起長大的嬌弱天秤座女孩拆穿社區的惡行，逮到破壞其他家萬聖節裝飾的孩子，即使他們正用衛生紙糊弄過去。她正巧有黃金般的心及老練的右鉤拳！天秤座作為象徵關係的星座，可以察覺到每個人的感受，任何朋友陷入苦惱時，她會是第一個給予安慰的人。她的小夥伴對她而言是全世界，而這感情豐富的女孩會牢記結交一輩子的友誼。天秤座女孩長大後會參加幾場摯友的婚禮，發表讓大家感動流淚的致詞。她總能無所顧忌地公開表露自己的心。

不過要注意，她可能變得太依賴朋友或深陷她的社交圈，以致看不到自己的目標和義務。女孩過分關心自己的外表是正常的，但妳可能要限制天秤座的打扮時間，以確保她有完成作業。（魔鏡啊，魔鏡，哪個女孩的學業成績要一落千丈了？）也別太早買給她手機，否則妳會付出超額的通話費。當天秤座女孩開始閒聊時，她的電力可是會比金頂電池還持久。

當然，這是關於她認識誰，因此當這位社交高手畢業時，早已培養了廣泛的人際網絡；希望這些都是正直的人，因為天秤座有時會自然受到品德有問題的人的吸引；因為她對不公正很敏感，因此容易被來自艱困環境的受苦靈魂打動。不過，她可能因為一個悲傷的故事而愛上一個人，或是被專門行騙的失敗者所欺騙，所以要好好掌控。有些天秤座女孩可能有點虛榮勢利。天秤座心地善良，但她的言語未必如此；請確保女兒不會落入惡意八卦，甚至霸凌。天秤座是代表裁判和批評的星座，她可能對古怪或低俗的孩子嗤之以鼻。另外，她想建立關係和融入團體時，可能會犧牲別的孩子來取得地位。

就像天秤座演員艾莉西亞・席維史東（Alicia Silverstone）在電影《獨領風騷》（Clueless）中的角色，天秤座女孩可能需要被推入到更深層的水底才能看見以前未注意到的事。她一旦理解到愛和仁慈的力量，可能會變成全世界最不會評判的人，並跟她遇見的每個人成為朋友。總有一天，她會穿著 JIMMY CHOO 高跟鞋，謝謝朋友和家人讓她成為現在的樣子。不要走遠，妳會得到熱烈的掌聲。

✶行為解碼：天秤座孩子

天秤座有這種行為時	這代表……	妳應該這麼做
哭泣	他想要的沒有如願，現在是在發脾氣。	運用分心的力量；讓他離開誘惑的環境或物品。
在社交上退縮、沉默或喜怒無常	感官系統負荷過多；此時他能接收的刺激已達臨界點，需要重新平衡。	讓孩子小睡一下，不要吵他或放舒緩的音樂都有幫助。帶他到較安靜的地方、關掉電視機，或是外出透透氣也能改變環境。
搗亂（打、踢、回嘴）	對家裡、學校或環境不平衡能量的反應。敏感的天秤座會注意到任何不協調的地方。 天秤座沒能隨心所欲得到自己要的。	詢問他，看看妳能否解決。坦白說，妥協會更容易，否則他會大發脾氣。但是媽咪請保持堅強，否則妳往後多年都要承受他的情緒勒索。
變得黏人	天秤座就是天秤，這星座的孩子喜歡處於最近的觀察位置。	花幾分鐘跟他互動一下，或起碼留在他的視線範圍內。平行遊戲對這星座很有用；也許需要過渡物品，像是妳的絲巾或照片。
不吃妳給的東西	天秤座對食物特別講究——這只是他表達的方式。渴望甜食。	加入一些菜色變化或加入裝飾、顏色，視覺取向的天秤座喜歡漂亮的料理。（我們知道妳會怎麼想，當家裡是餐廳嗎？） 天秤座以愛吃甜食聞名，小心別讓他吃甜食就吃飽了。
坐不住	覺得無聊了。天秤座對一些事有耐心，但對其他事情的注意力只能短暫維持。他想要吸引妳的注意或是找新樂子。	跟他玩及互動，或讓他在安全區域裡自由地跑一跑。

✶天秤座的社交屬性

家庭中的角色

天秤座作為象徵關係和平衡的星座，這些天生的外交官會是家庭的和事佬。在和諧、寬容的家庭裡，他就像中立國瑞士，跟每個人都處得來。他的到來宣告黃金時代的開始……或是曝露出事情不同之處。當家庭環境失調或無法容忍某些價值觀時，天秤座可能會用極端的方式以取得平衡，或是反抗不公。舉例來說，在一個極端保守的家庭裡，他會變成直率的自由主義者；如果以教育為重，不顧其他事，天秤座可能會「隨意」決定在上大學前先輟學幾年；如果家庭有成癮或失調問題，他可能有一陣子變成「壞」孩子，其不良行為會強迫家人處理和解決問題。這位感覺敏銳的孩子可能會以「害群之馬」之姿成為預言使者。

朋友和同儕

天秤座出奇的「有人緣」，這和藹可親、愛好玩樂的星座為友誼而生。如果得到家長允許，甚至可以從早到晚忙於社交。他精神飽滿，對任何事都躍躍欲試，喜歡擁有可以一起外出活動的同伴。對天秤座來說，與人建立羈絆和分享是有趣的事，他喜歡在朋友家過夜、交換衣服、拍照或是交換友誼信物。他親切、體諒，喜歡送朋友特別的禮物及說出令人熱淚盈眶的讚美。

在天秤座的友誼裡，平衡會是個課題。有時，他可能太仰仗同儕的認同和指引，或者他的需求可能讓朋友筋疲力盡；許多天秤座甚至在友誼裡短暫迷失，過度困於勾心鬥角和忠誠問題。有些天秤座甚至會經歷過渡階段，他融入一個團體時，會試著改用那群人的說話腔調、文化習慣、價值觀和穿衣風格。天秤座的好奇心和建立連結的渴望，可能讓他像個變色龍。當他自我身分形成後，可以說是相當具有實驗精神——甚至會和來自完全不同背景的朋友來往。我們認識一位天秤座出生於浸信會教徒家庭，她的家鄉是猶太教徒居多，高中時會去猶太教會堂參加集會。時常陪朋友外出一起做社區服務工作。她回憶：「我以前有一陣子甚至告訴別人我是猶太人。」隨著時間過去，天秤座變得更自信和接受自己後，他們的友誼會變得更堅固。

天秤座的優柔寡斷和猶豫不決會使朋友抓狂，但是他們的魅力總是能平撫最暴躁的心。當一天結束後，很難還會對他生氣，即使這是因為他始終是最好的死黨。他通常會把任何事嘗試過一次（甚至兩次）。如果朋友受到傷害或在努力奮鬥，他會給他們安慰的擁抱或是可以靠著哭泣的肩膀。

要是有兩個朋友在打架，他會扮演調解人，努力恢復和平。這星座討厭衝突！當然，這可能讓他陷入困境，因為他不想選邊站，但最終他會學會如何繞過戲劇性場面，保持中立——就讓其他人自行搞定。

兄弟姊妹：天秤座在其中的角色

越多兄弟姊妹越有趣？在最好的情況下，在舒適的家裡擁有手足等於有一個永遠的好朋友和同伴。天秤座會讓兄弟姊妹驕傲並展現保護欲。事實上，他可能不在意手足間的競爭——即使就發生在他眼前。他會持續友善地對待對方，並不斷努力以魅力和奉承贏得他們的認可。

天秤座通常是家裡的「黃金寵兒」，這點對手足關係毫無幫助，父母必須留心不要讓其他孩子和他競爭。我們的天秤座祖父有一張孩子時期的巨大肖像畫，畫裡的他留有一頭捲髮，十分可愛。他的三位手足從未有過自己的肖像畫，直到現在只要他們拜訪祖父家，就要舊話重提（那幅畫掛在他家餐廳，正對餐桌）。

如果天秤座不受寵愛，那將會出現難看場面。天秤座不會介意與人共享愛，但是妳最好有足夠的愛留給他。如果這個孩子覺得自己被某個手足取代或比較，他可能會以不當行為來爭取妳的注意。

✶教養妳的天秤座孩子：進階篇

內有易碎品，請小心輕放！敏感的天秤座有強烈的正義感，因此懲罰力度要合於他違規的程度，小心不要大發雷霆；這些溫和的心靈對大吼或任何體罰不會有好的回應。天秤座需要感覺與妳保有羈絆，他害怕失去妳的認可。觸摸對這星座是最有力的感受方式，他大聲抱怨、哭喊時，妳只需要把他抱在懷裡。在那過後，要提前行動，把正面行為包裝為有趣的冒險（「穿得像明星一樣，一起把那些玩具收拾好」），讓心情維持輕快。

要記得，天秤座寧可事後道歉，也不會提前要求許可。作為十二星座裡的萬人迷，可能會很狡猾，先假裝無辜，接著在重大事情上違背妳的意思。

一旦他下定決定要得到某樣東西，在追求時可能會變得殘酷——即使他明事理。他後來才會「回想」，明白到自己的失策（當然是在得到想要的東西以後），這時他會真誠地道歉或以循規蹈矩來奉承妳。一個媽媽發現天秤座兒子因為受夠每次的要求都得到「下次生日再說」的回應，於是便順手牽羊一件想要的玩具，偷偷把玩具塞進 T 恤裡。幸虧玩具大又顯眼，她在出感應門前就注意到！天秤座孩子玩心理戰的行為越來越多，他最後會因為這些鬼鬼祟祟的舉動背負惡名——甚至更糟。請在他有行騙行為時就立刻消滅，教導他不行就是不行的道理。

在極端的例子裡，天秤座會變得非常反叛，當他感覺家庭規矩不公平或情緒能量不對勁時，會出現發洩行為。因為他對失衡特別敏感，更別提緊張和權力鬥爭，這通常會發生在家裡有虐待、成癮問題或關係失調時。以天秤座約翰．藍儂為例，這星座要妳「給和平一個機會」，如果這個需要沒有被處理，他會肆意妄為，直到妳開始注意。別射殺傳令兵！天秤座的不規矩行為從不是問題，而只是一個更大課題的徵兆；請跟隨天秤座給的信號，找到真正的問題並處理它。這講求公平的星座也要求相互性，記得養育天秤座跟雙面刃一樣。妳必須先把自己做好，和天秤座在一起時，「照我說的做，別照我做的做」這項方針從不會見效。

✶處理過渡期：搬家、離婚、死亡和其他難題

天秤座以緩慢、穩定的步調生活，突然的變化會讓脆弱的天秤失去平衡。事實上，他的心情會難受到行為失控（快幫他約家庭心理治療）。離婚對他特別艱難，因為天秤座是象徵婚姻和關係的星座，他會感覺到自己被迫在父母間做選擇。他相當多愁善感和懷舊，特別是對逝去的人；如果家族有人過世，要讓他周圍有關心的朋友和家人圍繞。他在有壓力時，會比其他時間更渴望人際關係，請不要讓他獨自一人去理解壓力或創傷情況。

✶上學期間

最好的教育風格

作為學生，天秤座似乎會分為兩類。第一類是每科拿一百的孩子，他們想把所有事做到完美，在意分數高低。這些天秤座對結構體制反應良好，是整潔、有條理、思想成熟的學生，年年都得到老師寵愛。由於天秤座的象徵是天秤，這些孩子喜歡衡量和評估。他們可能格外偏愛論說題目、比較對照文章及能發揮批判性思考能力的作業。他們可能有精美的手寫筆跡，或是把作業報告裝在漂亮的書封和文件夾裡。老師要留心座位安排，不然喜愛社交的天秤座容易因為同學傳紙條、竊笑和交談而分心。

第二類的天秤座學生是在互動式學校裡會有優異表現，學校重視的是學生的社交能力、人緣和人際互動技巧，那裡不會有交作業期限的壓力或競爭性的測驗評分。由於天秤座的性質是晚熟或依賴型的星座，他可能需要學校的關懷，不應該有太多的自修課程。放學後，他會失去時間感，很常做白日夢或想在做功課前閒蕩一下，妳總需要問孩子：「你把書包帶回家了嗎？」

雖然投入學校功課很重要，但別讓他騙妳幫他完成！天秤座不想處理事情時會變得懶散，但如果家長溺愛他，他永遠學不會基礎。他需要一點嚴厲的愛和很多的耐性。絕對不要低估良好環境對這星座的影響；有些天秤座討厭學校，只是因為它是醜陋的工業式建築，令他不舒服；只想在家裡使用高貴的壁紙花樣、舒服椅子和五顏六色鉛筆妝點他的書房。另外，訂立獎勵方案也有幫助，因為他喜歡物質獎勵。當他完成一項重要計畫或是考試表現良好，給予特別獎賞，這對他是很大的激勵。

✶最好的嗜好和活動

妳知道若有孩子在學校年鑑裡列的嗜好是「人」，那他可能是天秤座。朋友和社交是天秤座的一切，他可能把這「加在」自己的課外活動列表中。存一筆錢送他參加營隊和夏季課程，把玩樂時間填滿，因為他幾乎無法忍受獨處。（當然，如果妳送他去營隊，請準備好豐富的補給包，在訪客日時給他，這樣他會知道妳在他不在時是想著他的。）

天秤座富創意，是視覺動物，通常擅長繪畫，有很強的色彩感和平衡感。妳可以買一套專業藝術用具，或為這有天分的孩子報名美術館靜物畫課程；喜歡服裝的天秤座可能從很小就愛時尚和打扮，會穿上雅緻的衣服，在購物中心流連忘返。天秤座可能很有音樂天賦，擅長舞蹈或樂器。這有鑑賞力的星座甚至從很小就有高雅品味，畫廊、音樂劇、SPA療程、在美輪美奐的飯店喝下午茶——他可能很小就對高檔事物感興趣。

優雅的天秤座可以是運動高手，雖然他比較享受互動式比賽如籃球，而不是田徑這類個人運動項目。互動性運動的樂趣在於同伴情誼，天秤座作為象徵關係的星座，很能掌握時機，比如知道何時傳球給隊友。由於他喜歡幸福時刻，孩子可能是瑜伽課最年輕的學員。他天生就具平衡感，可以成功完成一些較難的姿勢！

天秤座喜歡活躍的談話，長大一點後，可能會是盛裝四處比賽的學校辯論隊成員。故意唱反調或爭論一個論點，對天秤座而言是出於好玩做的事；妳會聽到他跟朋友進行冗長、高聲的交談，來回反覆討論一個主題。擁有精心培育的品味，在可以留下個人紀錄的創意活動表現良好，這些都是天秤座自豪的事。

✶禮物指南：天秤座最好的禮物

- 衣服、配件或是兒童用梳妝組（指甲油、唇蜜、閃亮髮夾）。
- 房間裝飾，最好是搭配套組或特定主題。
- 藝術用品，像是素描本和彩色鉛筆。
- 樂器和一套相關課程。
- 百老匯音樂劇門票或他喜愛的運動隊伍賽事門票。
- 小說、詩集或漂亮圖冊。
- 跟妳相處的時間，兩人一起做些特別的事，像整天購物、到兒童博物館參觀；或是專為兩人準備的特別餐點，並把餐桌布置得漂漂亮亮。

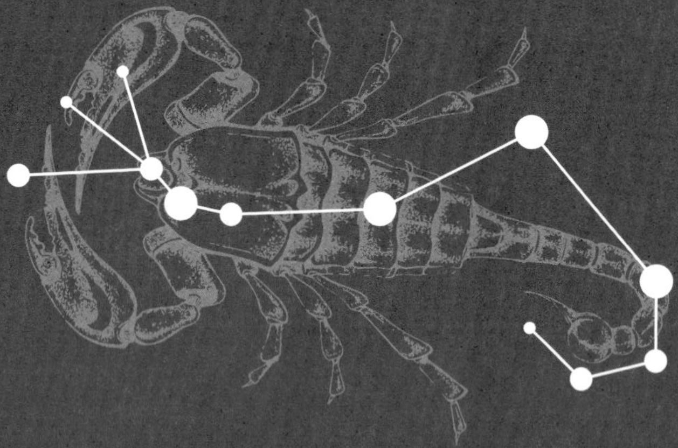

天蠍座孩子

（9月23日~10月22日）

符號：蠍子
守護星：冥王星
元素：水
身體部位：胯部、生殖器官
誕生石：黃水晶
顏色：黑色、紅色、熱粉色
優點：迷人、熱情、敏銳、直覺力
缺點：狹隘、執念、占有欲、嫉妒、控制欲強

喜歡：
知道事情如何運作
音樂和文化
辛辣或可口食物
待在家裡
熬夜（天蠍座是夜貓子）
書本、拼圖、拼字遊戲和解決問題
贏，做任何事都要做得最好

不喜歡：
沒有完成手邊的任務
被迫參加團體活動
分享他最珍惜的東西或空間
吵鬧的地方、群眾和過度刺激
驚奇，私人空間遭入侵
把事情想得太簡單或毫無想像力的人

妳想要一個**天蠍座**孩子嗎？

天蠍座孩子的目標受孕日：1 月 25 日～ 2 月 15 日

過去和現在的天蠍座名人——

安・海瑟薇、茱蒂・佛斯特、李奧納多・狄卡皮歐、雷恩・葛斯林、薇洛・史密斯、瓦昆・菲尼克斯、薇諾娜・瑞德、凱莉・奧斯本、捷克・奧斯本、克蘿伊・塞凡尼、凱文・強納斯、坎達兒・珍娜、克里斯多福・奈特、麗莎・博內特、雷夫・馬奇歐

✶教養妳的天蠍座孩子：基礎篇

大家的焦點！天蠍座有敏銳的觀察力，是十二星座的偵探，從誕生第一天開始，他那銳利的目光不會錯失任何事。天蠍座是代表轉變的星座，他們可以深刻感受一切事物，甚至會在短時間內經歷強烈的情緒起伏——從愉悅轉到憤怒。天蠍座是擁有極端特質的星座，可能在一處喧鬧活躍（通常是跟密友或家人一起），在另一處異常安靜，甚至沉默。

天蠍座的守護星冥王星是地下世界的神祇，這水象星座靜水流深，深藏不露！即使是妳生下他，這個孩子對妳而言仍是個謎團，畢竟天蠍座是象徵神祕的星座。說到這，妳的孩子可能受到一切深奧事物的吸引，妳要做好準備，他可能很早就接觸塔羅牌或著迷於事物背後的意義——寶寶怎麼來的、消防車怎麼運作、

其他星球上是否有生命（注意，天蠍座孩子未來可能成為陰謀論者）；如有待解的謎團，天蠍座會投入探究。

建立通靈朋友人脈圈！天蠍座孩子是感知神性的通道。妳會常常納悶，這直覺力強的孩子怎麼就是知道——或像閱讀大字書一樣閱讀人心。主要原因是觀察力強的天蠍座很少會錯失細節。即使妳擺出專家撲克臉也瞞不了他，他可是一直盯著妳！

如果妳是需要有自己空間的媽媽，別期待他能給妳任何空間。「依附教養」這詞，可說是為這象徵親密感和連結的星座而創。天蠍座孩子由於感受力強，需要妳額外給他安慰和安全感。請先註冊國際母乳會會員；妳會發現孩子到了托兒所還要喝奶，或他會跟妳擠在大床上，根本不睡在妳為他花大錢買的硬木兒童床。

當然，孩子不要兒童床可能有其他理由；這些孩子是出名的夜貓子。隨著成長，熄燈時間可能成為需要調整。創造力十足的天蠍座在夜深後會變得生龍活虎，他會在這時做出最好的學習和創作，或在月光下進行靈魂探索。即使妳對上床時間很堅持，他還是會躲在被子裡滑平板或看書。

在依附方面，天蠍座可能不只黏在妳身邊。他的記憶力驚人，比任何人都容易耿耿於懷，也比任何人都會記仇。他很少原諒對方，肯定不會忘記任何感受到的冷落怠慢；也很少打從心底信任別人，因此當他打開心扉時，就會是全心投入的時候。歃血為盟的摯友或得到天蠍座極難給予信任的人，都會成為他一輩子的「家人」。任何怠慢或不當行為會引發他強烈情緒，帶出刺人蠍子的報復傾向。踩輕一點，否則小天蠍會不理睬妳，他會用沉默應對，或用充滿情感的目光灼傷妳。這些孩子如果累積太多情緒，甚至會變得有攻擊性，把家裡的瓷器收好，或給他可以發洩捶打的枕頭。

若要避免孩子成為迷你暴徒或被強烈情感壓垮，請為他的能量找到好的抒發管道，他需要創意或心靈出口來保持平衡；音樂、藝術或寫作對他有療癒作用。請將他的房間改裝成小小避難所，讓他在裡面盡情作亂和發揮創意。武術可以磨練他專注的才能。他從小就能和妳一起冥想、做西藏頌缽或瑜伽——甚至會因為妳的潛移默化而放空，在嬰兒車裡睡得香甜。注意，他的思維通常狹隘；跟動物相處或參與志工活動協助需要的兒童，能防止眼光偏隘的天蠍座過於自我沉溺。他不是故意要如此專注在自己身上，而是他容易受到每件事細微處和細節所吸引，容易迷失在自己偏執的小世界。有時，妳可能需要提醒他要跟自己以外的世界建立連結。

不過，天蠍座的繆思始終來自內在。在孩子進入青春期前的焦慮時期，給他一把吉他、素描本或日記，或一台卡拉ＯＫ伴唱機？這星座雖然保護隱私，但每個蠍子都是潛藏的搖滾巨星。等他展現出來後，妳會見證到他主唱的魔力及如海嘯釋放般的魅力和力量。雖然天蠍座不想暴露弱點，可一旦偶像地位確立後，他會樂於成為大家的焦點。

別把天蠍座的表達力誤認為外向。這個孩子不是參與者（他會猶豫是否要成為被迫加入的團體活動的一員），即使他記得學校裡每個孩子的名字和特性，但他從來不是一個善於交際的人，太多的社交接觸會讓他急著回到內在房間。他就像有點瘋狂的科學家，妳永遠不會知道他在實驗室裡搞什麼名堂。請別闖進他的堡壘或不經許可就進行窺探，給他一點隱私！

✶天蠍座：應對挑戰

規矩和權威

雖然天蠍座孩子無法操縱一切，但他會努力嘗試；小天蠍從很小開始就顯露出堅強的意志力，讓他的影響力廣為周知。作為代表權力的星座，他敏銳地知曉「棋盤上」的「誰是誰」，策略性地決定自己的位置來巴結關鍵的決策者（比如他的爸媽）。這條理清晰的星座想知道每個人位於何處，特別是跟他自身有關聯的人。如果他能安排出「組織表」——也許會任命自己為孩童事務的副執行長或絨毛玩偶的資深委員。當心，以鐵腕手段管教或過於寬鬆恐會導致權力爭執，因為天蠍座不信任他覺得霸道專橫以及軟弱的人；妳得耐心說明特定規矩存在的目的，並在他抵抗妳時堅持立場，在這兩者之間維持平衡。

限制

天蠍座討厭失控的感覺，限制可以幫助尋求安全感的星座感到安心。知道碰觸熱爐會如何（燙傷）、拉貓的尾巴會如何（被抓傷），將他遭受驚訝的機會降到最低。呼，當然，許多天蠍座應該先學習走困難的路。他可能直盯妳的雙眼（天蠍座聞名的強烈凝視），然後違背妳。這個孩子心想：「我賭妳不敢阻止我。」這時妳需要對限制表達強烈堅決的態度，否則他會持續挑戰妳的極限。

分離和獨立

天蠍座是象徵連結的星座，強烈需要跟幾個他信任的人產生連結——通常是透過身體上的親密感。回去工作或送孩子去托兒中心？別那麼快。媽媽，孩子在初次離開妳身邊時，可能會有強烈的情感爆發。可能需要經歷一些過渡期，讓不易建立信任感的天蠍座慢慢熟悉育兒園的保育員。

弟弟妹妹

天蠍座天生嫉妒心和占有欲強。某天，弟弟妹妹是「他的」，但某天，他又可能成為嫉妒的綠眼怪獸，特別在他覺得自己的風采被手足取代或迎頭趕上。這樣的狀況發生時，他會巧妙地操縱他人或鬧脾氣來奪回自己的地位。

哥哥姊姊

敏感的天蠍座喜歡被人寵愛，如果哥哥姊姊關注他，他會沉浸在被關注的情境中。除了嬰兒時期，他其實不喜歡被當作是一個無知的愚蠢小孩，他會要求在大孩子的餐桌有個受尊重的位置，即使他比周圍孩子都矮一個頭！如果哥哥姊姊取笑或奚落他，他很快就會變得小心翼翼，甚至產生競爭心態。言語作戰可能會很激烈，因為敏銳的天蠍座知道如何直擊要害。一位朋友回憶：「我和天蠍座姊姊為彼此都喜愛的牛仔褲展開大戰。我們站在商店裡，突然間她指責我總跟她喜歡的男孩約會，這件牛仔褲在她看來又是另一個證據，證明我故意偷走她的一切，說我沒有自己的主見。」哎啊，真夠毒辣！

寶寶，掰掰：斷奶和如廁訓練

天蠍座是象徵連結的星座，斷奶對這些依附取向的孩子來說可能會很棘手；他討厭放棄任何帶來舒適和安全的感覺。另一方面，如果妳平靜地跟他解釋每個步驟，如廁訓練對他來說會變得相當容易。不過，這個星座喜歡掌控，如果過程中變成威權角力或他覺得得被迫做出突然的改變時，即使他已經知道廁所的使用時機及方法，也會做出反抗的行為。

性觀念

天蠍座是象徵性慾的星座，妳應該在他小時候就跟他說明基礎的性知識，不然妳可能會發現他自己在進行「業餘者的調查」。這星座的孩子（成人）最可能脫掉衣服，一絲不掛地亂跑。有人還記得天蠍座演員馬修．麥康納（Matthew McConaughey）全裸敲打邦哥鼓的事件嗎？

學習：學校、作業和老師

天蠍座的專注力無人能及，這善於觀察的孩子會是聰明的學生，因為他喜歡專心致志，可能會將全部精力投注在一兩個科目上。由於天蠍座的記憶力極佳，在考試和隨堂測驗都會有好的表現。另外，他或許從小就很健談；他也很有競爭心，想當班上最強壯、跑最快和最聰明的孩子。如果沒當上主角，這些不屈不撓的孩子不會放棄。強力的競爭心只會加強他想要力壓對手的決心——即使是從幼稚園就開始努力到高中。

家庭衝突

講究隱私的天蠍座，不希望曝露情緒醜態。他會躲在自己的避難所裡，埋入書本或電視節目，杜絕外面的一切紛擾。當然，天蠍座通常會是家裡發生衝突的起因，特別是有手足的話。當他開始戰鬥時，會使出骯髒手段。某個手足未經允許就侵入他的地盤，可是會遭到他惡毒的反擊，就算是父母也無法避免受到這般待遇。即使父母取消一個月的零用錢或特權，生氣的天蠍座也會和父母爭論到底。

✶天蠍座男孩

哈囉，神祕、魅力十足的小男人。天蠍座男孩就像強力的砲彈，他的爆炸會為生活帶來強烈衝擊。無論他是安靜地把一切看到眼裡（那雙眼睛！）或是以他的啼哭叫喊擊碎音障，天蠍座的存在感總是明顯可見。作為情感深刻的水象星座，也是無底泉源。他的情感能量會以兩種方式表現：向內或向外——他能散發出沉默魅力（妳會納悶他在想什麼），也能像煙火一樣華麗燦爛。

我們曾聽過情感是「流動中的能量」的說法。因此妳把自己當作是天蠍座自我表達的交通指揮員，確保路上不會碰到狹窄路段、一百八十度的轉彎路口或激烈撞擊。妳可以試著控制他……但我不建議這麼做。與其壓抑天蠍座的沉迷天性，不如幫他找到值得投注熱情的領域，像是舞蹈、音樂、運動、演戲、電腦、股票市場或拆解東西，任何可以消耗他長時間注意力的事。只要他找到優勢，妳就會迎來黃金時代。接下來妳的工作就是回答他各種鉅細靡遺的問題，幫忙補充裝備或是替他找到展示早慧才能的場地。

天蠍座男孩在覺知和志向方面，可能比同儕領先好幾光年。畢卡索孩提時就是個情感強烈的孩子，下列這段描述表現出他天蠍座的性格：「作為嚴肅、過早對世界厭煩的孩子，畢卡索擁有能穿透、緊盯一切的黑色雙眼，這似乎使他注定成為偉大人物。」

這星座需要自己的地盤，家中可能是他第一個舞台或實驗室，準備好妳的《建築文摘》（Architectural Digest）被他拿來用，把家裡的飯廳或客廳將改造為天蠍座的總部，不然他要在哪裡練習街舞或放他的鼓組呢？（現在每個人都不看電視，而是看著天蠍座。任務成功！）若妳要收回公共空間，那就得考慮其他方案，像是把主臥室讓給他，變成他個人小套房，這樣妳才能再邀請客人。天啊，他真是高手。

這裡要跟妳宣布一些好消息（但他的未來女友恐怕不認為）：他是終極的媽寶。（天蠍座演員雷恩．葛斯林（Ryan Gosling）和李奧納多．迪卡皮歐（Leonardo DiCaprio）經常帶他們的母親當頒獎典禮的紅毯女伴）。心理學家同意，早到十八個月大時，男孩開始與母親分開，跟其他男性建立連結，但天蠍座不是這樣。到了年紀較大時，母子關係可能變得有點複雜。他成年後若接受心理治療，幾次談話內容應該都會著重在他切斷臍帶的內在衝突。（「我媽媽是如此強大的人物，我跟任何女人親近時很難不覺得窒息」）好吧。一位母親餵天蠍座兒子母乳餵到五歲。不做評判，不過他五歲後甚至無意斷奶。要注意，除非妳想跟天蠍座孩子結婚，不然趁他還小時就開始進行溫和分離。

但這不代表他無法吸引夠多的女性。天蠍座是十二星座的性感象徵，妳很早就會看到跡象，這魅力非凡的孩子會有一群為他瘋狂的女孩「粉絲」。所幸天蠍座是直覺性強的星座，他知道人們做某件事的理由。他也會有一群真正有交情的女性朋友。他的敏感加上驚人的存在感，使他相當迷人。

有些天蠍座男孩會因為自己的多愁善感而難為情，但多數人最後會學到如何處理這項特性，將弱點變為資產。畢竟，天蠍座老是用到直覺，他可以衡量他人，競爭前就能預先做出規劃。喔，這也有助他奪取女性芳心，因為他知道如何成為女孩裡的一分子，但不是真的成為女生。在學校裡沒人緣？別擔心。天蠍座會打造出自己的交際圈，在最後取得勝利。對這星座來說，成功是最好的復仇。只要問問天蠍座的比爾．蓋茲（Bill Gates）這位創立微軟的「怪胎」，或吹牛老爹（P. Diddy），他與上城唱片公司（Uptown Records）解約後，創立了自己的壞男孩（Bad Boy）品牌，後來變成結合音樂、時尚與娛樂的娛樂帝國。

不過，如果天蠍座變得太孤僻，妳要注意。因為憂鬱實際上是內在的憤怒（如同我們所言，天蠍座的能量不是向內就是向外），這星座的男孩可能容易有此傾向。如果他在成長的環境裡老是聽到「男孩不哭」或者「像個男子漢」，這些會對他產生不利影響。一些天蠍座甚至封閉內心或稍受煎熬（例如天蠍座伊森．霍克（Ethan Hawke）在《春風化雨》（Dead Poets Society）裡的沉默角色）。

要記住，天蠍座與女性（或陰性能量）的連結是他的生命線，他的創造力、直覺和強烈本能就是如此被引導，若試圖消滅這個部分，只會讓他脆弱和毫無武裝。下一次妳因為他的敏感煩惱時，別試著讓他「變堅強」，就讓他維持原本的樣子。否則，妳可能會粉碎下一位畢卡索的靈魂！

✶天蠍座女孩

為這位小小的權力掮客讓出路來。天蠍座女孩以洞悉一切的目光和機敏展露頭角，即使才四歲就有邁入四十歲的老練。只要妳和她對視，妳先眨眼，就會知道這女孩不會錯過任何細節。天蠍座女孩從很小就知道自己是誰、喜歡什麼，從衣服、音樂到人都是。只要她下定決心追求一個目標，她不會停止。我們的一個天蠍座朋友還是孩子時就為教育（耶魯大學法律系）和夢幻婚禮（在大剪貼簿裡貼好新娘雜誌剪圖）訂好計畫，她兩者都實現了。

天蠍座可以是大自然的寧靜力量，也能是狂烈的龍捲風，但是她的存在感不容忽視，她們散發的強烈氛圍會讓人當場驚呆，讓人們想對她一探究竟或雙眼直盯。茱莉亞・羅伯茲（Julia Roberts）、勞倫・赫頓（Lauren Hutton）和克蘿伊・塞凡尼（Chloë Sevigny）都擁有不尋常但迷人的美貌。

天蠍座是極有創意的星座，這些女孩喜歡把房間改造為具有自我意識的空間，她會在裡面閱讀、閒晃和恢復精神。她通常受到鮮明飽和的色彩吸引，甚至是帶有紅點或亮粉紅點的黑色。天蠍座少女可能會以黑色指甲油或龐克風飾品讓其外表更為霸氣；她也是復古女孩，喜歡在閣樓挖寶或是找舊衣服、傢俱和扔掉的舊物，會將找到的東西變成獨一無二的物品。幫這位ＤＩＹ女神買台縫紉機，未來設計明星誕生；擁有同名品牌的凱文・克萊（Calvin Klein）、札克・柏森（Zac Posen）和莉莉・普立茲（Lilly Pulitzer）就是天蠍座。

天蠍座不只緊跟潮流——她本身就是潮流代表。她不會讓潮流定義她，反而會開創自己的路，乍看像是把她底牌完全亮出來〔呼叫高唱《甩髮舞動》（Whip My Hair）的薇落・史密斯（Willow Smith）和叛逆的搖滾貴族凱莉・奧斯本（Kelly Osbourne）〕。

天蠍座以惹人討厭或嚇人的樣子來掩飾她脆弱的心，並把藏在鐵絲網下。她內心深處其實有著強烈的感受力和同情心，把拒絕當成往刺心裡的一刀。作為象徵力量和控制的星座，她不太想展露「弱點」，可能會有一兩位密友，不過在密友看來，她仍然是如此神祕。要讓她展露情感並非易事，不過，當真情流露了，要當心，這將是一場猛烈風暴！

天蠍座是代表專注的星座，當她專心致志時，任何事都無法干擾她。天蠍座可能沉默寡言，但絕不順從，小腦袋始終都在轉動。即使她做的是幕後工作，影響力也很大。《Vogue》雜誌總編輯安娜．溫圖（Anna Wintour）和《Sassy》雜誌的創辦總編珍．普拉特（Jane Pratt）都是天蠍座，她們以雜誌吸引一群追捧者。毫不意外，排他的天蠍座喜歡知道「我們」是誰，誰是「他們」，可以像任何黑手黨一樣緊密團結。（溫圖主辦的紐約大都會藝術博物館慈善晚宴，據說比諾克斯堡（Fort Knox）更難進入）。

由於天蠍座容易受到威脅，妳可能需要監控女兒的霸凌傾向；她也可能變成社交邊緣人，因為她太難以理解或個性強烈，不易融入大眾。妳可以觀賞天蠍座薇諾娜．瑞德（Winona Ryder）主演的任何一部電影作為學習指南；《陰間大法師》（Beetlejuice）和《四個畢業生》（Reality Bites）能幫助妳了解天蠍座女兒另類、陰暗的一面；若要了解天蠍座的狡獪，黑色喜劇《希德姊妹幫》（Heathers）是很好的入門，瑞德在裡面飾演一個怪咖，後來成為人氣女孩，對小團體領袖展開復仇，最後獲得勝利。

簡而言之，這就是天蠍座。即使身為了解內情的人，她始終是局外人。她可能跟某位小菁英建立短暫的盟友關係，但只有忠實的夥伴能得到她無限的忠誠。注意力集中、如老鷹般的能量能讓她走得很遠，請幫助她引導這份能量。她來到世上不是為了浪費時間！她有工作要做！

✶行為解碼：天蠍座孩子

天蠍座有這種行為時	這代表……	妳應該這麼做
哭泣	他被挑起強烈情緒，喘不過氣了。	馬上跟他談話。惡化的感受會很快累積，像火山一樣噴發；他說出難過的事，絕不是真正感覺難過的問題，妳要切入問題核心並幫他解決。
在社交上退縮、沉默或喜怒無常	情緒強烈的天蠍座渴求私人空間，需要退回到自己內心，特別是「運轉」太久或處在人群太久之後；不過，他也可能在盤算什麼。	跟他聊聊，判斷他的情緒狀況。如果沒事，就讓他隨他意思做！
搗亂（打、踢、回嘴）	地盤戰爭！有人侵害到他的財產或阻礙他做事；這是他「撒尿占地盤」的方式，藉此建立統轄權。	暫停一下！他需要整理情緒；給他枕頭捶一捶發洩一下或讓他出門活動，安全釋放憤怒。
變得黏人	他在新環境中感到脆弱和受威脅。	溫和地讓他感到自在和安全。在他準備好前別催促他放手。
不吃妳給的東西	敏感的天蠍座非常注重細節，可能有味道或食材不合他的味蕾；或用餐環境對他來說無法放鬆。	改變食譜或請他描述不喜歡的細節；觀察用餐環境，是否感覺倉促或充滿壓力？他可能都吸收了這些情緒。讓三餐時間變成交流和建立連結的平靜時間，他會「神祕地」重拾胃口。
坐不住	他覺得無聊，需要能投入注意力的東西。	將他的注意力引導到有用的出口，參與並整合複雜的玩具和遊戲、拼圖和解決問題，或能吸引他注意力的立體書。

✶天蠍座的社交屬性

家庭中的角色

孩子能將家人聚集一起，天蠍座往往是家族裡的「黏著劑」。有人因為生活而分散和忙碌嗎？天蠍座帶給家庭一個焦點，不過這有利也有弊。由於他的高度情感交流和吸引力，讓大家都想黏在他身邊！天蠍座是掌管重生的星座，他通常在重要家庭成員離世後出生。由於天蠍座天生敏銳，妳會覺得他是離開的摯愛家人送來的小使者，彷彿在跟妳說：「我在這裡很好。」

朋友和同儕

對天蠍座來說，信任不是像萬聖節糖果一樣隨便給予，任何他視為朋友的人，必須通過一連串信任測試或是穿過天蠍座的厚重盔甲。第一條規則：他的任何朋友都必須保守祕密，否則……一旦有人將他的祕密從高度安全等級的情緒之門洩漏，就會被判終生監禁。敏感的天蠍座通常有一兩個長期摯友，他們是他僅有能信賴的人。他會是很棒的聆聽者，記得朋友告訴他的每件事；背叛會使他受到打擊，而他從沒有掌握到孩子間老是在改變的忠誠度。天蠍座有持久記憶力，不會遺忘任何小事，這也是為什麼他一開始就不容易信任他人的原因。

雖然天蠍座在走廊上可能大聲喧嘩、炫耀，甚至自吹自擂到惹人厭，但這通常是他掩飾脆弱的防禦心態。天蠍座作為代表權力的星座，充滿競爭意識和階級意識（要小心他的霸凌傾向）。不過，融入大家或成為學生會會長從來不是他的目標。不是說他不願接任學校的工作，只是他寧可靠功績成就掌權，而非人氣——展現出色才華，或以好成績、學業成果贏得獎項。

天蠍座孩子不是「參與者」，也不會不擇手段追求鎂光燈，只會以自己的節奏安靜地產生共鳴，讓所有人都想問：「那個女孩／男孩是誰？」如果他成為某個團體或俱樂部的一員，通常會是邊緣或有點怪咖的團體，像是擊劍、辯論、視聽影像和烹飪等，甚至是他自己發明的名堂。天蠍座不是融入群體的溫和小孩，他往往有匹配其性格的強烈情緒。同儕間他可能是慢熟的朋友，其強烈情感可作為識別手段，但他不介意，起碼他能知道真正的朋友是誰。

兄弟姊妹：天蠍座在其中的角色

占有欲強的天蠍座不是覺得與手足極度親近，不然就是覺得個人空間有受到侵入的威脅。這星座有地盤觀念，因此要他共用房間、玩具和其他「有標記」的地盤會很困難。不過，如果他當某個手足是他的財產，一切會很好——除非那個孩子想要呼吸空間！

天蠍座是哥哥姊姊時，會密切看管弟妹，打造出聽他吩咐做事的小跟班。一旦弟妹建立自己的身分認同、想脫身時，緊張狀態恐會爆發（參考萊斯莉·戈爾（Lesley Gore）的歌曲《我不屬於你》（You Don't Own Me））。天蠍座是象徵連結的星座，手足間正常的分離過程會讓他感覺被背叛或拋棄。妳可以鼓勵他在家人以外建立友誼。

作為弟妹的天蠍座可能習慣接管他想要的任何東西，可能會搶了哥哥姊姊的朋友和玩具，讓他們生氣。如果小天蠍感覺自己被冷落、忽視，嫉妒心也會是個問題；一個天蠍座被兄弟嘲笑後的怒氣，簡直比地獄之火更猛烈——他的報復可能會殘酷、經過算計，打擊對方要害或讓其他孩子坐冷板凳。除非妳看過天蠍座霸凌別人，否則妳不算看過手足不合。妳得隨時準備好堅定且迅速地介入，以免事態變得難以收拾。

✶教養妳的天蠍座孩子：進階篇

天蠍座記得妳告訴他的每條規則，但不一定代表他會全盤接受。這星座常有權力鬥爭的狀況，他會直勾勾地盯著妳並公然挑戰妳。哇！天蠍座想要顯得比妳高大，妳有必要再長高幾寸（或說一「層」），讓他知道誰才是這裡的老大。絕不要在天蠍座面前退卻，否則妳會後悔一輩子；請採取慈愛但堅定的手段，尊重他的智慧，但也不要裹上糖衣，因為他能明白言外之意——有話直說，清楚說出妳的意思。

要記住，敏感的天蠍座情緒很強烈，他們對咆哮和恐嚇極其敏感；面對這愛記仇的星座，妳得小心選擇措辭和行動，除非妳一輩子都想聽到他叨念妳在二十年前打他屁股，放下棍子和怒氣吧！

天蠍座是喜好控制的星座，這孩子討厭意外驚奇。與其一再管教他，不如讓按部就班的天蠍座知道所有規則和計畫如何運作，他自然就會變得自律。我們的朋友艾比有個天蠍座兒子，她為兒子亨利做了一張海報大小的日常活動表（洗澡、搖籃曲、講故事、睡覺時間）貼在與他視線齊平的牆上。他可以隨時查看，感覺自己在參與平日活動。天蠍座有條裡的腦子喜歡拼圖和固定模式，就從他天生的優勢著手。

有些天蠍座孩子從不付諸行動，但他們也需要關注。因為這極度注重隱私的星座不一定會表達感受，孩子可能像休眠火山一樣持續抑制情緒，這可能導致未來出現憂鬱症，妳必須照看這顆定時炸彈。也許直覺力強的天蠍座感覺到妳有壓力、分心或沒有空，並不想用自己的事讓妳心煩；或者這是因為「一朝被蛇咬，十年怕草繩」，他擔心妳在嚴格紀律後的懲罰。當妳糾正他的行為時，請不要給他「壞」和「好」的二元區分，記住「批評行為而不是人」的箴言。妳如果發現自己即將在孩子面前大吼或失去理智，這是妳需要尋求更多支援的時候，把一些照顧任務委託給其他人。妳必須保持平靜和平衡，這對所有相關的人都是好事，不要吝嗇給自己「個人時間」，特別是感情強烈的天蠍座會吸收妳很多注意力和能量，妳必須不惜代價保持他在情緒上的安全感。

✶處理過渡期：搬家、離婚、死亡和其他難題

天蠍座為掌管生命歷程的星座：出生、死亡和重生。在某種程度上，天蠍座孩子在一個摯愛的人過世後可能會出奇冷靜，甚至在之後會做啟示性的夢。神祕的天蠍座可能在轉世重生故事裡尋找答案，或是問妳有關死後生命的事。如果家裡有人離婚，直覺力強的天蠍座可能早在很久前就察覺到不合。

天蠍座不會因為預感有事發生，就意味著知道如何處理。儘管他有個老練成熟靈魂，但是在情感上是相當脆弱，其傷痕從不會完全痊癒。破裂的連結對這些孩子影響極大，特別是如果突然離開安全的家或學校。他需要花很長時間適應新環境，想到重新再來一遍，對他而言是很可怕的事。他會開始出現挑釁行為，作為驅除強烈情感的方式，然而這些孩子可能轉向內在。請調整好妳的頻率：安靜的天蠍座孩子可能會私下哀傷或掙扎。靜水流深，即使他沒有苦惱的跡象，還是建議送他去接受心理治療讓他的過渡期變得更容易些。

✶上學期間

最好的教育風格

專注的天蠍座可以是出色學生，在班上名列前茅。他的專注力時間比其他孩子長，也有著鋼鐵意志，在需要背誦的考試會表現得很好。天蠍座是十二星座裡的專家，可能在一、兩個學科上成績卓越，比如在科

學或作文會進展非常快。孩子的「專心致志」有天會派上用處。天蠍座掌管研究，可能善於分辨出模式，很快就能掌握複雜概念的內在運作。基於這個理由，他可能也擅長數學、電腦科學、程式設計或語言（背個動詞變化？）等孩子大一點後，妳可能發現他已經發行了學校報刊或成為劇團的燈光人員。許多天蠍座從小就知道長大後想做什麼，在追求這類目標時很像Ａ型性格的人；科學夏令營、到國外讀高中、音樂或密集演技課會讓他快速入門，或給予他渴望的專業知識。

私立學校很適合天蠍座，他在師生比例低、較小的環境裡會感覺安全，這些孩子得到越多一對一的專注會發展得更好。天蠍座容易在公立學校的大課堂裡不知所措，他會被當作一個學號對待，或被要求標準的考試分數。許多天蠍座不喜歡在大課堂上舉手發問或講話，在比較像家庭安全的小學校氛圍下，其天賦和魅力就能充分展現。

✶最好的嗜好和活動

熱情洋溢的天蠍座擁有無盡的創造力，會一頭埋入興趣中。他不會淺嚐即止；不是全部就是無的天蠍座，會是個非常投入的怪咖、粉絲和狂熱者。他喜歡需要專注和注重細節的嗜好，偏愛能獨自進行或只和一兩人一起做的活動。這些孩子通常很居家，寧可獨自休息、閱讀、看電視或和家人外出。

天蠍座可能也有音樂天分（這關乎格式化的活動是他擅長的），會演奏樂器或成為合唱團團員；體能不錯的天蠍座可能有很好的柔軟度，甚至能做特技；也善於舞蹈、體操、啦啦隊或武術。他甚至年幼時就能適應瑜伽，可以和妳一起做瑜伽或冥想。這些都是不錯的活動，可以幫助他釋放一些強烈情緒。

有些天蠍座則思緒敏捷，能沉迷在謎語、字謎、策略遊戲和多玩家的網路遊戲好幾個小時。他可能會自學電腦程式設計，或用筆電製作音樂（要不要買個ＤＪ設備呢？）由於這星座愛好神祕，可能會有整套的阿嘉莎．克莉絲蒂（Agatha Christie）偵探小說或劇情跌宕起伏的圖像小說；另外，可能也對超自然和魔術戲法入迷，幫孩子買套魔術組或塔羅牌，或讓他專注在手工藝上。我們的天蠍座朋友黛比．史托勒（Debbie Stoller）以《縫出一片天》（Stitch'N Bitch）系列書掀起全球編織狂熱。額外好處：投入編織、縫紉或ＤＩＹ，能讓這過度緊張的星座放鬆。

✶禮物指南：天蠍座最好的禮物

- 手工藝或ＤＩＹ工具，如渲染套組、冰淇淋機，或是必須自己組合、甚至裝飾的精美火車組；雙手靈巧的天蠍座喜歡從草圖開始製作，讓一切作品留有他個人風格。
- 樂器、ＤＪ設備、卡拉ＯＫ伴唱機。
- 一本日記，當然要附有鎖頭。
- 神祕、幻想、懸疑類型的書籍，特別像是《哈利波特》（Harry Potter）、《美麗魔物》（Beautiful Creatures）或《飢餓遊戲》（the Hunger Games）系列書，他會迫不及待讀完整套。
- 謎語、字謎、數獨遊戲或是任何戰略遊戲〔西洋棋、海戰棋、《妙探尋兇》（Clue）遊戲〕。
- 任何他想看的節目或比賽的門票（哈囉，超級粉絲）。
- 可以讓他在幕後偷窺的東西：偵探組、醫生出診包、化學遊戲組、顯微鏡或天文望遠鏡。

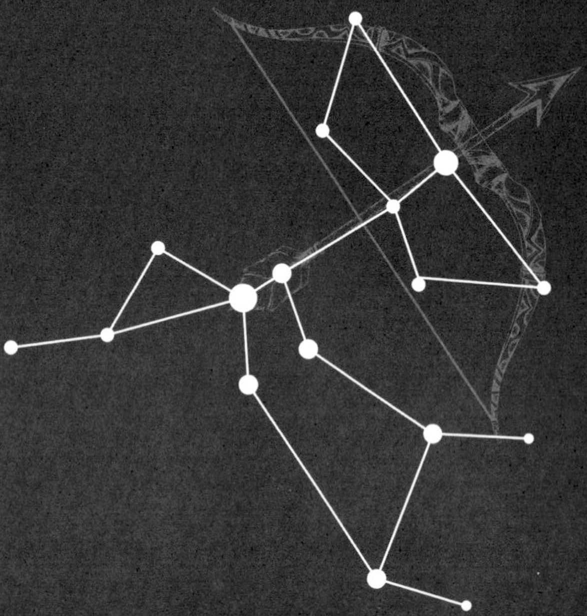

射手座（11月22日～12月21日）孩子

符號：弓箭手、半人半馬
守護星：木星
元素：火
身體部位：大腿、臀部、腰部
誕生石：綠松石
顏色：紫色
優點：聰明且有洞見、有趣、自由奔放、堅決果敢、思想開明
缺點：粗魯無禮、散漫、頑固、過度自信、過度好動

喜歡：
新冒險
假期和旅行
在戶外玩耍
學習和閱讀
來自不同背景的朋友
我行我素
沉浸在感興趣的創意計畫

不喜歡：
別人告訴他要做什麼
靜靜坐著
跟隨某個人的規矩和行事曆
被關在室內
太多的例行公事或一成不變
正直或權威的人
無聊、無事可做

妳想要一個**射手座**孩子嗎？

射手座孩子的目標受孕日：2 月 25 日～ 3 月 15 日

過去和現在的射手座名人——

賈里爾・懷特、布蘭妮・斯皮爾斯、克莉絲汀・阿奎萊拉、帕克斯・裘莉－彼特、梅森・狄斯克、艾莉莎・米蘭諾、柔伊・克拉維茲、凡妮莎・哈金斯、麥莉・希拉、克麗絲汀娜・雅柏蓋特、雷文・西蒙尼、弗蘭奇・莫尼茲、薇蕾・艾佛列克、泰勒絲、馬伊姆・拜力克

✶教養妳的射手座孩子：基礎篇

繫好安全帶，準備冒險去！妳剛生出一位夢想家和行動者。從嬰兒時期開始，這星座就尋求自由——無論是在汽車安全座椅上焦躁亂動、丟開尿布或是試著掙脫高腳椅。射手座是活力充沛的火象星座，愛好生命，是十二星座遊歷全球的馬可波羅。他是笑口常開的快樂孩子，在妳拍的許多照片裡，他都咧嘴露齒笑著（偶爾也會有繃著臉、皺眉的表情，因為這誠實至上的孩子從不掩藏感受。）妳的孩子愛好生活，不太有時間

盤腿休息，也不會有無聊時刻。這些孩子追求冒險，喜歡歡笑，會是課堂和家裡的耍寶開心果。

若要完全掌握射手座孩子的天性，可以想想代表這星座的射手或半人半馬，就像神話裡一半是人一半是馬的生物，既是高尚的哲學家也是狂野的孩子。這星座以笨拙聞名，什麼都要參「一腳」，趕著參加各種活動時經常絆到自己的「蹄子」。請在包包裡貯存一些零食，妳可能會整天趕著欣賞他的戲劇表演、送他上課和參加活動。這星座由豐饒的木星守護，總是想要更多、更多、更多，讓人精疲力竭。

射手座是代表強壯的星座，掌管大腿和臀部，擁有無限的體力。這些孩子非常活躍，甚至會是個運動健將；向妳的沙發馬鈴薯歲月告別吧，因為他會想長時間待在戶外，騎單車、爬山、跑步、在公園裡運動。

射手座也是十二星座裡的學者。很小的時候就能掌握成熟的談話和概念，有時看起來有點超齡，擅長講話和閱讀；請把妳的錄影機準備好，以便錄下他早熟、聰明的時刻。有他在旁，妳也要當心自己說的話，因為他會將每句話都聽在耳裡，他可能會問無數次為什麼，直到得到一個滿意的答案。小射手天生就有敏銳的鬼扯探測器，知道妳什麼時候說假話，他會揪出來。不過，他跟陌生人或泛泛之交在一起時，會過於信任對方以致容易受騙。他可能會經過幾次殘酷的震撼，直到理解到不是每個人的意圖都和他一樣純粹。

射手座在十二星座中代表真誠，孩子的坦白和誠實可能一針見血，他從不是出於惡意，只是以直率出名。即使他的稱讚偶爾話中帶刺：「媽咪，妳這麼霸道，但朋友算很多耶！」或者「妳年紀這麼大，竟然知道這麼多流行歌。」妳以為妳隱藏或掩飾某個不喜歡的特點，但卻被他指出來。說到想治療難為情的方法——有這個孩子在旁，妳得放棄自我才能安然存活。

希望有個可以摟摟抱抱的孩子嗎？最好考慮再生一個。靜不下來的射手座不會安靜坐著，他會在妳懷裡動來動去，甚至擦去妳的吻。這獨立的星座不想被過度溺愛，他寧可以本領和智慧向妳炫耀、寧可因此得到許多真正的讚美。要對射手座表現愛意，最好的方式是在他講笑話時捧場地笑出來及為他的大膽鼓掌。

如果妳的家庭有維持很久的傳統，比如世世代代都住在同個小鎮或去同個小鎮度假，請做好心理準備，射手座將打破這個模式。射手座孩子是個外交大使，渴望跨出家鄉，到世界的其他地方看看。傳統是以固定的方式來遵守，所以別寄望他會傳承所有的家庭傳統——除非加上一點獨創的轉變。代表跨文化傾向的射手座能引入新點子，為事情增添樂趣，而不是堅持循規蹈矩、老舊的事物。他對來自不同背景的人感到好奇，甚至可能會想學習另一種語言，或在高中時參與國際交換學生計畫。他可能還沒考駕照就要求妳辦護照！

射手座由宴會之神、歡樂之神愉悅的邱比特守護，這些孩子擁有很好的胃口。他甚至可能有些矮壯或容易發胖，請給他幾堂鍛鍊身體和自我接納的課程。妳也需要告知他吃些健康的零食而非垃圾食物。吃自助餐時，他可能會夾第二次、第三次，非要吃到肚子撐飽為止，而且會選擇含糖食物和澱粉類以便快速增加飽足感。請給他沙拉當作附餐，或以泰國、地中海、印度和摩洛哥香料來替平淡的蔬菜增添滋味；有時孩子錯以為自己餓了，其實他只是需要更刺激的味道。妳需要嘗試全球的料理，端出八十道菜色後，他才會發現某個或兩個他真正喜愛的地區性料理。

幸好射手座對生活的胃口很健康。他有如業餘的人類學家，純粹出於好奇而測試底線，「不行」和「夠了」不在他的字典裡。當他聽到「你不可以……」那可不是結束，對他來說反倒是機會，他會以創意證明他其實「可以」。若告訴孩子絕不可能或不能做，只會激發他更多的動力去實現。華德・迪士尼（Walter Disney）和史帝芬・史匹柏（Steven Spielberg）都屬於無所畏懼的射手座代表，其座右銘就是：「要嘛就做大事，不然就回家。」

直升機父母注意了，請停好你的直升機。你的孩子將會犯錯和失足多次，沿路上還會受幾次傷——把手伸入餅乾罐（有時是熱爐子）是必然會發生的事，不過沒有星座能像韌性十足的射手座一樣迅速恢復活力。年輕的射手座可能缺乏耐性、堅毅，而且投入太多事情，但是當他下定決心想得到某物時，沒有什麼能夠阻止他，就樣射手射出一箭又一箭，直到射中目標為止，妳的孩子會朝著目標前進直到取下成功。媽咪，趕快穿上鞋子，他已經在門外等了。

✶射手座：應對挑戰

規矩和權威

「尊重」對射手座來說是相互的，他可能會跟大人做朋友，像跟同輩說話一樣。如果一個重量級人物足夠尊重他，對他說話的方式像是對待一個有能力的人，他就能成為模範孩子；如果他感覺對方高高在上、不誠實或鐵腕獨裁，他就會反抗。精力充沛的射手座有顆獨立的心靈，不喜歡被束縛。規則不必然是用來打破，但對他來說，所有狀況都有待解讀與詮釋，應該依據個別案例看待。比如，睡覺時間是八點，他會找出完全合理的理由延到九點，他提出的論點如此有說服力，連雙親都會投降。如果這個活潑的星座只用開玩笑來打破妳嚴肅的態度，實在無法對他生太久的氣。射手座！你做得太過頭了！

限制

對射手座來說，所有界線都可以協商，「不行」只是他必須先聽到好幾次的字眼，之後就會「可以」。保持妳的智慧，否則有三寸不爛之舌的射手座會說服妳改變規則——甚至讓妳覺得這就是自己的想法！妳不會想給熱愛自由的射手座過多限制，因為他需要探索；不過這孩子無畏的冒險通常會讓他身處險境，花點時間來解釋制定限制的原因，甚至討論挑戰極限而可能發生的危險，對於喜愛追根究底的射手座會有幫助

（必要的話，可以深入到稍微殘酷的細節）。雖然妳不願嚇到射手座，但拿報紙上的綁架新聞或有人不注意導致火災的新聞來當例子，可能是讓他注意安全的最後手段了。

分離和獨立

小射手通常要花時間才能進入獨立的一面，當他還小時，對新情境可能非常害羞，可是當他嚐到自由的滋味以後，要當心了！一旦切斷母子間的連結，別想再重新繫上。

弟弟妹妹

射手座可能將弟妹視為負擔，尤其是他如果承擔了照顧弟妹的責任。若彼此間的年齡差距小，他可以是理想的玩伴和最好的朋友。否則，射手座不會想被小小孩綁住。

哥哥姊姊

熱愛探索的射手座總想比別人快十步，因此哥哥姊姊能讓他一窺大人的刺激世界。嗨，小跟班。不過，他仍有自己的興趣和才華，別強迫他做跟哥哥、姊姊一樣的事。另外，如果想培養他的穿衣風格，也別讓他穿現成的舊衣服。

寶寶，掰掰：斷奶和如廁訓練

射手座急於得到自由，但很難坐得住。他有成為大女孩或大男孩的動機，但可能欠缺自律。射手座孩子沒有做完如廁訓練的耐心，在開始之前，需要多次嘗試。此外，他們可能顧著玩，常忘了去洗手間……然後就來不及，請隨時打點好備用衣物。

性觀念

好奇的射手座滿是疑問，可能會問出令人臉紅的問題，要有心理準備。但是這個坦白過頭的星座，才不會接受送子鳥這種蹩腳的故事，所以準備好在他很小的時候就教他基本的性知識。

學習：學校、作業和老師

射手座非常好動，但他也喜歡學習，是有天分的學生。射手座為第九宮的守護星，即高等教育和教育的宮位，特別喜愛獨立學習和任何能展現天生創意的機會。

家庭衝突

說真話的射手座是不會把事情掩蓋起來的。不過，當他感覺到有麻煩在醞釀時，積極行動的他會趕緊處理而不是先居中調解，或許在掌握情況前就急著跳下去解決。在失調的家庭狀態裡，他更可能會擔任英雄孩子的角色。如果其他手足或家人反覆無常或專橫霸道，他可能會避開，甚至躲到朋友和親戚家避開戲劇化的場面。

✶射手座男孩

呦呼！妳的小泰山用葡萄藤盪來盪去，從一個刺激冒險盪到另一個，妳逮得著就試試看吧！這個動個不停的男孩擁有大量體力和精神，妳對他的教養大多數是為他的活力找到適當處理的出口。妳必須有豐富的行事曆，否則這個精力充沛的男孩被困太久會躁動不安。他真正的家可能是戶外，在那裡他能四處跑動，跟大自然交流，而且他還偏愛打赤膊。他這種山頂洞人小時候很可愛，不過在他滿身汙泥回家時，妳可能得架著他去洗澡。

想要有個酷似自己或另一半的兒子嗎？妳在射手座身上可能找不到明顯的繼承跡象，他跟著自己的節奏走，重視自己的獨立性，不要逼迫他去符合家族的價值模式。他是領導者，不是追隨者；不畏說出引起爭議的意見或是離群，他不會承繼任何人的傳統，只按自己的模式行事。射手座在朋友當中會如實說出所見，可能會因為他坦率的評論得到粗魯的名聲（教他一些技巧和禮貌不嫌多）。射手座李小龍曾說過：「錯誤始終可以原諒，只要人勇於認錯。」但孩子的朋友和親人可能不會完全同意這番話。

射手座男孩現在可能不是人氣王，他通常是晚熟的孩子，在二十歲時才會發展出可愛和魅力的性質。他擁有各式各樣的朋友，男女兼有，通常都熱衷鑽研他也喜歡的事物。說到鑽研，射手座正是最有品味的怪咖，會嘗試一些有趣的風格，比如穿上復古衣、變形蟲花樣襯衫、吊帶和領結；或可能是偏笨拙的類型，喜歡穿舊T恤、牛仔褲、健行靴以及從戶外運動用品店買的夾克。對於這個有幽閉恐懼症的孩子，活動力很重要，他看起來像是隨時準備出發去露營或當個背包客。

妳的孩子可能也是個運動健將，擅長能使用強健腿力的運動。不過他可能不想投入組織性運動令人筋疲力竭的練習行程，這會妨礙他的自主性。其他健行、騎單車、飛盤和任何互相扔撿的遊戲呢？他會參與。孩子還小時，能在單車上放坐椅或拖著拖車載他一起兜風。當然，這個好動的孩子不久後就會要求一輛自己的腳踏車。

射手座維持注意力的時間很短，他經常更換嗜好，但是一旦發現可以投入的計畫，沒有任何事能讓他離開；妳可能得讓他不吃晚餐或匆匆吃完飯就下桌——在十歲時剪輯第一支紀錄片、從草圖建起樹屋，總比跟著龐克族在街上廝混來的好吧？射手座是十二星座中的獵人，孩子需要一個值得追求的目標。

這個不受限制的星座需要一些監督，但也需要很多的獨立自主；強迫他參與太多組織活動——特別是那些得長時間安靜坐著的晚餐、比賽或宗教儀式等，會讓他惱怒。射手座男孩也不是典型的居家男孩，強迫他參加家族活動不是他會想做的事；他比較喜歡和家人一起烤肉或聚會，特別是有歡笑熱鬧和食物、能跟其他孩子自由閒蕩的場合。有個媽媽終於理解到強迫射手座兒子依循傳統是徒勞無用的：「我讓他自己制定計劃，像是為假日選歌單或製作一支有特別意義的有趣生日影片。」她那位好奇心十足的兒子也喜歡擔任文化大使，他們會盡可能地度過各種節日，試著找出世界各地的食物和傳統，並邀請其他背景的朋友各自帶一道菜到家裡聚餐。（要來點阿根廷餡餃和馬鈴薯餅嗎？）

長大以後，射手座可能成為忠實、有責任感的兒子，一切取決於妳在他小時管教的程度。如果他感覺到家人的壓力或被管到窒息，他一成年就會選離家越遠越好的地方。（無論如何他都會想要離家，但起碼不是針對妳）。如果妳有機會遇見他未來的約會對象和伴侶，請別窺探打聽，他非常厭惡妳干涉他的事。別在這個孩子的房間裡探頭探腦或整理他的東西，否則會破壞彼此的信任。不過，把堆積成山的髒衣服拿去洗倒是沒關係。愛戶外活動的射手座男孩通常對舒適環境不太講究——露營、橄欖球、騎單車，妳可能根本沒注意到他把多少荒野泥土帶回家裡。

✶ 射手座女孩

嗨，獨立小姐。射手座性格剛烈、擁有強烈主見，從小時候就不畏說出自己的意見。這個「說話洋娃娃」一旦話匣子打開，就會沒完沒了。妳的射手座女兒甚至表現得像個小大人，跟大人相處非常自在、有自信。（我們有個朋友叫她的射手座女兒為「學生會主席」。）進娛樂圈可能是她的天命，因為這女孩天生風趣，喜歡逗每個人笑。不過她有時可能太超過，以她無窮的活力和吸引人們注意的惡作劇讓人筋疲力盡。這個女孩可是有完售演唱會的實力！毫不意外，流行天后布蘭妮．斯皮爾斯（Britney Spears）、克莉絲汀．阿奎萊拉（Christina Aguilera）、泰勒絲（Taylor Swift）和麥莉．希拉（Miley Cyrus）都是射手座。

射手座女孩小時候在公開場合會有些羞怯，有時甚至對狗或陌生人會無來由地感到恐懼。她在家裡可能活潑過頭，但面對全新的狀況，她會退縮，直到完全感到自在為止。所幸大部分的射手座女孩隨著年紀漸長會擺脫這樣的猶豫，特別是當她找到才能或舞台展現大膽性格時。這些女孩是領袖，當她投入一個契機或發現自己的天職時，沒有任何事能阻擋她。事實上，射手女孩可能年紀輕輕就創業，將她的愛好轉為盈利的家庭小事業。

射手座女孩某些部分有點男孩子氣。她可能在街上玩棒球或騎單車騎到太陽下山才回家，接著回到用粉紅色和凱蒂貓裝飾的房間。她從小可能就有許多男性友人，因為她坦率、活躍且喜歡戶外運動，不是那種「嬌貴花朵」般的女孩；射手座女孩在同性朋友間也會維護姊妹情誼，咒罵性別偏見。女孩力量萬歲！這個愛好自由的小女性主義者，根本不接受男孩比她更有能力、更聰明或更強壯的觀念。

自信的射手座女孩不怕展露雄心壯志，也常直言不諱。她聰明，對自己的「怪咖風格」自豪。她的溝通風格可能很男性化，甚至可能會公開表達爭議性的意見。保守派名評論家安．庫爾特（Ann Coulter）及原是童星後成為神經學博士，倡導依附教養（attachment parenting）的梅茵．拜力克（Mayim Bialik）都是射手座。

射手座可能處事早熟，但在情感方面卻很晚熟。父母大可放心，她不太會早早就開始約會；不過射手座生理發育並不慢，所以別被她的漠不關心或天真誤導。好奇的射手座想要無所不知，也想知道有關性的一切，儘管僅是閱讀研究，也會自己去找出答案。一旦她開始約會，她的「成年」會比妳希望的更具實驗性質，所以確保她有足夠的自我防護意識和知識。如果妳不教導她人生的事實，她會自己去發現。麥莉．希拉從影集《孟漢娜》（Hannah Montana）裡的溫柔角色，轉而發行像是《無法抵擋》（I Can't Be Tamed）等曲風潑辣的歌曲，或在二〇一三年MTV音樂錄影帶大獎典禮上，用「電臀舞」將她在迪尼士影集角色得到的純潔名聲一舉打破。（這時讓人聯想到綁著辮子的少女小甜甜布蘭妮用誘人神情高唱：「我沒有那麼天真無邪。」）

妳最好的方法是讓女兒保持機智和足夠的知識。與其保護她，不如從她小就教導批判性思考和媒體素養，她便能理解自己急於體驗的世界。有個朋友允許女兒將幾撮頭髮染成粉紅色和紫色，她認同女兒表達個性的強烈需要。給她足夠的自由空間，但別給太多獨立，免得她陷入麻煩。讓女兒投入嗜好、藝術和課程，讓她接觸更寬廣的世界和培養領導力。一個感到無聊的射手座會陷入麻煩，但讓這個女孩有事可忙，她會建立一個王國。

✶行為解碼：射手座孩子

射手座有這種行為時	這代表……	妳應該這麼做
哭泣	他對批評很敏感，妳的話太傷人或斥責太嚴厲；妳說了「不」或設下限制，使他覺得挫敗；他想要更多，因不能實現而感到失望。	先放吸一口氣。給他一個擁抱，表示妳不管怎樣都愛他；他不是故意要讓妳煩惱！堅持妳的立場。他會挺過的，把他的注意力轉移到別處。
在社交上退縮、沉默或喜怒無常	他覺得累了或筋疲力盡，需要小睡或散步，重新充電。	給他一本書或非電子類的玩具，讓他回房間放鬆休息。
搗亂（打、踢、回嘴）	他試圖表達某件事，但覺得沒人聽他說，需要吸引妳的注意。 他感覺被人超越或打敗，有人搶走他的風頭。	射手座討厭受到忽視；他要妳現在聽他說話。 讓他坐下，把話說出來，直接切入讓他心煩的事。
變得黏人	他在社交情況下覺得害羞或彆扭。	妳或某個人必須將他介紹給其他孩子，幫助他打破僵局，讓他融入；讓一個朋友或老師幫他做個精彩的簡介——射手座想要被人認識！
不吃妳給的東西	他可能在正餐間吃了零食。 他可能會貿然下定論，因此妳可能需要先逼他吃一口。	儲存一些健康零食或在準備晚餐時，吩咐他去外面玩。 創造「不要了，謝謝」的份量（至少一口）。等他大一點，讓他參與餐點準備過程和計畫三餐內容。
坐不住	射手座一天需要很多嗜好、變化和活動。孩子坐立不安，可能是感覺被禁閉或有幽閉恐懼，因為他喜歡開闊空間。	讓他跳個舞或用五分鐘胡鬧消耗精力。孩子也可能感到無聊，結合幾種活動或給他一張詳細計畫表吸引他的注意力。

✶射手座的社交屬性

家庭裡的角色

需要吐真話藥丸嗎？養育射手座孩子就像跟狗仔隊住在一起，這孩子可能會暴露所有家庭祕密、醜事和妳犯下（不經意）的錯誤。別讓這坦率的孩子參與妳的任何密謀，哎呀，因為他會走漏風聲。孩子如果感覺到不公平或有事不對勁，甚至會挺身對抗，創造戲劇性場面。如諺語所言，白天不做虧心事，半夜不怕鬼敲門。射手座的意圖不是惹麻煩，而是為了更大好處才將一切揭露出來。

作為十二星座裡的外交官，射手座孩子有不同朋友和多元興趣。如果妳的家庭是謹慎、受保護的，他會打破妳的舒適圈，準備好看看世界其他地方的生活。孩子會帶你品嘗從未嘗試過的食物、文化和活動。請保持心胸開放！

朋友和同儕

射手座是十二星座中的旅行者，他喜歡結交各界朋友。射手座只有少數長久、忠誠的友誼，這些孩子總是尋求認識新的人和擁有新的經驗；他最好的朋友可能每週輪替。由於射手座的興趣廣泛，可能有好幾個朋友圈：劇團朋友、運動朋友和學校報刊書呆子團。這適應力強的孩子可以跟三教九流打交道，他喜歡多樣性。他的生日宴會可能看來像聯合國高峰會！

射手座和親近朋友一起時，需要重要的地位。這些孩子不喜歡被忽略或坐在邊緣，他想憑自己的才華和顯著性格被人認識；他會逗朋友笑或引導他們參與新活動和出遊。如果團體活力開始消退，或是一個愛哭、掃興的人主導聚會，他則會介入，讓所有人回到歡笑之中。

樂觀的射手座天生就積極、正向，他會變成朋友中的啦啦隊。如果一個玩伴陷入沮喪，他會試著逗對方大笑或微笑。這星座的專長是帶來輕鬆的氣氛，雖然有時可能因為太超過而惹惱朋友。這智慧超齡的星座甚至能成為朋友圈裡大家徵詢建議的對象。不過，別指望他會給予同情的擁抱和摟肩；他可能非常直率，對假裝受害的朋友所留下的鱷魚眼淚毫無耐心。「別為小事煩惱」是他的座右銘（當然，當他心煩沮喪時，那會是國家級危機，屆時又是另一回事了。）

嫉妒心強或占有欲強的朋友不會在好友名單內，因為忠誠測驗和肚量狹小會使射手座厭煩。當心八卦，因為射手座孩子愛評斷，而且非常缺乏敏感度。教導這口不擇言的孩子在說話前三思，並試著對其他孩子帶有同理心。

兄弟姊妹：射手座在其中的角色

小射手對手足的感受複雜，喜歡享受同伴情誼，但不喜歡義務。心情好時，喜歡有玩伴一起冒險、歡笑和說笑話；其他時候，自由奔放的射手座不喜歡有手足參與他的計畫，而且也討厭這麼做。當他沒心情時，不會歡迎一個跟前跟後的手足在旁閒晃。

情況危急時，沒有比射手座更好的夥伴了，特別是對一個猶豫不決的手足來說。他會發表激勵言詞，啟發對方正面思考、嘗試新事物和做大夢；也會給予嚴厲的愛和自顧自地提出意見，但始終是以激勵為出發點。不過，如果他變得太霸道或表現得像是自己知道最多時，妳需要介入，教導他「互相寬容」的原則。

✶教養你的射手座孩子：進階篇

富哲學精神的射手座遵守法律的精神，但不一定會奉行，對會試探權威的射手座而言，「因為這是我說的」不是合適的答案。他以好發問聞名，如果一個規則過於拘束，他會企圖瓦解或找到漏洞，甚至會讓妳筋疲力盡，就此投降。

當他陷入道德兩難時，以蘇格拉底提問法和他對話：妳問他一連串值得思索的問題，幫助他找到自己的答案。當他發現自己有能力找到創意答案時，會感覺非常有力量。這不是說射手座孩子想惹麻煩，而是當他對某件事好奇時，唯有完成任務才會停止。寫出《湯姆歷險記》和《哈克歷險記》的作家馬克・吐溫（Mark Twain）即是射手座。

有時候，對這個自稱無所不知的射手座來說，經驗是最好的老師，需要吃過一番苦頭才學會一件事。當妳的教導不見效時，就讓射手座（輕輕地）體驗最困難的情況，他需要一點威嚇或震撼才能明白妳說的是對的。馬克・吐溫說過一段著名的譏諷之詞：「當我十四歲時，我受不了我的父親，他愚蠢極了。但是我二十一歲時，我很訝異他這七年變得這麼聰明。」

✶處理過渡期：搬家、離婚、死亡和其他難題

射手座孩子有很多話要說，他比其他星座更有適應力，但他需要徹底了解這些改變發生的動機及原因。面對射手座孩子，坦誠是最好的政策，他會知道妳是不是在打官腔，這對他相當於沒有營養的卡路里，他非要知道某個困難處境為什麼發生不可，否則不會罷休。坐下來，告訴他實情，也讓他表達想法。妳可能會對他的智慧和深思熟慮刮目相看，需要早點跟他解釋成熟的話題，像是性、離婚、死亡，或是在他的書架上放上適合他年紀的書籍，幫助他理解生命艱辛的事實。

✶上學期間

最好的教育風格

書呆子團隊集合！追根究底的射手座喜歡學習，閱讀的書可能五花八門。當一個主題或作業吸引他的注意時，他會全神貫注；不過選擇方向或保持專一對他來說是挑戰——這個沒耐性的星座不喜歡留在同一個主題太久。在「無聊」的課堂上，可能會在課本空白處亂塗亂畫，或扮演小丑逗同學發笑來打發時間。這可能逗樂老師，也可能莫名惹惱他們。但他只要舉起手問出一個有見地的問題，就能證明自己一直很專心。

互動式課程和有許多創意、獨立學習計畫的學校最適合他的性格，資優教育或跳級也很適合。專注力較短的射手座孩子，上課時也許需要起身喝水或在教室走一圈，但對於傳統學校的老師可能會感到不悅。

課程能應用在生活或有互動、玩樂的學習，對他來說會學得最好。想像力和寓教於樂讓他堅持學習。等他年紀大一點，可能會想學別的語言，甚至去國外當交換學生，親身體驗不同的文化。

✶最好的嗜好和活動

一、二、三，開始！活動充沛的射手座孩子喜歡到處跑，他可以從早到晚都在戶外快樂玩耍；帶他去上游泳課或溜冰課，或去騎馬（這人馬星座與馬匹有特別的連結）。許多射手座是天生的運動員，但他更享受活躍的活動，而不是組織安排好的運動。

熱愛戶外的射手座喜歡大自然，可以租艘獨木舟、計畫一趟有趣的健行（他的雙腿很有力，可以承受爬山行程），或是在後院放一張大跳床。孩子還小時，可以幫他買個腳踏車座，騎車載他去探險。不管是在大自然小徑或都會通勤路上，他都會很享受新鮮空氣和不斷變化的風景。全家一起去度假村度假很適合他——對多樣性及友誼的需求。這位社交能力強的射手座孩子在玩沙灘排球或是跟新朋友一起跳入兒童池玩耍時，會變得格外外向。

童子軍、志工服務及其他的回饋行為能幫助培養他的慷慨本性，讓這位小小人類學家遇見各種背景的人也是很好的體驗。有野營和田野旅行的童子軍，會讓熱愛旅行、總尋求新經驗的射手座熱血沸騰。

射手座掌管出版，小射手會盡情地使用部落格、同人誌或一些創意寫作計畫傳達他的訊息。可能從很小年紀就將寫好的文章、詩歌集結成一冊，驕傲地展示在書架上。等年紀大一點，他會參與學校的年鑑編輯團隊，這能讓他忙碌於活動以免惹麻煩。他喜愛說故事、表演，只要妳給他一支智慧型手機，他就有機會變成導演，記錄敏銳的觀察或喜劇短片。幫他報名數位影像編輯課，可以為他打下未來從事媒體工作的基礎。

✶禮物指南：射手座最好的禮物

- 卡拉ＯＫ伴唱機，讓他可以逗樂別人。
- 有攀岩設備的健身館、兒童遊樂園或是蹦床。
- 戶外活動設備和露營、健行用具。
- 單車或摩托車，供他更快到達目的地。
- 繽紛多彩的衣服和配件，像是靴子和後背包。

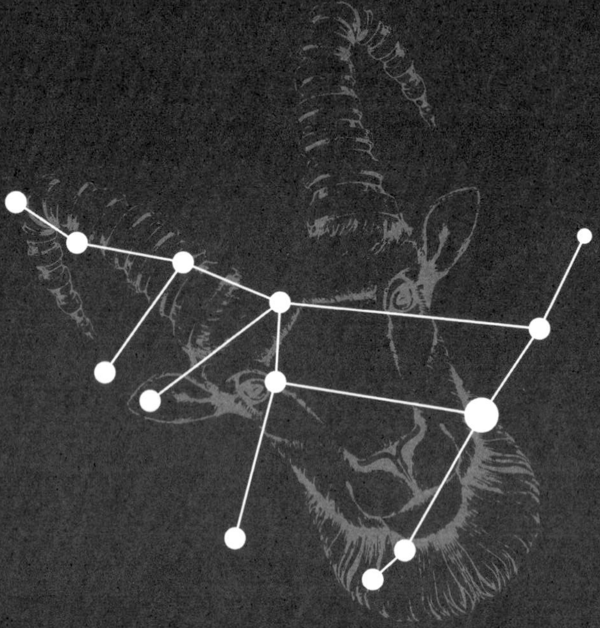

摩羯座孩子

（12月22日～1月19日）

符號：山羊
守護星：土星
元素：土
身體部位：膝蓋、皮膚、皮膚、骨頭結構
誕生石：石流石
顏色：深綠色、灰色
優點：平靜、有毅力、腳踏實地、有智慧
缺點：小心眼、完美主義、懶散或停滯不前、壓抑

喜歡：
一小群忠誠的終生朋友
長篇故事、傳奇和精心設計的情節
歷史和傳統
音樂；幾乎所有類型
獎盃、獎章及能給與他地位象徵的其他獎賞
承擔責任
名牌、昂貴品牌和地位象徵物

不喜歡：
人群
反覆無常、古怪、猶豫不決、性格懦弱的人
犯錯和毫無準備
戶外運動：自行車、健行和攀岩
沒有更大目標或日程規劃就行事
出乎意料地成為注意力焦點
尋求幫助

妳想要一個**摩羯座**孩子嗎？
摩羯座孩子的目標受孕日：3 月 25 日～4 月 15 日

過去和現在的摩羯座名人——

傑森・貝特曼、布露・艾薇・卡特、丹尼・派托羅、嘉比・道格拉斯、莎恩・強森、札哈拉・裘莉・彼特、喬伊・麥肯泰爾、連恩・漢斯沃、凱特・伯斯沃、艾莉亞、丹妮卡・麥凱勒、塞拉芬娜・阿弗萊克、喬蒂・史威汀、達斯汀・戴亞蒙德、伊麗莎・杜什庫

✶教養妳的摩羯座孩子：基礎篇

究竟誰才是爸媽？聰明的小摩羯有著老成靈魂，隨著年紀漸長會變得更放鬆。他們由嚴格、志向遠大和成熟的行星土星掌管——童年看來不會無憂無慮、純樸悠哉，而是嚴肅、認真和堅決，尋著一條明確道路前進，一旦下定決心就幾乎不會偏離原來的路。

摩羯座鋼鐵般的決心有時對父母來說很難招架。這些頑固的小山羊會挖出壕溝，固守陣地，絕不讓步！他的堅持會取得成功，到達最終目的地，無論路程有多困難、有多少障礙需要克服。摩羯座馬丁・路德・金恩（Martin Luther King Jr.）以其名言：「我有一個夢」改變了世界。當然，擁有夢想對摩羯座而言只是起點。這些計畫大師迅速地就從懷抱願景進展到起而行動，何必坐著空談呢？就如摩羯座的富蘭克林（Benjamin Franklin）所言：「說得好不如做得好。」

富蘭克林也說過：「一盎司的預防抵得上一磅的治療。」沒錯，因為摩羯座厭惡毫無準備。這些小小工作狂需要地圖、計畫和目標，他總會問：「這有何用？」他不信任何輕易到手的事，這些認真的工作者寧願有所付出、有所收穫。除非確定最後得到極大回報，不然他不會浪費努力，但太專注長遠計畫讓摩羯座顯得有點偏重結果導向，請教導他享受過程，每到達一個里程碑就慶祝，而不只是享受最後的盛大歡呼。

銀湯匙？把它收進祖傳瓷器櫃吧！寵壞摩羯座只會帶出他最糟的一面，讓他變成自恃有權的菁英。這些孩子若是不被期待，會變得非常懶散和停滯不前。他需要很強的教練、導師或領導者或會對他提出要求的人。如果他沒有一個值得起床奮鬥的目標，寧願整天睡覺。我們的摩羯座朋友克莉絲蒂不費多少力氣就成為學校樂團的第一小提琴手，由於沒有人能挑戰她的地位，她很快就失去興趣，也停止練琴。當摩羯座達到第一名的位置時，請將他推到全新冠軍賽水平的團體，否則他的學習高原會頓時跌落到懶骨頭模式。

請確保摩羯座孩子的競爭精神不會超越他的人性，因為他可以如此刻苦努力和自我否認，也可能嚴厲批評其他人。收音機脫口秀主持人拉什．林博（Rush Limbaugh）、蘿拉．史萊辛潔（Dr. Laura Schlesinger）以及以驚世駭俗評論著名的霍華德．斯特恩（Howard Stern）都是摩羯座。他們可能沒有共同觀點，但顯然都堅持己見（有時對他人相當無情。我們知道嚴厲的愛是什麼，就是這些人！）。

禁慾主義的土星是代表責任和自律的守護星，這給予摩羯座尖酸天性（有時是情感壓抑）。當然每個反應都有同等和對立的反應，摩羯座越是努力要「友善」、「正常」，就越是古怪。事實上，這些孩子若沒有擺脫壓力，可能發展成小小的強迫症癖好或隱藏行為（說謊、偷竊及囤積）。摩羯座金．凱瑞（Jim Carey）近乎瘋狂的滑稽怪誕行為可能起因於受過傷害。如果妳的摩羯座孩子開始看起來像沉睡的火山，請趕快介入！（想想富蘭克林的那句睿智話語，預防勝於治療……）

請教導摩羯座擁抱人性。摩羯座作為土象星座，由感官主宰，但他對自己慾望有罪惡感又感到焦慮。他應學會讓心和腦平衡，不應壓抑心理的感受！舉例：《暮光之城》（Twilight）的作者史蒂芬妮・梅爾（Stephenie Meyer）是摩羯座，也是不菸不酒的摩門教徒。她的吸血鬼故事頌揚貞潔，女主角貝拉為婚姻「拯救」道德（凡人）美德。然而《暮光之城》牽起全球對性感吸血鬼的渴望，激起一連串的仿效者（包括狼人和殭屍），甚至是《格雷的五十道陰影》（Fifty Shades of Grey）現象。她小說中的寓意任務可還沒完成。

摩羯座一旦接受與物質世界的關係，可能會變成神祕的「大地智慧」。如牛頓（Isaac Newton）的地心引力法則；托爾金（J. R. R. Tolkien）的《魔戒》系列帶我們到中土世界。十二星座裡的這隻山羊擁有鮮活的想像力，結合他歷史感、祖先和世系血統及編排順序和情節才能，是最好的說書人。只要確定他知道也能在日常生活的現實世界完成冒險。人生是一趟旅程，而不是目的地！

✶摩羯座：應對挑戰

規矩和權威

摩羯座由權威土星的守護，需要給這些孩子有條理的管教。他想要把規則寫成白紙黑字，一旦破壞規矩就會憂慮。傳統的摩羯座不介意階級，事實上，他渴望階級；相互尊重的親子界線，幫助這些需要安全感的孩子感到安心。如果沒有規則，摩羯座孩子通常會變成父母的「父母」，時機未到就承擔起大人的角色和責任。

限制

摩羯座喜歡限制，但喜歡得有點過頭了，他可能是「乖巧小士兵」，害怕惹麻煩或惹惱他的父母和榜樣。他害怕犯錯，不敢越雷池一步，這使他寸步難行。妳可能需要鼓勵摩羯座孩子多冒險，幫助他明白有時只需要遵循法律基準、而非死守每字每句也是可以的。否則，他的恐懼和焦慮會壓垮他，而他壓抑的自我表達可能化為古怪和笨拙的行為。

分離和獨立

有責任心的摩羯座是象徵歷史的星座，他有強烈的家族忠誠度。這些自尋煩惱的孩子會想照顧妳，而且可能害怕自行冒險會傷害妳的感情。當妳送他去學校時，要收起眼淚，否則他會解讀成妳在難過，以為自己做了讓媽媽哭泣的事。如果孩子很難跟妳分開，帶他去參加成員固定的小團體，像是小型家庭托育中心或慈愛的保母家。摩羯座是土象星座，這些孩子透過身體接觸及看到人就能感到安心。給他時間與幾位朋友、保母建立持久關係，他會沒事的。

弟弟妹妹

迷你版的爸爸媽媽，摩羯座會仿效父母的姿態對待弟弟妹妹。他很自豪能當弟妹的模範，可以保護他們或以身作則立下好榜樣。

哥哥姊姊

多數的摩羯座尊敬哥哥姊姊，甚至崇拜他們。如果一位哥哥姊姊陷入麻煩或走入摩羯座不贊同的道路，他可能會在心裡評斷，甚至是強烈批評，但通常不會把自己的意見表達出來。這個星座非常強硬又務實，常以表達困惑的聳肩接受大多數人類的行為——頂多譏諷一句。他的座右銘可能是：「事情就是這樣了。」如果哥哥或姊姊誤入歧途，他會稍微和他們保持距離；但是，如果對方需要幫助，忠誠的摩羯座不會置家人不顧，血總是濃於水！

寶寶，掰掰：斷奶和如廁訓練

想要閃亮金星星嗎？這個總是發揮超水準的星座會熱衷回應激勵，並享受挑戰。從尿布轉換到便盆的崇高目標，對摩羯座來說是令人興奮的征服。堅持不懈是他的一大優點，他會一試再試，直到掌握竅門。不過要確保他不會為了追求完美而感到壓力，這些孩子可能對自己嚴厲，完全不給犯錯的空間。要讓他知道，總會有意外狀況——就是字面上的意外！至於斷奶，摩羯座是講求感官的土象星座，可能不急於和媽媽（甚至是奶嘴）切斷身體連結，最好的手段是讓依賴習慣的孩子慢慢過渡到他喜歡的新模式，也許是將餵奶的時間改為洗泡泡澡，或用水洗式蠟筆塗鴉。不要低估獎勵方案對這些喜愛成就的孩子的威力，甚至舉行特別的宴會或儀式——都能說服摩羯座跨越障礙。

性觀念

摩羯座是代表壓抑的星座，談到性事可能會讓他難為情（起碼跟大人談這類事時）。然而，摩羯座是講求感官的土象星座，因此了解身體（及身體的享樂衝動），對他來說是重要的事。他可能覺得不好意思，不然就是完全無所謂——畢竟這是天性。這些孩子是「碰觸者」，因此他小時候會用手做些探索。教導摩羯座基礎性知識嗎？告訴他事實，包括身體每個部位的名稱，他會聽到咯咯發笑！

學習：學校、作業和老師

擁有雄心壯志的摩羯座會達成很高的成就，但他的成功通常取決於領導他的人。如果老師冷漠或課程太容易，他會變得懶惰或置身事外。畢竟既然沒人在乎，或者他閉著眼就能考滿分，為什麼還要努力做到最好呢？摩羯座對值得的挑戰才有動力，教育者要提高標準才能激發他最好的表現。信任摩羯座，也會讓他相信自己。獎賞、獎盃、獎學金也能激勵目標導向的摩羯座，他可能從小就知道這一生要做什麼，比如一位受到啟發的年輕天文物理學家，大可以不顧法語課作業（除非會影響他學業成績平均分數）。

家庭衝突

凱比有待超級瑪利歐拯救！這些有英雄氣概的孩子是耐心十足的和事佬，能讓敵對的雙方握手言和。他是亂哄哄家裡唯一的理性，有世俗的沉著，不受大吼大叫或打鬥的影響，幫助劍拔弩張的家人冷靜下來。如果他無法讓所有人恢復理智，他可能會放手不管，退居到自己世界，甚至創造出另一個替代現實來當作逃避。注意妳的孩子可能吞下憤怒或隱藏感覺，但是壓抑會帶來憂鬱，請確保他不會成為需要承擔一切的那個人。

✶摩羯座男孩

哈囉，小大人。摩羯座是象徵陽剛和父親角色的星座，妳的孩子從小可能就有父親般的行為。他在家裡是媽咪的小幫手，等著取悅和幫忙妳；最好的狀況下，他是父親的翻版，否則他會熱切尋求有利的男性角色模範。他有忠誠度，一輩子都跟一小群「哥兒們」往來密切。許多同伴尊敬摩羯座，他認真看待這份責任。對這個孩子來說，作為正直、有榮譽感的人很重要。他說話言出必行！

摩羯座孩子喜歡安靜玩耍、畫畫、用樂高蓋房子，而且不太說話，但別誤以為他沒有幽默感。雖然他看來無可救藥地堅忍克己，但他其實言語充滿機智，能精準模仿別人或讓人發出笑聲。一個媽媽說：「我的青春期女兒常常大吼大叫，摩羯座兒子就安靜地坐在角落滑手機。我以為他根本沒在管外在一切，直到他抬起頭，翻了白眼，用逗趣的方式重複她說過的話，我們所有人，包括我女兒都大笑起來，之後整個氣氛都變了！」摩羯座有時可能太認真看待自己的目標和他自己，但是當他看到別人緊張生氣時，他突然能看到重點。事實上，摩羯座會成為朋友和手足尋求建議的對象，他幫他們歸結問題，放鬆心情（要是他也能為自己這麼做就好了……）。

由於摩羯座掌管的部位是牙齒、下巴和骨頭結構，所有這星座的男孩看起來像是從漫威直接走出來的人：有下巴縫、下顎線稜角分明及超級英雄般的微笑，只要露出珍珠般的牙齒就能讓妳招架不住！如艾維斯．普里斯萊（Elvis Presley）、丹佐．華盛頓（Denzel Washington）和布萊德利．庫柏（Bradley Cooper），有堅毅、古典俊俏的五官；也可能身材高大、臉孔瘦長、嚴肅；也可能有厚睫毛和奶油色皮膚，就像森林小仙子般。想像半人半羊的森林之神潘吹著笛子，就是那樣的形象。

說到半人半羊，在神話故事裡這些小山羊喜歡狂飲作樂，摩羯座男孩可能會從自我否認變成純粹的享樂主義者。雖然摩羯座是由限制和壓抑的行星土星守護，但作為土象星座，摩羯座也會受到身體和物質慾望的誘惑而喜歡俗世樂趣，會想要賺錢買部好車或自行車，建議妳可以藏些保險套，讓他偷偷發現。

對摩羯座來說，從男孩變成男人這史詩般的英雄旅程是重要的事，要離開舒適圈面對未知、面對挑戰、誘惑和障礙來找到自己的本性。事實上，男人的運動——男性集結一起「在山頂打鼓」聲張男性氣概是由摩羯座的羅伯特・布萊（Robert Bly）開創。布萊認為現代世界讓男性「變得女性化」，於是他提倡這個運動作為回應。

妳的孩子可能從小就想嘗試他似乎不在行的事，而且通常會堅持到他做得正確為止，無論嘗試多少次！他的座右銘可能是「退縮者永無勝利，勝利者永不退縮」。英雄旅程是面對障礙也要堅持完成的——這就是摩羯座會做的事。

摩羯座男孩會煽動麻煩，但維持自己清白。他的「瘋狂」朋友行動時，他會扮演興味十足的旁觀者，在《醉後大丈夫》（The Hangover）裡，布萊德利・庫柏的角色就是他本人星座特質的體現。他扮演一位伴郎，幾乎是每齣鬧劇的中心。事實上，摩羯座經常因醜聞而使名譽毀於一旦，例如水門事件的尼克森（Richard Nixon）、情婦成群的老虎伍茲（Tiger Woods）及酒醉後咆哮失控的梅爾・吉伯遜（Mel Gibson）。爭吵！當摩羯座受到自己的傳統和沉重責任束縛時，這些都是可能發生的極端狀態。

摩羯座一部分渴望打破他的「好人」角色，如作家瑪格麗特・米契爾（Margaret Mitchell）所言：「除非失去名聲，否則你從不會知道這是多大的重擔。」嗯，當摩羯座解放自己時（即使是透過惹麻煩），妳可要當心了！從瓶子放出來的精靈可塞不回去。大衛・鮑伊（David Bowie）、瑪麗蓮・曼森（Marilyn Manson）就是解放後摩羯座會有的樣子。

妳的一大任務是幫助摩羯座兒子放鬆。即使他是高材生或體育健將，偶爾也要給他當孩子的自由。他可能非常有藝術、音樂天分和想像力，請給他玩耍、展現才華和享受人生的空間。不過妳要知道，男孩最終渴望自給自足。他可能會比朋友更早就在暑假開始打工，或者找到自己賺零用錢的方式。

事實上，讓摩羯座協助做家務是很棒的事。摩羯座是十二星座的「供給者」，樂於對家務有所貢獻。如果沒有一些責任在身，或不是自己掙得的，他可能覺得自己沒有資格享有權利。溺愛摩羯座對他和妳都會帶來危害，如果妳凡事都為他做了，他就無法發展出自給自足的能力，也就成不了出色的供給者。他作為三個穩定的土象星座之一，可能會變得有些懶惰，除非給予他值得的挑戰及催促他提高生產力。因此，在他犯下一些錯誤時，親親他、原諒他，但不要接受所有過錯。請教導他真正的男子漢會哭泣，但不會發牢騷，接著送他走上少年版本的英雄旅程。

✶摩羯座女孩

收起芭蕾舞裙，如果妳夢想在這個可愛小女孩身上放蝴蝶結和亮片，還是給自己買隻茶杯型約克夏吧！摩羯座是代表男性氣概的星座，不會有嬌滴滴女孩樣。她忠實、有抱負、強悍，是妳一直想要的兒子……只是漂亮一點。

即使是女性化的摩羯座，比起公主，反而更像個女爵。她喜歡派頭勝過浮華（不妨看看摩羯座米雪兒・歐巴馬（Michelle Obama）和英國凱特王妃（Duchess Kate））。摩羯座是象徵世故的星座，女孩們從小就有出色品味，如摩羯座凱特・摩絲（Kate Moss）、席安娜・米勒（Sienna Miller）和克莉絲蒂・杜靈頓（Christy Turlington），有清新、簡樸的優雅氣質。對於十二星座中的極簡主義者來說，保持自然就可以，像辣妹合唱團裡的運動辣妹媚兒喜（Melanie Chisholm），她可能更喜歡穿隊服而不是便服！

摩羯座是代表成就和地位的星座。由於在公寓和運動場上都有由女孩主宰的潛規則，所以摩羯座女孩可能擁有更多的異性朋友而非同性。這個女孩可能遵照摩羯座喜劇演員史蒂夫・哈維（Steve Harvey）的話：「像女人一樣行動，像男人一樣思考。」她不怕公開競爭或表現自己的長處。摩羯座不會討人厭地自吹自擂，但如果是她應得的榮譽，她會收下。為什麼不呢？謙虛就太過含蓄了，她可是非常努力才爭取到自己應得的。

摩羯座的韌性是優點，但妳要確保這個女孩也懂享樂。她可能看似無憂無慮，事實上她很愛操心，把整個世界的重擔扛在肩上；她可能也是完美主義者，毫不留情地鞭策自己，對自己非常嚴厲。她對家族忠心，閒暇時會跟父母或其他大人一起，而不是和同伴玩耍。她可能打從心底無法跟同齡孩子建立交情。摩羯座在年輕時老成，但年紀大了就有童心，如八十多歲的貝蒂・懷特（Betty White）和厄莎・凱特（Eartha Kitt）依然神采奕奕。

當心冬季風暴！妳的女兒可能有時比較安靜，但她有強大意志力和決心，當她透過冷酷靜默或大吼溝通時，妳會感受到她的強大本性。這也是她在十二月、一月誕生的緣故，那時地面凍結、樹木光禿，讓摩羯座有更強大的求生本能，精神充沛是好事，但也可能是盛氣凌人。妳有時候需要後退，確立自己有能力作為權威人物的形象；懦弱和優柔寡斷的雙親必須改善自己的表現，女孩需要媽媽成為強大的女性角色模範，否則她會轉為試圖操控一切的人。

雖然摩羯座女孩會把許多事悶在心裡，可一旦她開口，聲音可能會很大；請準備好面對衝擊。她可能是個多話女孩，公開演講和音樂會是摩羯座女孩的表演舞台如鄉村音樂女王桃莉・芭頓（Dolly Parton）、迪斯可女王唐娜・桑莫（Donna Summer）和嘻哈靈魂女王瑪麗・布萊姬（Mary J. Blige）。

摩羯座女孩懂得掌握最佳時機，把自己的強烈意見變成喜劇；她可能是幽默大師，以堅決的撲克臉說出最有力的反駁，有趣的摩羯座名單可是無止盡，如克莉絲汀・艾力（Kirstie Alley）、柔伊・黛絲香奈（Zooey Deschanel）、黛安・基頓（Diane Keaton）和茱莉・路易絲・卓佛（Julia Louis-Dreyfus）。巧合的是，黛絲香奈和路易絲・卓佛都演過被允許加入男孩俱樂部的孤單女生（《俏妞報導》（The New Girl）和《歡樂單身派對》（Seinfeld））。就說藝術模仿生活——起碼對這個星座是如此！

另外，摩羯座女孩可能需要接受一些點感受力訓練，即使她從未真正接受女性化或穿過有花邊風格的衣服，她可能能接受對其他人和自己柔軟一些。提醒她，歲月很長，但日子很短，人生不只是關於得到一生成就的獎賞，請順其自然，不要對未來憂慮，即使她已在為明日做計畫。

✶行為解碼：摩羯座孩子

摩羯座有這種行為時	這代表……	妳應該這麼做
哭泣	敏感的摩羯座小時候可能很愛哭，很容易不開心或被嚇到。 如果已經超過四歲，可能有事情不對勁，因為他們不太會將情緒表現出來。	給他身體上的撫慰，如安慰的擁抱或用手摸他的背平撫苦惱；也可能是身體不舒服，檢查一下看是否有擦傷、撞傷。 讓他坐下來，找出令他煩心的事，妳可能需要時間挖掘一下。
在社交上退縮、沉默或喜怒無常	沒什麼。摩羯座感覺不自在可能就會不太說話；他也可能只是在查看狀況。	不要管他。他有事情時，自然會說！
搗亂（打、踢、回嘴）	自我防衛……或是報復！ 摩羯座是代表身體的星座，他可能沒有認知到自己的力氣。	讓摩羯座暫停一下，堅決地講解規矩，不需要誇大說明，只要說：「不准打人」。如果這樣的行為持續的話，請增加他體能活動的時間。他可能累積一些壓抑的精力需要釋放。教練，請為這個孩子準備一件制服！
變得黏人	社交焦慮？摩羯座可能很慢才會對新結識的人或新環境感到自在；如果他給自己太多壓力，恐懼可能也是主因。	慢慢來！將嚇人的任務或情況分散為多個小行動。對他而言，千里路始於一小步。
不吃妳給的東西	摩羯座不餓（對，他說不餓通常就是字面上的意義，不用想太多。）	別浪費，別逼他吃。給較少的份量，如果還餓，他會要求再添一份。
坐不住	他正在構思一個計畫！這個目標導向的孩子把目光放在重要計畫時，會興奮激動。 太多的親密。摩羯座孩子要是有太多一對一接觸會變得彆扭及焦躁不安。	給他力量去追求夢想；給他工具，像是樂高、藝術用品等任何所需的基本用具。 讓他動一動，分散能量；或是介入，稍微打破僵局，讓他自在一點。

✶摩羯座的社交屬性

家庭裡的角色

酷似父母？自豪的摩羯座孩子想追隨妳或他所尊敬的親戚的腳步，即使他穿的是不同尺寸（以及風格）的鞋子。摩羯座為家族帶來傳承、掌管歷史，是家族譜系裡最強壯的分支；可能會繼承家業，驕傲地守護祖先珍視的傳統。他性格堅定平靜，是家裡的靠山，即使摯愛的人四分五裂，也會保持堅定。摩羯座的父母必須確保這些孩子有貨真價實的童年生活！摩羯座作為每個人的依靠，小小肩膀上可能扛著沉重負擔，請幫助他放輕鬆減輕負荷，避免扛起大人的問題，也要避免對他吐露太多內心話，即使他可能表現得很睿智。妳可能需要堅定地說：「我處理好了」或「我正在處理」，以行動表現妳的認真。另外，請確保玩樂時間就是玩樂，因為他可能把一局大富翁或鬼抓人遊戲變成自我批評的機會。

朋友和同儕

視對方為永遠的朋友，摩羯座對朋友的忠誠度極高，為了找到一生最好的朋友，挑三揀四，重質不重量。摩羯座可能只跟一兩個好友親近，多年都和他們密切來往。排他的摩羯座不會讓任何人進入他專屬的小圈子，甚至按照「是否有名望」來挑選朋友，一旦被認定有資格加入，俱樂部會員資格永遠不會過期：跟摩羯座當朋友是一輩子的事！

摩羯座本質上是簡約主義者，可能有著僧侶的特質。他享受獨處時光，可能會自己玩上好幾小時，創作、策劃及思考事物如何運作。這星座鮮少覺得無聊，他總是忙著追逐目標和擬定計畫。小摩羯可能還在讀小學時就是創業家，任命他可靠的死黨為銷售行銷經理；摩羯座的朋友應該準備好適應他的計畫——然後自己給出幾個冒險點子。他變得太認真或有煩惱時，需要朋友拉他一把，脫離自己的思維，為他帶來歡笑與放鬆。

誰是爸爸呢？摩羯座是十二星座的「父性」星座，有時候可能在同儕朋友間扮演父親角色；就像童子軍團長，確保每個人的安全和準備就緒，他甚至會給朋友核心的忠告或教導他們校園生存技巧，幫助對方變得堅強。我們認識的一位摩羯座跟他的媽媽分享一個「天啟領悟」，說到霸凌也許不是那麼糟的事，畢竟它能迫使孩子培養堅毅，並站出來為自己發聲。「為達目的不擇手段」的策略相當符合摩羯座的性格。妳可能需要提醒這些孩子嚴厲的愛與粗暴間的差異，請他保有一點同理心。

兄弟姊妹：摩羯座在其中的角色

血濃於水，摩羯座非常重視家庭關係，是忠誠、死心塌地的手足，經常站出來當父母的幫手——無論妳是否要求他這麼做。他天生具有保護欲，他會照顧兄弟姊妹，必要時強迫他遵守規矩。他有時會有點霸道，嚴厲地對手足下命令和指示（小教官，別那麼強硬！）

有個手足把事情戲劇化？摩羯座會後退，讓他享有舞台。摩羯座不熱衷爭取注意力，但最後他會成為家裡的「英雄」或寵兒，手足則會成為問題孩子。如果摩羯座感受到任何手足間的敵對，通常不會是他刻意挑起，可能是手足嫉妒他，尤其當他可能無意識地為自己設定高標準，科科拿一百、選上運動代表隊或者就是個順從的「好」孩子——手足必須努力才追得上時。摩羯座的父母應該留心不要把他跟兄弟姊妹做比較，即使妳內心希望其他孩子可以稍微跟他一樣。

✶教養你的摩羯座孩子：進階篇

摩羯座是擁有規矩和權威特質的星座，他們渴望有條有理、清晰的界線及合情合理的方針，只要這些條件就緒，他會相當自律及行為良好。摩羯座需要強而有力的領導者，可以強悍到引領他，當小山羊想自己做主或挑戰妳的權威時，他需要看到妳的力量，因此不要顯露恐懼！

要記得力量與脅迫截然不同。摩羯座從一公里外就能聞到。在他面前，強權不見得決定是非。如果妳用鐵腕或發脾氣，等著吧，他一定會模仿，或對你失去尊敬。他能敏銳地覺察到階級關係，參考上頭的做法。用甘地的名言來說「成為你想要看見的改變」，妳想要孩子怎麼做，就要以身作則。維持妳的尊嚴、一致性和自尊。當他測試妳的底線時，妳大可以說：「我說了算。」

教養摩羯座，就把溺愛和自由放養擱在一旁。如果妳的管教風格是「孩子主導」，最好簡化到擬定基本底線。在動物世界，山羊會以衝突決定領袖，如果妳不扮演那樣的角色，摩羯座會掌控妳，這會出大問題，摩羯座的反叛往往是由於領導者表現不佳或父母縱容。妳也許對某件事太過歇斯底里，這反而會激起他的好奇心（「嗯，如果媽媽對這件事這麼困擾，我得看看她為什麼大驚小怪的！」）面對摩羯座，妳越抗拒，這件事越會持續下去。

感到懷疑時就提高標準。摩羯座是黃道十二星座裡的「英雄」，他會努力追求卓越。這些孩子需要值得的任務才不會惹麻煩；想要遵循盡可能的高標，代表妳相信他的能力。聽來可能冷酷，不過讓這些孩子試一試新兵訓練營高規格的鍛鍊會有好處。不是有錯就懲罰，而是給予他渴望的條理結構和紀律。孩子，趴下去再做二十個伏地挺身！

✶處理過渡期：搬家、離婚、死亡和其他難題

摩羯座作為黃道十二星座裡的歷史學家，會懷舊且深深依戀過去。他可能對發生在現在的事不太感興趣，但一旦一位朋友、摯愛的人或一段經驗進入他的時光檔案，他會為這段關係增添感情的光輝。摩羯座作為根植於地的星座，對任何變化適應得都不算快。離開童年的家，可能讓他暫時感受不到在世界上的位置；雙親離婚時，也沒辦法很好地放下。為他著想，任何改變應該盡可能漸進、溫和地發生。

苦行主義的摩羯座即使遇到艱難也會保持沉著，要他流露感情就好比要從石頭裡汲出水來。他可能只是變得安靜、憂鬱，陷入沉思當中。摩羯座普遍都有憂鬱感，即使當他笑著或開玩笑的時候。

✶上學期間

最好的教育風格

摩羯座可能是學業表現的「全明星」候選人，也可能是「不用功」的孩子。他會努力科科拿一百分還是表現一落千丈，通常取決於幾個因素。目標導向的摩羯座需要接受比例適當的挑戰，他喜歡漸進式地培養技能，課程得逐漸變難，但不能困難到讓摩羯座落後。他有耐性和毅力，需要時間確實掌握每個步驟，再進入到下一個階段。

妳是嚮往讓孩子接受另類教育的家長嗎？比如把孩子送到重視人本教育和非競爭為宗旨的私立學校？那麼妳可能得再生一個孩子。講求結構、有條理的摩羯座，在開放式教室環境裡很難奮發成長。他需要清晰的指示、規劃良好的作業，還有競爭。摩羯座作為追求地位與榮譽特質的星座，喜歡獎章、獎盃和閃亮的金

星星；公立學校或更傳統的私立學校，更適合這個按部就班的星座，另外，可以再透過課外活動來保持他的開創精神。

摩羯座多半是有系統的思考者，擅長科學、數學和音樂，也喜歡歷史（特別是以策略和機智獲勝的史詩級戰役），由於摩羯座主掌統治，所以可能也喜歡公民學或是運作學生會。這星座的領導特質可以透過責任制的職位來培養，像是隊長、班級總務、科學研究社社長或是樂團的負責人等。

妳的摩羯座孩子是優秀學生？明星運動員？還是人氣超旺？恭喜……但在此有個警告：鼓勵摩羯座追求志向是好事，但確保他有時也需要玩耍和放鬆。這些高成就者很輕易就承擔太多責任，使得生活和上學成為負擔，可能會把批評往心裡去，因為他對自己很嚴厲。偶爾拿個低分不是世界末日，但摩羯座可能就是這麼覺得。試著讓孩子放鬆，看重全局，制止他過分憂心，提醒他每件事都會順利完成。

✶最好的嗜好和活動

對許多摩羯座來說，工作和玩耍可以互換。這個星座素有生產力，喜歡感覺自己真正在做某件事。即使是用樂高蓋著房子，或修補一件小裝置讓它運作得更好。摩羯座掌管黃道第十宮事業宮，為這個孩子買一套化學實驗玩具、一台兒童使用的顯微鏡、或扮演醫生的玩具，妳可能為這孩子播下未來事業的種子！

運動神經發達的摩羯座可能具有遠距離運動需要的持久力，比如越野賽跑、足球及游泳。無論他的身材是矮壯或纖瘦，都無比強壯、敏捷靈巧。戴上拳擊手套吧！重量級拳王阿里（Muhammad Ali）及他那位成為職業拳擊手的女兒萊拉（Laila）都是摩羯座。優雅的摩羯座可以是有天分的體操運動員，如奧運金牌得主加比・道格拉斯（Gabby Douglas）和莎恩・強森（Shawn Johnson）；他們也可能有音樂才華，無論演奏或欣賞音樂，可能會挑選出大量喜愛歌曲，涵蓋各種音樂類型，他很快就會存零用錢買ＤＪ設備。

到亞瑟王和圓桌武士手下當見習騎士？摩羯座由守時的土星守護，一些摩羯似乎對某個歷史時代著迷，特別是中古時期。練習擊劍、玩角色扮演遊戲、參觀文藝復興風格市集、玩《龍與地下城》桌遊；妳的「小見習騎士」或「小淑女」可能喜歡時光旅行，準備好你們會花很多時間逛博物館，或存錢來趟歐洲旅行，親眼欣賞過去的歷史遺跡。

摩羯座工作勤奮，休息也「勤奮」。在休息時間，這些孩子喜歡睡到中午、在電視前當沙發馬鈴薯、或一整天跟家人玩遊戲。一天即將結束時，他喜歡跟幾個摯愛的人待在一起——什麼也不做！

✶禮物指南：摩羯座最好的禮物

- 他喜歡的精品品牌衣服或配件（摩羯座會為了虛榮追求名牌）。
- 戶外運動設備，特別是針對崎嶇地形的，如健行靴、攀岩裝備、登山車、滑雪板。
- 音樂、樂器或ＤＪ設備，他們天生有節奏感和豐富的歌唱技巧。
- 他支持的運動隊伍冠軍賽門票。
- 手織毛衣或喀什米爾毛衣，他日常能穿的舒適衣服。

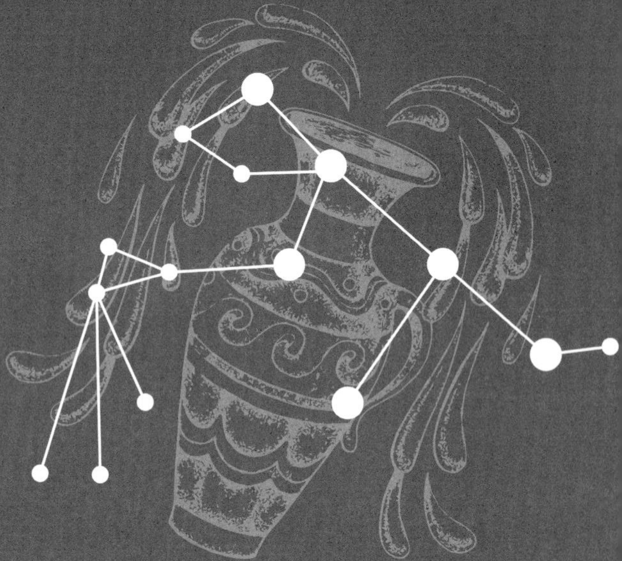

水瓶座孩子

（1月20日~2月18日）

符號：水瓶
守護星：天王星、土星
元素：風象
身體部位：小腿、腳踝
誕生石：紫水晶
顏色：紫色、靛青色
優點：有趣、隨和、有獨創性、開明
缺點：焦慮、不可預測、叛逆、有破壞性

喜歡：
不畏做自己的思想自由者
團體活動：派對、運動比賽、音樂節、演唱會
最新的裝備、攝影機和科技類玩具
科幻小說和未來話題
好朋友的陪伴
心血來潮就
陽光和戶外活動：跑步、騎單車、
在沙灘上漫步

不喜歡：
不公不義和心胸狹隘
獨自一人太長時間
安靜坐著不動
被人「需要」或太依賴其他人
規則和限制
寒冷、陰沉的氣候
多愁善感和沉緬於過去

妳想要一個**水瓶座**孩子嗎？

水瓶座孩子的目標受孕日：4 月 25 日～ 5 月 15 日

過去和現在的水瓶座名人——

賈斯汀・提姆布萊克、克莉絲汀娜・里奇、米娜・蘇瓦利、瑞秋・闊爾、艾瑪・羅伯茨、塔提亞娜・艾力、莎拉・吉伯特、馬修・勞倫斯、碧佛莉・米契、伊莉亞・伍德、芭比・布朗、蒂凡妮・西森、茉莉・林沃德、瑪麗・盧・雷頓、加利・高文、艾瑞兒・溫特、尼克・卡特、麗莎・瑪麗・普里斯

✶教養妳的水瓶座孩子：基礎篇

歡迎你，波希米亞寶寶！妳的小水瓶的特質讓他有別於大眾；一種輕盈、一種火花、一種獨特光采——妳就是感覺到他的與眾不同。由不順從、無法預測的行星天王星守護，水瓶座可能是妳周圍最獨特的人。

雖然面帶稚氣的水瓶座可能看來像個鄰家女孩或男孩，但別搞錯了，作為喜愛製造驚喜的星座，他們可以非常前衛。當妳以為水瓶座沒個性時，他會冒出古怪的話語或行為，這才意識到他來自另一個世界（《愛麗絲夢遊世界》的作者路易斯・卡羅（Lewis Carroll））就是水瓶座，要不要跳進兔子洞呢？）

水瓶座是代表未來的星座，不喜歡沉緬於過去，認為新的一天充滿這麼多可能性，為什麼要回顧過去呢？這些小小的烏托邦公民，非常有革新精神，也講求公平，許多社會運動人士都是水瓶座，例如羅莎．帕克斯（Rosa Parks）、小野洋子、蘇珊．安東尼（Susan B. Anthony）及歐普拉．溫芙蕾（不過，別讓愛好科幻小說的水瓶座掉入陰謀論，他很容易就陷入邊緣領域）。水瓶座作為重視團隊合作和友誼的星座，總把所有人的需要放在第一位。他可能把最喜愛的玩具和穿不下的衣服留給弟妹；在遊戲場上即使自己等了很久，也可能會禮讓給陌生孩子先玩溜滑梯。這些熱心的孩子想拯救每隻流浪動物，治癒生病的小孩，消滅不公不義。他的心總在正確的地方，即使天知道他腦袋在哪裡！

水瓶座是天生流浪者，喜歡四處遊蕩，在每個港口結識朋友，能跟大眾打交道，也能跟怪胎、怪咖往來。上一秒，他是按照自己的節奏、無拘無束的人；下一秒，他跟著大家一起行動。身為有智慧的風象星座，能透過庸俗情感和過往經驗看穿一切。比如，當他說從不相信有聖誕老人或牙仙子存在時，別感到驚訝。

水瓶座還喜歡惡作劇，會竭盡全力逗人發笑。他的有趣發言、嘲諷反駁、機敏玩笑（想想水瓶座艾希頓．庫奇（Ashton Kutcher）和克里斯．洛克（Chris Rock）），他掌控喜劇時機的能力是一流的，雖然有點壞心眼。不過，水瓶座通常認為「帶給人痛苦卻有所助益」，而非故意不針對失敗者。他喜歡戳破那些傲慢的人的謊言，挫一下對方的威風。利他主義的水瓶座在此提醒所有人，我們都是人類！

這些孩子關注平等的立場有時讓他不願求取注目，雖然成為眾人焦點通常是誘人的事。魅力十足的水瓶座擅長運動、舞蹈、演戲——或天生就有雅致的長相。他可能得和同儕的忌妒心對抗，這是身為這個星座一生摯友絕不想有的事。其他的水瓶座會讓古怪顯得酷炫，即使他把頭髮染成藍綠色、在小學四年級改名或者養鬍鬚龍當寵物。水瓶座設法融入大家的同時又會突顯自己——這本事不簡單！

水瓶座看來自信滿滿，但也可能沒安全感、焦慮不安。水瓶座是感情疏離的星座，不會停留在感受裡太久，以致於無法處理擾人的情緒。他對沉重情緒感到不自在，會將嚴肅藝術轉為笑話，或給人僵硬、古怪的擁抱。不過，只要一點點刺激，他可能突然嚎啕大哭。儘管表面冷靜，緊張的身體語言會透露一切：不安的抽搐、痙攣、飄忽的眼神。他在掩藏什麼或試著保持冷靜？

要找出他行為的線索，就研究這星座的象徵——拿著一瓶水（情緒）的人。水瓶孩子就像星座符號，將情緒噴泉藏在內部。他可能微笑地說：「我很好」，但把一切悶在心裡；接著水瓶的情緒滿到邊緣，溢出後開始哭泣、發脾氣，變成熾烈憤怒。水瓶座的爆發看似突如其來，但他的情緒船隻早已滿載。（快建一艘方舟，即使是平靜的水，一下子噴湧而出也可能造成巨大傷害。）

父母可以幫忙鼓勵他說出感覺，或在他太壓抑時好好釋放情緒（瑜伽、戶外運動、引人落淚的電影）。這樣一來，他可以「倒空水瓶」，在壓抑情緒累積到爆發前，將情緒釋放出來。把這當成為他未來（及妳未來）的「洪水保險」。那麼，妳就能帶著這位有趣、迷人孩子到岸邊衝浪。

✶水瓶座：應對挑戰

規矩和權威

跟上人群！水瓶座是十二星座的反抗者代表，以對抗權力與發起革命聞名。換句話說，他就是個搗蛋鬼；妳多快訂立規則，這孩子就多快擊破它。他平常其實相當配合、好相處，不過當他覺得自己的權益被侵占時，就是另一回事了。性格堅定的他，會正面對抗任何強迫立定規則的人（水瓶座的亞伯拉罕．林肯（Abraham Lincoln）簽下《解放奴隸宣言》（Emancipation Proclamation），使美國大多數的奴隸獲得自由。）水瓶座孩子講求公平性，不過這有時會有點棘手，因為某些程度的階級制度有其必要，請盡量還是與他平等對話。

水瓶座是代表群體的星座，容易受到同儕壓力的影響。一位調皮的朋友可能會讓他陷入麻煩，說服他打破規則或做一些他不應該做的事。因此，當孩子與「優秀」的朋友相處時，請給予更多的關照，因為他們會帶來更積極正面的影響。作為天生喜劇演員、風趣的小淘氣，水瓶座也會因模仿大人物而陷入麻煩，而且通常他能將對方的個性模仿得很到位——他不是未來的表演藝術之星，就是得留校察看的人物。

限制

對無拘無束的水瓶座來說，限制變得能夠討論。伴隨著他能言善道的說話方式及友善態度，他確實能夠使大部分的規則按照他的方式進行。此外，好奇心通常是造成他脫軌行為的罪魁禍首。(「我知道微波爐是用來加熱食物的，但我就是好奇如果把玩具放進去的話……」)一位水瓶座學步兒的媽媽被叫到房間，在那裡她發現女兒在腳上塗了刮鬍膏，拿著剃刀，「媽媽，妳看，我要來刮腳！」請隨時密切關注這個小小瘋狂科學家。水瓶座是理性的風象星座，代表這個孩子天生會在想像與思考中迷失方向，容易分心的問題使他忘記安全的重要性；妳有一陣子可能需要在咖啡桌角上裝上緩衝墊，在插座裝上插座蓋。請讓他在安全的區域內探索，加安全墊的遊樂間或充滿許多刺激性活動與玩具的攀岩館——以及有許多成人看管的場所。讓孩子參與組織性的運動能培養他的紀律和專注力，同時也能減少他容易恍惚的傾向。

分離和獨立

誰是媽媽？善於社交的水瓶座是象徵友誼的星座，他喜歡和妳一起出門玩，但跟密友、表堂兄弟姊妹、姑姑阿姨、叔叔舅舅一起玩他同樣也心滿意足。

弟弟妹妹

越多越開心！水瓶座孩子對弟妹而言是很好的老師、指導者。他不是善妒的類型，會成為弟妹一輩子的好朋友，開心地和弟妹共用房間、玩具、衣服及自己朋友的關注。他可能非常有保護欲，喜歡付出，甚至把弟妹的需要置於自己之前。

哥哥姊姊

無論排行老幾，水瓶座孩子只想當手足的最好朋友。雖然他渴望同伴關係與友誼，但他的出現，可能讓感覺地位被取代的哥哥姊姊心生嫉妒。所幸，他不會因此受影響，通常會戰勝綠眼睛的嫉妒怪獸。要記住水瓶座是注重個體的星座，因此別把他跟其他手足比較，或期待他會跟別人走一樣的路，因為他不會。問他「為什麼你不能像哥哥／姊姊一樣」時，只會激起根本不存在的比較心態。

寶寶，掰掰：斷奶和如廁訓練

隨和的水瓶座是象徵疏離的星座，他們不介意放手任何事。不過，一些水瓶座孩子會與焦慮奮戰，因此確保妳是讓他在放鬆、壓力少的環境下受訓練。他某天可能就突然斷奶或不再穿尿布。喜歡樂趣的水瓶座對妳安排的任何遊戲都反應良好，甚至是幼稚園或托兒所的團體如廁訓練。由於同儕會對水瓶座發揮強大影響力，如果朋友炫耀自己已經穿上大男孩或大女孩褲子，他會欽佩羨慕，也會想快點穿這樣的褲子！

性觀念

這可尷尬了，沉重的責任話題和情緒會使孩子不自在（當妳說明孩子怎麼出生，誰會比他更彆扭不安？）這個星座以「廁所幽默」著稱，會以任何敏感的話題開玩笑；但他也非常理性，忠於事實，別用糖衣掩蓋任何資訊。如果妳把性說成卿卿我我，或想用送子鳥的虛假故事打發他，他可無法接受。

學習：學校、作業和老師

學校是水瓶座的社交中心，他在那裡很快會找到並組成自己的圈子。他可能是受歡迎的運動員，在學生會或「返校國王王后選舉」占有一席之地；或可能是投入課後棋社或儀樂隊的怪咖。許多水瓶座都有A型性格的一面，分數和目標會激起他的動力；另一些水瓶座則需要提醒他，上學是為了學習，而不是社交。（可以觀看水瓶座約翰．貝魯西（John Belushi）在《動物屋》（National Lampoon's Animal House）裡扮演一位非常水瓶座的角色，妳會從那得到警惕。）

家庭衝突

我們就不能好好相處嗎？具有團隊精神的水瓶座厭惡衝突，特別是家裡紛爭。親戚爭吵時，他會說笑話試著緩和氣氛，如果行不通，他會逃回房間，避免面對戲劇性場面。只有在事情不公平時，他才會樂於發揮天生的外交手腕來居中調停。此外，水瓶座可能是故意煽動的人，惡作劇、打破規則或以無禮的發言挑起爭端。他陷入驚恐時，言語甚至會變得尖刻殘忍，這樣做是為了把不想處理的情緒具體化。趕快閃避為妙，以免妳成為他發洩憤怒的對象。

✶水瓶座男孩

安可！安可！有趣、獨一無二的水瓶座男孩能讓每個人露出微笑。這孩子以他古怪的洞見、驚人惡作劇及獨特觀點，不費吹灰之力就讓妳失去控制，當然，他通常是努力在逗人發笑，如水瓶座克里斯・洛克（Chris Rock）、比爾・馬厄（Bill Maher）以及《辛普森家庭》（Simpsons）的創始人馬特・格朗寧（Matt Groening），其機智背後藏著理性—他們是天生的文化評論家，嘲笑世界，也跟全世界一起笑。（警告：儘管水瓶座可能會嘲諷自己，但取笑他的任何事都會惹他發怒。說比接受容易？）

討人喜歡、臉孔稚氣的水瓶座男孩匯集憂鬱「壞男孩」（參考水瓶座的詹姆斯・迪恩（James Dean））和無害的鄰家男孩特質：豪爽、淘氣，所有女孩都為這位迷人男孩神魂顛倒，就連同性也喜歡他（我們認識的一位水瓶座男孩讀中學時綽號叫「市長」）。水瓶座是代表團隊合作的星座，他可能是死黨、兄弟的社交主管，大家仰賴他擬定計畫和冒險；也是任何團體的明星成員，無論參加數學社還是運作學生會，或者像水瓶座的「空中傳奇」麥可・喬丹（Michael Jordan）一樣灌籃。

水瓶座男孩以他具感染力的魅力，頑皮又不帶威脅，也許這是為什麼許多明星男子團體都有水瓶座明星：超級男孩（N'Sync）的賈斯汀・提姆布萊克（Justin Timberlake）、新好男孩（Backstreet Boys）的尼克・卡特（Nick Carter）、新版本合唱團（New Edition）的巴比・布朗（Bobby Brown）、一世代（One Direction）的哈利・史泰爾斯（Harry Styles），槍與玫瑰合唱團（Guns N' Roses）的埃克索爾・羅斯（Axl Rose）。任何一位成長於《火爆浪子》（Grease）時代的女孩在房間牆上可能都貼著約翰・屈伏塔（John Travolta）那張「身著凸顯肌肉黑色T恤」的經典海報。

當然，水瓶座男孩可能是最後一個意識到自己魅力的人。作為知性的風象星座，他經常沉浸於自己的思緒裡，想些新點子和計畫。專注在未來的水瓶座是十二星座裡的瘋狂科學家和科技統領者，通常手持最新的科技產品，自行修筆電或把電腦變成實驗室（發明電燈泡的愛迪生就是水瓶座）；也可能對電腦程式設計、電玩遊戲和科幻小說，甚至是政府陰謀論和外星人故事極感興趣。事實上，他本人徹頭徹尾就是外星來的異形，包括那古怪、機器人般的動作。他可能不是露骨地表達感情的類型（抱歉了，媽咪），但會確保周圍的人都開心來表達自己的愛。

他可能冷酷、理智，對某些議題鄙夷不屑，但對當下著迷的事可以非常激動、熱衷；可能像水一樣到處悠遊，但作為風象星座，他對一個嗜好的注意力能跟風一樣容易改變，因為他任何事都只嘗試一次。此外，妳可能也需要盯著他來往的朋友，他的朋友對他具有強烈的影響力，同儕壓力從早年就會開始。他可能是惡作劇的發起者，唆使同伴製造麻煩；追求緊張刺激會讓他走上歧路。別完全讓他脫離掌控，即使妳得用較長的繩子繫住他。

不是說他就想破壞東西，而是他容易感到無聊、渴望娛樂。我們的朋友大衛打了一副學校的萬能鑰匙。他是個酷愛劇場的怪咖，他和朋友會偷溜進去，爬到鐘樓，確保「學校戲劇的照明和燈光是完美的」。這個頑皮星座的男孩會循著規則鑽研看看自己能怎樣逍遙法外，很幸運，他從未被逮到。

要讓兒子免於麻煩，就要確保他時時有事可投入，讓他保持忙碌。這個男孩無法不送托兒所只由保母來帶，他需要跟同輩相處，而且越快越好；運動、儀隊、學生會、學術性社團，任何能讓他展現獨立自我、讓動個不停的腦子有所關注的地方對他都有好處。等他再長大一點，如果有良師指導會更好，由於未來對他很重要，有個傑出的角色模範幫助水瓶座，能確保他有光明未來。

✶水瓶座女孩

水瓶座，別恍神了！這個超凡脫俗的女孩是按自己的模型製造出來的。她外在可能是典型的鄰家女孩（珍妮佛．安妮斯頓（Jennifer Aniston）或丹妮斯．理查茲（Denise Richards）），但作為給人驚喜不斷的星座，她比表面看到的還複雜。隨和的水瓶座女孩不是最有女人味的那種，她可能瘦小、穿著古怪衣服或走運動風，但絕不是嬌貴的公主，即使戴著花冠或穿著芭蕾舞裙跑來跑去，她都帶有一絲男孩子氣。

水瓶座女孩甜美，但別把她的組成成分誤解為砂糖和辣粉，她更像是砂糖和冰。她寬大的心在乎人類苦難、被遺棄的動物和需要幫助的陌生人，但在一對一的往來時，這個風象星座有點冷酷。水瓶座作為代表社會公義和情感疏離的星座，可能有點像「女性機器人」；有趣、友善，但比起小事，她更關心自己對世界的理想。

如果妳想看見她真正的感受，別問她關於自己的事。對她來說，「有什麼新鮮事」是最糟的打破冷場的問話，甚至可能會製造冷場。她會回答：「呃，沒什麼事」然後低下頭，整個室內籠罩古怪、冰冷的沉默。再試一次：「妳最近在忙什麼」或「妳看過真正的科摩多巨蜥嗎？」從她未預期的問題開始，談論她最愛的動物，聽她大罵學校不公平的規定，或班級裡發生的不公平事件，這下就能得到她的注意。

由於她不喜歡聊天，可能會顯得冷淡或不投入。事實上，她的腦袋正在運作，她不是心不在焉，而是正在忙，因此不一定有時間和他人進行深入的談心，畢竟水瓶座是關注概念的星座，喜歡談論目標遠大的計畫，而不是最近的八卦。當然，她可能樂於嘲笑人類的醜惡——一旦變成搬弄是非，她就會收回爪子。

水瓶座是代表友誼和受歡迎的星座，芭黎絲．希爾頓（Paris Hilton）、莎拉．裴林（Sarah Palin）到歐普拉．溫芙瑞（Oprah Winfrey），按自己節奏的潮流創造者水瓶座，在二〇〇八年總統選舉期間，裴林時尚的高髮髻和眼鏡掀起模仿風潮；社交名媛希爾頓掀起「公主幫」狂熱；說起讀書俱樂部，不能不提到歐普拉。

許多流行金髮偶像都是水瓶座，《霹靂嬌娃》（Charlie's Angel）的法拉．佛西（Farrah Fawcett）、《脫線家族》（The Brady Bunch）的芙羅倫斯．亨德森（Florence Henderson）、《快樂農夫》（Green Acres）的莎莎．嘉寶（Zsa Zsa Gabor）。水瓶座女孩以她清新的面容，成為選美皇后和大眾明星如《命運之輪》（Wheel of Fortune）的主持人凡娜．懷特（Vanna White），但別誤會，她可不是傻妞。妳可以只想「買個母音」，但她會把所有字母都賣給妳，她運用自身魅力讓人解除武裝。

水瓶座陣營有許多社會運動人士和前衛思想家，如《女性的奧祕》（The Feminine Mystique）的作者貝蒂．傅瑞丹（Betty Friedan）、民權先鋒安吉拉．戴維斯（Angela Davis）及和平倡議者暨藝術家小野洋子。還有開創客觀哲學運動的艾恩．蘭德（Ayn rand），她鼓吹個人快樂與自由思考美德的哲學，非常具水瓶座特性。

水瓶座女孩會宣揚自己的大膽意見，也喜歡讓每個人都開心，有時會為了團體利益做得太過頭。在這狀況下，水瓶座是個矛盾體，她由解放者天王星掌管，但也是團隊合作的星座；既是抗議者也是討好者。她的群居天性使她持續尋找不適應者的「族群」以……融入其中，一次次順從可能包含完全排斥一位朋友或結黨，這個女孩會迷失在人群裡以便再次找到自我。在自由隨興的表面下，她可能有點控制欲，可能要和焦慮不安搏鬥，於是對自己非常嚴格。請嚴格照料水瓶座女孩，特別是邁入青春期後；身體的變化、荷爾蒙激增及起伏波動的情緒，可能讓這個通常冷靜鎮定的孩子恐懼焦慮。管理好她的壓力和身體形象，因為她可能有飲食失調的問題（嘗試控制自己發育的身體，以便感覺自己能掌控世界）。

雖然她需要努力做到自我接受，但找到一群包容、思想開明的朋友，能幫助她接受自己獨特的性格和觀點。她需要讓自己的古怪大旗以「切換鍵」模式飄揚（可以參考約翰．休斯（John Hughes）電影裡莫利．林沃德（Molly Ringwald）飾演的被迫留校察看的角色）。早早就上另類學校，接受嬉皮導師教導及投入社會議題（動物權利、瀕危的海洋、運作學生會）。如同溫斯頓・邱吉爾（Winston Churchill）所言：「我們靠所得來謀生，但靠給予來創造生活。」水瓶座女孩為一個主張奮鬥時，真正的精神才會閃閃發亮。鼓勵她對自己忠實。世界在等著她！

✶行為解碼：水瓶座孩子

水瓶座有這種行為時	這代表……	妳應該這麼做
哭泣	他感覺受到傷害或他在情緒化；雖然他有時會開玩笑或表現心平氣和，但水瓶座敏銳。作為象徵驚喜的星座，他的情緒閘門可能突然說開就開。	緩和妳嚴厲的愛——妳對他太嚴厲了。
在社交上退縮、沉默或喜怒無常	有事令他心煩，因為這個善於社交的星座絕少「斷線」。	平靜地觀察，問他怎麼回事。用不著大驚小怪或是惹他生氣，否則他會直接關機。
搗亂（打、踢、回嘴）	小心妳的脾氣。水瓶座的情緒可以來得跟閃電一樣快、不可預測，有破壞力。	罰站差不多是為這星座而設；給這風象星座幾分鐘，讓他發過脾氣後，冷靜下來。
變得黏人	他在社交上覺得不自在，使妳變成他主要的「朋友」；或他覺得自己要加入的那些人似乎跟他興趣不一樣，不「理解」他。	主動幫水瓶座打破僵局，讓他融入大家，減緩他的社交焦慮。
不吃妳給的東西	權力鬥爭——水瓶座只是自己找娛樂的小鬼頭。	最後下通牒的時刻。平和告訴他，若不想吃盤子裡的食物悉聽尊便，但他會失去特權。讓他自己決定要怎麼做。
坐不住	這只是水瓶座世界的日常——這個坐立不安的星座充滿神經質、活躍的能量。	讓水瓶座到戶外去消耗他們過剩的精力。找出他們在心裡醞釀已久的焦慮源。當他們沮喪或是對某事物著迷時就會坐不住。

✶水瓶座的社交屬性

家庭中的角色

需要輕鬆氣氛？輕快、無憂無慮的水瓶座能將輕盈感帶回家裡，伴隨一些歡笑聲。這星座的孩子不會對任何事計較太久，即使他非常心煩、不愉快，他的情緒來得快去得也快，倏忽煙消雲散；在妳知道以前，一場悲劇已經變成喜劇，由他自己帶來連連笑聲。一個媽媽每次送出差的丈夫到機場時，就需要這樣的氣氛調劑，當大女兒因為爸爸離家而哭泣時，她二歲大的水瓶座小女兒會跟姊姊說：「媽媽才需要哭。」水瓶座從獨特觀點或非傳統角度看待事情的能力，能擴展所有家人的視野。作為嚮往未來的星座，他可能撼動太固守過去的問題或有著高貴家族傳統的家族。這個孩子不是「父母的翻版」，但他會從妳肩上拿掉古老木塊的碎片，極端的水瓶座會引入打破模式的全新事物，提醒他的親戚，別把任何事放在心上，透過革命方式進化正是他的運作方式。

朋友和同儕

自由地成為……你還是我？水瓶座在和諧但成員異質性高、人人受到公平對待的團體裡最快樂。他不在乎階級，但他討厭八卦、不可靠的小團體。即使他是「族群」（戲劇社、運動隊伍）的一員時，也厭惡團體裡的任何限制。水瓶座是黃道十二星座裡的自由靈魂，在他眼中，友誼不該用繩子約束，隨興的孩子想自由來去，沒有任何約束、盟約誓言的義務。如果他下星期六要和新認識的人一起玩，甚至不要表現出嫉妒或激起他的內疚，請和他相互尊重。

當然，由於他如此隨和，接受任何事，通常會落入占有欲強或霸道的朋友手中。父母需要介入，勸告他找到更講平等主義、更健康的摯友；幫他報名某個特定主題的營隊或社團（科學、表演藝術、動物），讓他免於陷入與朋友的權利鬥爭。妳的孩子容易被弱小者打動，他可能很小就是積極反對霸凌的戰士。

作為代表人氣和友誼的星座，水瓶座不缺朋友——當然，除非他正好生活在菁英環境，在那裡他會感到疏離。他渴望有歸屬感，但對他來說，找到志趣相投的群體是首要目標。再來是想要有一起出去玩的真實朋友。因此他可能歸屬於幾個性質不相同的群體，如啦啦隊和表演合唱團、足球隊和物理社。妳覺得這有問題嗎？他並不覺得。因為水瓶座表現得太有自信，可能會碰上利用他才能的朋友；或他想討好他人，於是減少自己的明星威力好讓別人認可。如果他的朋友因為他所做的事而接納他，這時必須提醒他要重視自己，而不是刻意降低自己的光芒好讓別人發光。

兄弟姊妹：水瓶座在其中的角色

兄弟會成形！群居性格的水瓶座在規模大的族群裡發展得最好——越大越讓他開心。這個孩子知道數量大的威力，也會利用這點為自己爭取好處。畢竟，誰會跟水瓶座一起玩疊羅漢、幫他搭建樹屋或表演他所編排的舞步？水瓶座的兄弟姊妹永遠會被納入實驗計畫裡（當水瓶座開口說：「我們來……」，不是開始一整天的家族冒險，就是保證他和手足接下來一個月被禁足）。

公平的水瓶座往往是跟所有人都處得很好的孩子，不會受到任何小題大作影響。一個家庭內部有不合分裂時，冷靜的水瓶座是手足間的中立國，他或多或少保持中立，與所有人和睦相處，最多涉入到邊緣，評論親戚的行為可笑云云，但是對發生的一切生氣？不會的。為什麼要浪費時間在戲劇性的場面呢？隨時都有好玩的事可以做，不是嗎？

✶教養妳的水瓶座孩子：進階篇

水瓶座既是取悅者也是反抗者；想讓父母引以為榮，也想令朋友佩服，這使他走上矛盾的行為路徑。他搗亂時，妳應該先觀察他往來的對象是誰？他可能迷上一位叛逆的朋友，模仿對方的行為讓自己覺得酷帥或有威力。他喜歡證明自己的獨立自主性，但也要學會分辨「模仿叛逆」和自主叛逆之間的不同。當妳管教孩子時，推測他的動機是重要的事；他也許認為自己在對抗不公平的事時，試著教導他下一次如何做會更好。不過，他也可能在享受不服從的刺激感，這時妳應該防範未然，但面對棘手的事也要放輕鬆。如果妳是堅忍、克制的類型，別教導他不要哭泣。否則等到他一次把情緒傾倒而出時，妳只會面臨滾滾洪流；他可能會歇斯底里大哭，或以挖苦、刻薄的意見猛烈攻擊，甚至變得挑釁——準備好為任何管教課安排必要的休息時間。

糾正水瓶座的行為時要保持冷靜。假如父母或老師情緒激動，反而會讓他難以接受。可能的話，以「我認為」開始妳的句子，不要用「我覺得」。如果妳哭泣、大吼或丟出「你怎麼可以這樣對我？看看我為你做了什麼？」的言語，他只會冷淡以對。另外，激起他的罪惡感只會以失敗收場，因為這個公平的星座對操控特別敏感。他想被當作大人對待，而不是青少年罪犯（即使他的行為已符合後者）。

水瓶座能敏銳地感覺到不受尊重或壓迫，因此妳要展開對話，而非說教。採用蘇格拉底提問法——問一些深刻的問題，讓他自行找出答案——這麼做能真正贏得孩子的尊重，也能建立他的自信，因為自由自在的水瓶座渴望自主獨立。當他知道可以仰賴自己的判斷和決定時，往往會做出正確的事。妳甚至能讓他自己提出適合他犯錯時所得到的處罰或交換條件。

在真正的叛逆期到來時，他可能會懷疑所有大人的行為都有不可告人的動機。在一些案例中，一些嚴厲的愛或外來影響，可能是唯一讓他順利通過此時期的方法。同儕導向的計畫也許有用，進行團體療程時，與同齡孩子開誠布公對他有正面效果（只是別在他面前使用「療程」這詞）。所有方法都失敗時，妳可能需要一位導師或輔導年輕人的人生教練。稍微比孩子年長，但按照他的標準看來是性格很酷的人，他能以妳做不到的方式打動這孩子。

✶處理過渡期：搬家、離婚、死亡和其他難題

水瓶座是十二星座裡的遊牧民族，改變是他人生旅程不可避免的部分。他比許多星座更有適應能力。如果轉學，能更快結交到新朋友；父母離婚，也能更快適應新生活。我們認識的一位水瓶座朋友經常說：「過去的事是歷史；今天的事是懸疑謎團。」

水瓶座沮喪時，不會讓妳看到他的煩惱不安，他可能堅持說自己沒事，然後有天就毫無預兆地嚎啕大哭。情緒遲鈍的水瓶座可能歇斯底里，也可能只是冷漠聳肩。一位朋友記得她的水瓶座表親在六歲大時，對一位年老鄰居的死訊如此回應：「就像餅乾會碎掉。」水瓶座能放下是好事，但要確定並不是掩蓋情緒，就像俗語說的，能感覺到痛才能治療。

✶上學期間

最好的教育風格

水瓶座孩子不喜歡安靜的走道、嚴格階層制度，及任何以恐懼而非熱情和想像力主導的教育制度。他在互動式課堂發展得最好，能時常舉手發問，與同學合作計畫、跟老師友善相處。以進步原則創立的私立學校或自成一格的學校適合他的性格。不過，水瓶座喜歡擴大活動範圍和結識新朋友，如果學校太小或與世隔絕，他可能覺得有幽閉恐懼。

這些孩子需要自由，但也需要條理結構，因為他可能會神遊太虛或迷失在思緒裡；截止期限和清楚的作業指示能防止他神遊，再來點權威也是有必要的，否則他可能一整天和鄰座同學說笑偷懶，根本什麼也沒學到！

有些水瓶座是競爭心強、科科拿一百的學生，他想要拿到高分進入好大學，確保有令人振奮的未來。在那樣的壓力下，考試令他緊張，使他變得不安或害怕。當他處於呆愣狀態時，就完全無法跟他傳達任何事，於是他的壓力反應（爭吵、逃跑或僵住）會很快發生，迫害他的感官知覺，導致他很快從平靜走向災難。

水瓶座作為風象星座，能從呼吸技巧、瑜伽甚至是催眠（為什麼不？）來幫助他克服不理性的恐懼。我們認識的一位水瓶座朋友在考試前運用「情緒釋放技巧」：用指尖輕敲經絡釋放阻塞能量。有時候，他需要創造出自我實現預言——搞砸一次考試或作業——來看看世界末日並未因此到來。學著放慢、活在當下，對這個關切未來的星座很重要。妳能送他一個腕帶，上面寫著「隨遇而安」，讓他在高壓力下戴在手上。

✶最好的嗜好和活動

活躍的水瓶座可能有忙碌的課外活動，他是否擅長並沒那麼重要，他只是喜歡享受在合作的環境下有其他人的陪伴。一些水瓶座有運動天分，身材修長纖細，他擅於籃球、足球、橄欖球或任何團隊運動。（或只是享受觀看比賽，他的數理頭腦密切關注統計，也許投注運動彩券都能準確預測。）由於他通常擅長技巧性的活動，也常會是勝負心強的啦啦隊隊長、田徑比賽冠軍或空手道健將。

水瓶座喜愛競爭，孩子可能每週不是帶回獎盃，就是升級後獲得不同顏色的腰帶（注意，他可能有控制和嚴厲的傾向，別讓他做任何必須保持苗條或「完美」的運動和舞蹈）。準備陪伴他參加選秀大賽，許多水瓶座天生就是娛樂高手，從早期在舞台上就有出色表現，唱歌和跳舞也有專業水平，芭蕾舞者米凱亞．巴瑞辛尼可夫（Mikhail Baryshnikov）和舞蹈家格雷戈里．海因斯（Gregory Hines）都是水瓶座。

水瓶座掌管科技，可能是電腦怪客、科學社團頭號人物、網頁設計師或數位攝影師；為他架設攝影機或麥克風，他就能從臥室開始自己的廣播事業。他的頭腦運作講求系統，因此非常擅長謀略遊戲、下棋和撲克牌戲。我們認識的一位水瓶座，每個月靠著玩撲克牌和線上版的德州撲克賺入數千美元，而且他從十八歲、高中還沒畢業就開始了。

由於一些水瓶座會焦慮不安，可以將他們的不安能量引導到服務工作，能帶來治癒效果。這些孩子喜歡動物，他會花時間拯救寵物、幫鄰居遛狗或照顧自己的毛茸茸寵物，這讓他心靈得到很大的慰藉。回報其他孩子也是很偉大的目標；我們認識的一位水瓶座女孩幫忙媽媽的慈善工作，為缺乏乾淨用水的孩子募款；另一個女孩透過指導比她小的孩子來克服自身的社交焦慮，她每年都這麼做，直到畢業。水瓶座需要的嗜好必須將他本身連結到更大的整體，帶出改變的感覺，也許孩子將來會從事追求社會公益的事業。

✶禮物指南：水瓶座最好的禮物

- 電器用品、攝影機、科技玩具和最新的小玩意。
- 運動風格衣服，像是牛仔夾克，他能加上自己的設計，或一雙能跟任何衣服搭配的時髦踝靴。
- 時髦配件（一些純銀或金屬手環、鮮豔色彩的髮夾）等能為打扮增添個人風格的物品。
- 單車、滑板或衝浪板，任何能讓風象星座享受冒險運動的器材——那種他能感受風咻咻吹過的運動。
- 星座書、科幻小說或任何前衛、難解的書籍，例如消失的亞特蘭提斯大陸，甚至是《金氏世界紀錄》（Guinness World Records）以滿足他對一切奇特事物的好奇。
- 演唱會、表演、商場派對的門票，還要包含邀請他十位最親近朋友的門票。

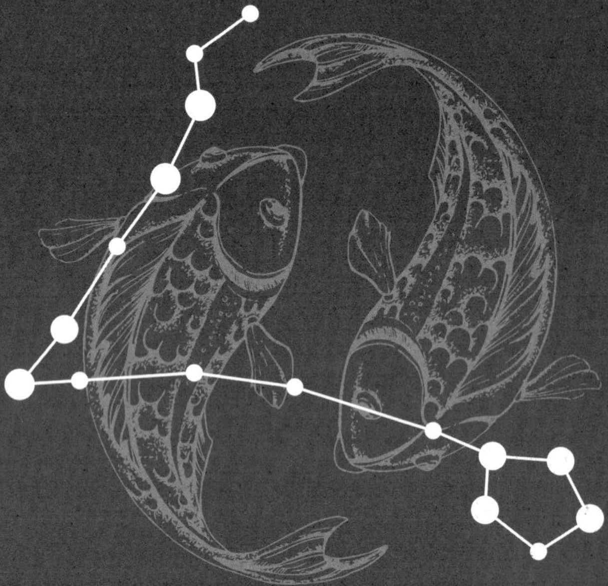

雙魚座孩子

（2月19日～3月20日）

符號：魚
守護星：海王星、木星
元素：水象
身體部位：足部
誕生石：海藍寶石
顏色：海綠色、水色、薰衣草色
優點：富同情心、優雅、有魅力、友愛
缺點：有操控欲、自憐、感情氾濫、惡毒

喜歡：
音樂和舞蹈
水；任何有水的地方：浴缸、游泳池、海、河流
攝影和電影
童話和幻想
注重細節的漂亮工藝
靈性和所有新時代相關事務：天使、占卜卡、蠟燭、絲枕頭
有點活在危險邊緣；顫慄感
幫助有需要的人和寵物

不喜歡：
處理現實，被人說「要實際一點」
感官超過負荷：太多高樓大廈、噪音、人群和刺眼燈光、醜陋的廉價布料、糟糕設計和缺乏品味
對動物殘忍
無願景的人；以表面價值看待一切
現實主義者
社會上的任何「主義」：性別主義、種族主義等

妳想要一個**雙魚座**孩子嗎？

雙魚座孩子的目標受孕日：5月25日～6月15日

過去和現在的雙魚座名人——

茱兒・芭莉摩、小賈斯汀、達珂塔・芬尼、雀兒喜・柯林頓、珍妮佛・樂芙・休伊、艾倫・佩姬、朗・霍華、布萊斯・達拉斯・霍華、大衛・福斯蒂諾、凱莎、艾希莉・葛林、金雄鎔、鮑比・費雪、潔西卡・貝兒、鮑沃、羅伯・勞、索拉・博奇、夏綠蒂・澈奇、克魯茲・貝克漢、布魯克林・貝克漢、海莉・達夫，普林斯、傑克森二世

✶教養妳的雙魚座孩子：基礎篇

做夢吧，小小空想家。雙魚座由海王星掌管，一個代表幻想、療癒和潛意識的行星。這些有創意的孩子喜歡充滿想像力的遊樂園勝過現實世界，他可以幾小時沉浸在思緒裡，就像海神納普頓掌管的海洋，雙魚座的深海廣大又神祕。這些小美人魚和海妖會用他們的海妖歌聲迷幻妳。妳可以在他們晶亮大眼裡看到幾世生命的深度。

雙魚座是個謎團、矛盾體，代表符號是兩隻往相反方向游的魚（一隻朝向安全，另一隻朝向自由），因此他可能反覆無常。前一分鐘，這隻脆弱的小魚還黏在妳身邊，不敢離開；下一分鍾，他就安心離開去玩耍，或跟正在霸凌朋友、身高高他一倍的人對峙。雙魚座害怕這個世界，或者只是假裝害怕？也許兩者皆是。作為十二星座的真正藝術家，他對每個微妙區別非常敏感。他就像個海綿，努力吸收所有事，不論好的與壞的。一首美妙歌曲能讓他感動流淚；受到一點怠慢輕蔑，就讓他沉默苦思好幾天。這些浪漫靈魂非常懷舊，他想要親眼見證每道彩虹、每個落日，捕捉文字、音樂和藝術裡令人心痛的美。十九世紀雙魚座詩人伊莉莎白·巴雷特·白朗寧（Elizabeth Barrett Browning）以〈我怎樣愛你？讓我逐一細數〉聞名，自四歲開始寫詩。

雙魚座是黃道最後一個星座，本質上有著老靈魂。他的第六感很強，可能「知道」一些事，能從夢境和直覺得到線索，據說雙魚座是活過多次人生的靈魂，無論是轉世再生或其他無法解釋的原因，這些孩子能展現出源頭不明的才華和能力。我們念大學時的一位雙魚座朋友，他坐到鋼琴前就能靠耳力彈出複雜的奏鳴曲，但他從未學過鋼琴；還有其他的雙魚座天才：愛因斯坦（Einstein）、史蒂芬·賈伯斯（Steve Jobs）、昆西·瓊斯（Quincy Jones，會說二十四種語言，目前還在學新的）及西洋棋冠軍鮑比·菲舍爾（Bobby Fischer）。雙魚座活在自己的空間（也許是愛因斯坦的量子空間，那裡的時空彈性多變），而且來自於神聖之源。

雙魚座也是業力和重生的星座。對他來說，地球與精神世界間只有薄薄一層帷幕。許多雙魚座小時候多病、虛弱，彷彿這些老靈魂不願離開至福的精神世界又進入肉體（又來一次？），妳可能成為某間診所的熟面孔，孩子耳朵又發炎或扭傷腳踝了，然而這些雙魚座有九條命，每次都能恢復健康。

雙魚座天生就有巨大的同情心，對弱者、病人和不被愛的人都能深刻地感同身受。他也是護理師和治療者的星座，會為被遺棄的動物、垂危病童或貧苦人們心痛，想為他們做些什麼。有時妳會納悶為什麼他要去想那麼多人類苦難呢？他畢竟還是孩子！但這些孩子必須潛入井底才能再次重振精神。

於是，雙魚座逐漸了解人類的痛苦：這些孩子是終極的「將心比心」者。但是，注意別讓他承擔妳的煩惱，因為他有強烈「相互依存」的傾向，這可能會讓他陷入某個情緒大海的退浪裡，與現實失去連結。他需要被鼓勵（有時被推動），來發展自己的身分認同。他持續的陪伴令人愉悅，然而，如果妳不從小訓練他自力更生的能力，他日後會為此掙扎。此外，他也有感覺無助或扮演受害者的傾向，父母可能會陷入一次次的情緒勒索，這對所有人都有害。跟雙魚座強調直接溝通的重要性，他可能知道別人在想什麼，但不意味媽媽或其他人也有讀心能力！

雖然雙魚座博愛，但他對自己人而言未必總是好人（我們說過，這星座是矛盾體。）當這些孩子沒有安全感時，可能變得愛說閒話、尖刻、被動挑釁——甚至有些人會參與霸凌。雙魚座是擁有幻想特質的星座，會想像別人嚴厲評斷他，因此會貶低那個人來先發制人、自我保護；另一些雙魚座會將他的不安投射到更脆弱的人身上。比如，當他為貧窮困擾時，發現別人的貧窮對他是威脅，就像在放大鏡裡看到自己的不安全感，這讓他毛骨悚然。

當然，這些都不是有意識的行為，否則，他自己應該對任何霸凌或挑釁感到羞恥，因為這些都來自於他想要否定自身不喜歡的部分，通常是社會視為「弱」的敏感、脆弱部分。小雙魚要是明白敏感其實是他最大的強項就好了！雙魚座的父母可以參考布芮尼．布朗（Brené Brown）《脆弱的力量》（Daring Greatly）教導孩子面對並展現自己脆弱的一面，別讓自己因不安或害怕而成了批評者。

雙魚座的主導元素是水，而水是地球上最柔軟也最強大的物質，我們沐浴在柔和的水裡，也飲水維生；也可以強大到摧毀岩石（更別說海嘯、颶風和洪水）。你能把水放進任何東西裡，也能把任何東西放進水裡。水能是液態、固態（冰）和氣體（蒸氣）。同樣，雙魚座孩子是大自然的一股力量，會興風作浪，也會以許多形式表現。教導他尊重自己的力量，擁抱自己的療癒特性。

✶ 雙魚座：應對挑戰

規矩和權威

雙魚座有很多面向，在妳面前可能是純潔天使，在背後可能是滑溜溜的魚（或鯊魚）！別被他可愛溫柔的樣子給騙了，迷人的小雙魚可能是操控大師。不是說他愛惹麻煩，只不過這些好奇靈魂喜歡從經驗中學習——有時他就是堅持要碰熱爐子，即使所有人警告那會燙手。是的，他的頑固可能是一種消極攻擊，通常對他有害，但，是這星座選擇的業力旅程。

雙魚座天生就對弱者感同身受，會站起來反抗任何霸凌和壓迫，即使這意味自己也變成霸凌者；同理心高漲的雙魚座可能潛意識下總在招惹麻煩。他認為人性歸根究底是善的，因此他必須了解那些所謂壞孩子的心理及其動機，當他們長大後會成為傑出的治療者、顧問或復舊工作者。即使是每個人都放棄的人，雙魚座仍相信其有改過自新的可能，不過，妳也必須確保雙魚座孩子不容易受騙，或被「拯救」的人利用和榨取能量。等他大一點時，請教導他同情心和「相互依賴」間的差異。

限制

雙魚座是由朦朧的海王星掌管，一個代表幻覺和模糊界線的行星，限制對他而言是棘手的事。好奇心和想像經常將他引入黃磚道，直到抵達奧茲王國前都不會停下腳步。就像雙魚座愛因斯坦說的：「不曾犯錯的人，代表他不曾嘗試新事物。」對他來說，規則未必是用來打破，但肯定是用來質疑的。

分離和獨立

「媽咪，別走！」雙魚座渴望享有獨立，但太多分離的情況會讓這敏感靈魂受到驚嚇。他需要空間閒蕩，但也需要知道妳就在身旁，必要時能隨時伸手幫忙。由於雙魚座對界線很遲鈍，所以可能會過度關注妳（或保母）的生活，而忘記自己的身分，即使這星座的孩子是睿智的老靈魂，但別對他說太多心事，因為他會吸收妳的憂慮和恐懼。

弟弟妹妹

你會說「媽媽」嗎？喜歡照顧人的雙魚座會將弟妹納入自己的羽翼，幫忙照顧他們。妳有時需要提醒雙魚座孩子，妳才是媽媽，因為他對弟妹可能變得霸道和管東管西。

哥哥姊姊

如果哥哥姊姊保護雙魚座弟弟或妹妹，而不是控制，他們的關係會非常緊密。不過，如果哥哥姊姊過度保護，禁止他做想做的事，可能偶爾會討厭哥哥姊姊。魚兒需要空間游泳及探索，因此不要給他的哥哥姊姊任何管控權。他有一個媽媽就很足夠了，謝謝！

寶寶，掰掰：斷奶和如廁訓練

夢幻性格的雙魚座討厭被催促，他並不想那麼快就離開照顧者的舒適懷抱，對他來說，親密育兒法是永遠不會結束的傳說故事！但所有好事——跟爸媽共享大床和吃奶終究須結束，即使妳必須慢慢來。請採取溫和漸進的方式，在平靜安適的環境下進行。雙魚座對氣氛敏感，在孩子使用便盆時播放他最喜歡的音樂，可以讓這個過程變得更輕鬆。

性觀念

雙魚座是代表幻想的星座，孩子需要維持對性的浪漫觀點，或維持性的特殊性質。對雙魚座講述現實不會有好結果，即使妳已經告訴他一些身體部位的名稱，他仍會編出好笑的暱稱。此外，由於雙魚座對保持界線有困難，教導他掌控自己身體的自主權格外重要。確保雙魚座孩子對個人空間有清晰認知，如果任何人或任何事令他不舒服，要相信自己的直覺。

學習：學校、作業和老師

請給他條理分明的結構！這些愛做白日夢的孩子可能會陷入想像世界，上課時心不在焉或神遊去了。一些雙魚座可能會調皮搗蛋，不費吹灰之力就讓所有人捧腹大笑。這些孩子的眼神裡帶有淘氣光芒，那樣的光芒也可能是天才和創意之光。管教雙魚座要適度，否則妳可能破壞他出色的靈魂！

家庭衝突

雙魚座是情緒海綿，會吸取周遭環境的一切。有爭吵發生時，他會無法動彈；家庭失調時，他也無法正常運作。他的身體跟著情緒垮掉，可能會出現行為問題、對食物敏感，甚至是莫名其妙染上流行性感冒。別讓雙魚座涉入任何微小衝突，盡可能讓家裡保持和平！

✶雙魚座男孩

人生不過是場夢！雙魚座男孩帶著滿滿的驚奇和調皮來到這世界。這世上最狂野的一些想像來自於雙魚座，包括說故事的蘇斯博士和雷蒙尼．史尼琪（Lemony Snicket）以及創作《羅傑斯先生的鄰居》（Mister Rogers' Neighborhood）影集的弗雷德．羅傑斯（Fred Rogers）。愛因斯坦、發明電話的亞歷山大．葛拉罕．貝爾（Alexander Graham Bell）及史蒂芬．賈伯斯都是雙魚座，雙魚座男性受到他本身古怪的導航系統指引，他們以「想的跟別人不一樣」的能力改變了世界，從直線時間到量子時間，從點擊滑鼠到滑動手指。跟相信白日夢的星座在一起從來不會有無聊時刻，就坐下來享受這場秀，如蘇斯博士創作的兒童繪本書名《你要前往的地方！》（Oh, the Places You'll Go！）。有人說這個世界顯然缺乏好人，看來他還沒翻過許多雙魚座的生平。這星座的男人是獨特的敏感先生，不過他約會的對象可能不會同意——該說他是「戲劇王」吧？雙魚座男孩是情人，不是鬥士；從歌手麥可．波頓（Michael Bolton）到浪漫喜劇天王比利．克里斯托（Billy Crystal），這男人總是真情流露。他也可能是有點痛苦的藝術家，例如科特．柯本（Kurt Cobain）和強尼．凱許（Johnny Cash）。當然，女孩會因為這個理由愛上他。如果妳的孩子像吹笛人一樣吸引一票迷妹跟隨，別覺得驚訝。

他在一對一人際關係中會如此侷促不安，或許原因在於雙魚座天生屬於這個世界，他們的任務是終止人類受苦，他有宏大的工作要做，其中的遠大思想可能會播下一顆社會運動的種子，因此如果他沒有時間跟妳一起吃晚餐或看電影，請見諒。

雙魚座的杜波依斯（W. E. B. Du Bois）是哈佛大學第一個取得博士學位的非裔美國人，為「全國有色人種協進會」（National Association for the Advancement of Colored People，NAACP）的共同創始人。他在一九〇三年出版的《黑人的靈魂》（The Souls of Black Folk）一書性塑美國人看待種族的方式。此外，性別研究專家邁克爾・基梅爾（Michael Kimmel）也是雙魚座，他是「全國反性別歧視男性組織」（驚訝！）的共同創辦人，其著作講述男性努力符合社會對男子氣概觀點的心理痛苦。

在神話裡，海神波塞頓用三叉戟引發地震。同樣地，雙魚座男孩喜歡煽動，通常使用他催眠般的「斯文加利」（Svengali）支配力量。就像激勵演說家東尼・羅賓斯（Tony Robbins）可能說服妳踏過燃燒煤炭就能走向個人解放之路；雙魚座小賈斯汀（Justin Bieber）有一群狂熱迷妹忠實追隨。雙魚男孩知道如何隨心所欲操控物理法則和宇宙法則，他可能會被自己的敏感驚嚇，但他在別的領域完全無畏。以真人實境秀《無厘取鬧》（Jackass）出名的強尼・諾克斯維爾（Johnny Konxville）、主持《鱷魚拍檔》（Crocodile Hunter）的史帝夫・歐文（Steve Irwin）都是雙魚座，他們敢於冒任何風險。對於一些雙魚座男孩，妳可能需要掌握所有事，避免他被危險吸引。

由於雙魚座男孩常以自己的敏感為恥，他的一些瘋狂行為可能只是虛張聲勢。妳需要幫助他接受自己與「女性」一面有連結的事實。一位雙魚座的媽媽幫兒子報名男女混合的舞蹈和戲劇班，確保他不是團體裡唯一的男生。當然，他可能樂於擁有許多女性朋友，但他也想融入男孩子圈。雙魚座掌管足部，讓妳的雙魚座兒子主攻這類運動，如踢足球、跳舞、衝浪、玩滑板，他出色的能力會贏得男孩的欽佩和尊重。

要讓雙魚座男孩免於騷亂、充滿焦慮的水面，他需要接觸比個人更遠大的事物，並建立連結。一位雙魚座男孩的媽媽帶他到非洲，他在那裡見到發展中國家孩童的生活，深受觸動。此外，他也需要工具來表達感受，像是樂器、攝影機、藝術用品，他能結合他的想像力因此創造奇蹟，一切會發生得很快。妳無法讓他完全免於麻煩，但可以確保他陷入「正確」的麻煩——興風作浪但扭轉乾坤。

✶雙魚座女孩

愛麗兒靠邊閃，真正的小美人魚在這裡。雙魚座女孩迷人、體貼，會抓住妳的心，讓妳上鉤，對她沒輒。雙魚座女孩長相甜美、性格討喜，比起女兒更像個可愛娃娃。這星座有著空靈氣質，散發出高雅光環，就像辛蒂・克勞馥（Cindy Crawford）、潔西卡・貝兒（Jessica Biel）和凡妮莎・威廉斯（Vanessa Williams）或永恆的甜心，像是茱兒・芭莉摩（Drew Barrymore）和達科塔・芬妮（Dakota Fanning）。

不過，別被她脆弱表面騙了，她可能溫柔，但也嚴厲。雙魚座女孩知道怎麼遂己所願，不管是透過魅力、讓人心懷愧疚（世界級水平）或只是跋扈。（妳在她的幻想遊戲裡就可以看到跡象，她讓泰迪熊命令企鵝玩偶停止工作，或讓芭比嚴厲譴責肯恩的惡劣態度。）雙魚座掌管足部，當這女孩雙足落地時，當心了，沒有人可以讓她動搖分毫！不過，雙魚座女孩即使堅決抵抗，也從不會失去女人味。她在抗議遊行時，腳上穿的可能是閃亮的粉紅色瑪莉珍鞋；即使是唱饒舌的雙魚座的拉蒂法女皇（Queen Latifah）或凱莎（Ke$ha）都散發出女人味，她是帶著絲絨手套（或是漁網手套）的鐵腕。

雙魚座女孩跳著誘人的「來這裡，現在走開」的舞蹈，引妳上鉤，接著又把釣線拋回。她就像突然跳入深海裡的美人魚，親近但疏遠，有母性但神祕。她的矛盾人格讓其他女孩起而效尤，讓男孩如痴如狂；這是為什麼雙魚座伊莉莎白・泰勒（Elizabeth Taylor）有七任丈夫，另外，有六任老公的魯・麥克納漢（Rue McClanahan）也是雙魚座。雙魚座可能是魚，但她也是餌。出演過《黃金女郎》（The Golden Girls）的魯・麥克納漢寫過回憶錄叫《我的五個老公……》（My First Five Husbands ……and the Ones Who Got Away）。

雙魚座女孩優柔寡斷，難以做出承諾。今天報名芭蕾舞課，明天可能想改學踢踏舞；或這週蘇菲是她在全世界最好的朋友，但下禮拜是莉莉。作為十二星座的魚，她不想被釣住，雖然她也能享受最多的溺愛和照料，但這會讓親朋好友覺得她很古怪。身為雙魚座的家長，必須加強她自主獨立的能力——即使妳很想參與她的自艾自憐或「為她效勞」，但什麼都幫她做好，可能會阻礙她發展出重要的生存技巧。當妳要為雙魚座劃下界線卻感到內疚時，請想想那些神話裡的海妖，她們迷惑人的歌聲會引誘船員出航，而後遇到船難。如果妳老是被她致命女人的把戲所惑，對妳和她都有害。

惡毒女孩警告！雙魚座女孩感到威脅時，會以嚴厲或霸凌行為掩飾。不安全感對這星座有害，會帶出她一些討人厭的習慣，像是說閒話、情緒勒索，讓別人陷入對抗。請管控這樣被動式挑釁的傾向，就像雙魚座喜劇演員切爾西・韓德勒（Chelsea Handler）以露骨的辱罵引人發笑。她的幽默可能尖酸或拐彎抹角，雖對著妳笑，但在背後散布流言蜚語。父母要教導她如何說真話並說話算數，她可能需要吃過苦頭才能學會，任何嚼舌根的傳言總會反撲到自己身上，唯有失去朋友才能給她警惕。

一些雙魚座女孩會結成小圈圈來舒緩社交焦慮，她組成的女孩圈來自我保護，不過這前提就有問題，她要保護自己免於什麼傷害呢？雙魚座女孩為了避免霸凌，反而成為霸凌者，這終究走向完全錯誤的道路。就像雙魚座蕾哈娜（Rihanna）為了掩飾內在混亂就扮演冷淡、遙不可及的叛逆者角色，將自己侷限在這個角色裡，以掩蓋她的脆弱。

所幸雙魚座是變化無常（適應力強）的星座，走偏時能被引導回健康的方向。幫助那些不幸的人如生病孩童、被遺棄的動物、窮人，能給予她生命目標和展望（這個女孩喜愛任何動物或嬰兒）。當她自覺是受害者時，會變得悶悶不樂和自私，但當她運用自己的同情心和療癒力，能改變世界。

雙魚座女孩的父母能培養她的藝術和創意才華，如雙魚座歌手麗莎・明尼莉（Liza Minnelli）和妮娜・西蒙（Nina Simone）透過音樂表達強烈情緒。她內心浪漫，她的溫柔迷人；蝴蝶、日落、光線從稜鏡折射的樣子，雙魚座女孩在每個細胞裡，都能感受到令人心痛的莊嚴壯麗感。她可能擅長寫作，就像受歡迎的兒童系列書《茱蒂穆迪和她的朋友們》（Judy Mood and Friends）作家梅根．麥當勞（Megan McDonald）以及幽默作家艾爾瑪．邦貝克（Erma Bombeck），其報紙專欄《機智盡頭》（At Wit's End）廣受歡迎。

如果雙魚座女孩位居幕後會更自在，攝影機、畫筆或素描本會是她的有力工具，只要給她一些原料，如珠子、線、縫紉機、藝術工具，其餘就交給她的想像力。她一旦跟本能建立連結，就會發現自己的強項取決於開放心態。一位媽媽說：「我的女兒在學校非常害羞，總跟非常外向的朋友黏在一起。然後，她有一幅畫贏得校內的海報比賽，那幅畫放大掛在入口大廳展示，並上台領獎。從那以後，她因為創意和才華成為校園名人，開始展現更多面向。」研究發現心臟的電磁力能傳到身體外數英尺範圍。透過擴展她的心，而不是關閉它，雙魚座女孩允許宇宙對她耳邊傳遞奧妙神奇——使她「接上電源」並受到神聖指引，之後她可以既脆弱又所向無敵。

✶行為解碼：雙魚座孩子

雙魚座有這種行為時	這代表……	妳應該這麼做
哭泣	任何事都有可能讓這孩子淚眼汪汪。	別過度反應，小題大作，但也別忽略他的眼淚，否則會發展出「我好可憐」的情結（妳都不在意我的感受！）
在社交上退縮、沉默或喜怒無常	雙魚座陷入自己的想像世界。 他在思索什麼，是的，想像力又把他帶往別處！	別打斷他的白日夢！雙魚座需要時間胡思亂想，任由繆思把他帶往任何地方。 問問雙魚座，看看他的小腦袋裡現在演出那齣「電影」；如果需要，要讓他面對現實。他有時會提出一些奇特的猜疑和沒安全感。
搗亂（打、踢、回嘴）	可能是他對身處環境感到緊張所做出的反應。 情緒滿溢了。	加點水就好：讓他泡澡、喝茶或安撫作用的飲品都能為他的心靈帶來慰藉；降低環境壓力，關電視，把燈調暗一點，點燃蠟燭。冥想、呼吸和瑜伽也有所助益，這些方式從小開始都不嫌早。 休息一下，來跳舞！讓他以創意方式表達感受，像畫畫、寫日記、唱歌或大聲聽音樂。
變得黏人	雙魚座的典型一天……	別突然剪斷連結，幫助雙魚座感到自在、安全，再從妳身邊離開去冒險。

雙魚座有這種行為時	這代表……	妳應該這麼做
不吃妳給的東西	雙魚座的頭腦、身體和心靈間的連結很強，應該有什麼事在「困擾」他，他可能甚至表現對食物過敏或對某樣食物敏感。	去看醫生，做過敏源測試，但也要找出是遇到什麼事而觸發此情節。
坐不住	繆思來了！水做的雙魚座需要讓創造力流動，身體運動可能幫助他將創意從想像轉變為具體。不安警告！雙魚座可能陷入憂慮或內疚。	給他必要的工具，如一些藝術用品或整理空間讓他跳舞。 幫助他說出憂慮的事，要他安心，一切都會沒事。當他非常混亂時，腦力激盪法會達到效果。

✶雙魚座的社交屬性

家庭中的角色

雙魚座作為代表業力的星座，可能是家庭的靈魂和意識。這些溫柔的靈魂來到家中是為了治癒人心、修補柵欄，把同情帶回到家裡。一些雙魚座會激發尚未了解的事，或揭露被隱藏起來的問題，親戚應該注意到，當這樣的狀況發生時，別讓他成為代罪羔羊。只有當麻煩事被意識到，棘手的家庭問題才能獲得改善。

雙魚座可能比實際年紀更早熟聰明，但要注意，他也是個情緒海綿，會吸收任何情緒，讓自己變得不堪負荷和易怒。由於他從不想拒絕或傷害任何人的感情，他可能會勉強自己做不想做的事，然後默默地怒火中燒或懲罰妳。要記得，雙魚座是靈性使者，他需要額外的保護和支持，但別讓他陷入無助受害者的角色。這些「小小殉道者」可能將其他人的問題（甚至妳的問題），當成避免承擔個人責任或盡情過自己人生的藉口。當孩子把同情變成照顧時，要提醒他誰是爸媽誰是孩子！

朋友和同儕

二元性的雙魚座可能有兩組截然不同的朋友：一組是心情不好時，另一組是想嘗試新事物時，把這兩組人混合在一起會是奇怪的組合，但雙魚座試過！我們的一位雙魚座朋友就讀菁英寄宿學校，參加馬術比賽，也熱衷地下音樂——「馬術比賽後，我會和隊員一起外出慶祝，然後晚上我會溜出去跟另一群朋友去市區聽樂團演出。」

當雙魚座感到脆弱時，可能會組成保護自己的小團體——就像魚兒聚集成安全的小群隊。然而，他可能「與鯊魚共舞」，透過霸凌虛張聲勢，不安全感會帶出雙魚座性格險惡的一面。當這些孩子覺得自己失去影響力時，會變得刻薄、碎嘴，完全沒意識到自己的言語有傷人的能力，甚至會折磨起比自己弱小的人，將其憤怒投射到代罪羔羊上。哎啊！父母應該關注他的情緒狀態，灌輸他自信，教導他擁抱自己的脆弱。這樣一來，他才不至於靠著武裝過度補償自己的敏感。

當雙魚座有安全感時，會擴大活動範圍，跟一些……呃……很有趣的人一起玩（怪胎、怪咖、邊緣人、獨來獨往者），越怪越好。雙魚座有種「地下」藝術氣息，會受到獨立製作、前衛的事物所吸引。他能看到人性最高層次和最低層，同理心的那一面讓他想維護弱小者。因此，他在自我憎恨時挑剔的同學，明天可能成為他維護的對象。

誰能跟得上雙魚座和他經常改變的忠誠度？朋友可能把他視為反覆無常或不可靠的人，因為他很快就會說別人閒話或在背後嘲笑，甚至揭露保密的事（「我答應她不會說，但如果你發誓不會告訴任何人……」）。作為十二星座最愛幻想的星座，雙魚座起伏不定的忠誠度讓他始終神祕，在友情裡總保持距離。這樣一來，他在面臨友誼終結時，就能飛快離開。他就像魚，不想落入任何人的網裡；就像美人魚，可能到岸上迷惑妳，但最終會游回神祕的深海獨處。

兄弟姊妹：雙魚座在其中的角色

血濃於水？當妳受到海王星海神涅普頓掌管時就不是這樣了。雙魚座與手足的關係就像潮汐般潮起又潮落；他可能陷入家庭紛爭和結盟關係，與手足彼此依賴，或站在某一方與另一方對抗。對他來說，置身事外是真正困難的事，但這是他們必須學會這個技巧，否則他會被其他人的問題退潮捲入，在戲劇性事件中溺水，請給他救生圈！

雙魚座變化莫測的心情通常會打壞與手足間的關係。他喜歡得到滋養，而非被控制。當他需要空間，想要一個人不受打擾時，要脫離無處不在的手足不是容易的事；不過，他也想被當作嬰兒看待。面對任何比他年長的人，他的行為模式就是：「照顧我，但別告訴我該做什麼。」遺憾的是，這不一定有好結果。因為雙魚座孩子可能看來嬌弱或脆弱，哥哥和姊姊會自然產生保護的本能。由於他經常向哥哥或姊姊請求幫助（「告訴我怎麼做！」）當他丟出餌，又要求獨立時或厭惡自己主動向別人要求的支持，這都會令人困惑。「太複雜了」，這是對雙魚座與手足關係最好的描述！

✶教養妳的雙魚座孩子：進階篇

誰？我嗎？魅力十足的雙魚座精於睜大眼睛、顯得無助。他有種脆弱、甜美的特質，妳不相信他會傷害一隻蒼蠅——更別說犯下罪行了。當妳把聲音提高半分貝，他水汪汪的大眼睛很快就溢滿淚水，最後覺得妳自己才是犯罪者；妳因為懷疑孩子而感到羞愧、有罪惡感，於是內疚地離開，覺得自己怎麼會有這樣的想法。有天一位雙魚座孩子的媽媽在為兒子的瘋狂行為向其他媽媽道歉時，她才意識到兒子的詭計。「我開始解釋說他姊姊最近上幼稚園，所以他變得特別敏感。」接著，我說：「等等！我想當那種為兒子抱歉的媽媽嗎？他這樣能學到什麼教訓呢？」

不，其實妳被他騙了，他是十二星座裡的情緒勒索高手。是的，這隻魚這次給你魚餌，妳現在上了。解開鉤子可能是棘手的過程，一旦妳多次落入他設下「我好可憐」的圈套，妳就會開始明白他的把戲。不過，他總會找到新方法引妳入網——所以別太安心。這些孩子可能在妳最料想不到時讓妳上當！

當他受傷或期待妳讀懂心意時，會出現被動式挑釁，發動口頭攻擊。妳需要鼓勵他進行直接、開放的溝通以利雙向理解。就算不想用太過苛刻的「嚴厲的愛」，但設定清楚界線很重要，有助他感到安全，倘若他的界線是流動的，這會帶來風險。如果妳需要像一張跳針的唱片不斷重複規矩，別吃驚。試著控制雙魚座就像用篩子留住水——妳能掌握這些孩子的程度，最多是讓他滑走。

其實，妳可能需要借用雙魚座自己的說服技巧，與其追逐，不如用試著把小魚纏住。妳要當他願意咬住的餌，讓生活成為迷人的冒險，魚兒會樂意在妳身邊悠游。聽起來是需要耗心力的大工程，但妳起碼會有可靠的同伴，能確保他不惹上麻煩！在最糟的狀況下，妳可能要為他灌輸多一點恐懼感。這不是好辦法，但有效，當妳愛做夢的孩子走在太多的黑暗小巷（隱喻）時，敲響警鐘可能是唯一讓他脫離迷濛夢境的方式。

✶處理過渡期：搬家、離婚、死亡和其他難題

感受，只有感受，容易感動的雙魚座對大多數改變會有情緒反應，雖然不必然會流淚或明顯表達，但內心的小雷達已經注意到正在進行的所有事。雙魚座掌管黃道代表結束（結尾）的第十二宮，這些老靈魂內心裡靜靜地明白生命的自然循環，包括失去。如果一位親戚生病或垂死，他去探望能帶來治療能量，雙魚座是十二星座中的護理師和巫師。

所幸，雙魚座是一個變化無常（有適應力的）的星座，搬家或轉學並不會對他造成創傷，反而是他重塑自己的機會，他還滿喜歡的；或他會進入想像的世界來因應改變。父母離婚則可能令他難受，特別是因為他對家庭的幻想遭到粉碎。至於其他狀況，聰明的雙魚座知道有事情不對，聽到消息不會驚訝。父母應該留心別讓孩子涉入大人的戲劇性事件或強迫他選邊站。

對一些雙魚座來說，人生中唯一持續不變的就是改變。他會適應和「順流而行」，但要確保孩子不是把感受藏在心裡。由於雙魚座掌管潛意識，他們並不一定會覺察到自己受到改變的影響。妳可能會從孩子的藝

術作品、音樂、穿衣風格或閱讀的書察覺到，他甚至可能做惡夢或一再做有象徵意義的夢。通常雙魚座沒說出口的事會給妳最多線索。

✶上學期間

最好的教育風格

想要看起來更像遊戲場所而不是學校的舒適小領地嗎？在那裡，學生直接喊老師的名字，孩子自己設計課程表？請給我這種學校！雙魚座在能滋養想像力的創意環境會茁壯得最好。讓這些孩子進入華德福（Waldorf）仙境般的學校，就能等著看他成為下一位藝術或音樂天才。要是把他放進強調分數和考試的高壓學校，他會徹底失敗，更渴望空氣。即使他能取得好成績、考試拿高分（有這個可能），在提供優秀藝術課程或強調解決問題創意的學校，才會激發他最好的表現。

唯一的警告是，雙魚座需要一些條理架構，否則他會神思馳遠。讓他做好面對「真實」世界的準備相當重要，因為這些敏感的心靈傾向逃避現實的殘酷；面對雙魚座，需要在任由他順流而行及給予基本維生技巧間，取得微妙的平衡。就算妳想保護和溺愛，他也需要被推動超越自我信念的限制。他可能對自己的能力感到不安，對複雜的作業覺得疲倦，請幫助他冷靜，陪伴、鼓勵他：「你做得到！」；為他安排做作業的安靜空間，這能讓他維持進度。由於雙魚座會吸收任何環境的氣氛，特別是吵鬧的教室，他可能需要放學後透過聊天時間來清理情緒。為妳的孩子準備一杯茶或熱可可，讓他釋放。畢竟，他得準備好才能做功課。

✶最好的嗜好和活動

隨時準備行動！雙魚座掌管足部，能優雅地運用雙腳，有跳舞、滑冰和踢足球的天分，就像女足運動員米亞·哈姆（Mia Hamm）。讓雙魚座就像小電子一樣繞著原子核旋轉、敲、踢、跳躍及轉動。這內省型星座也需要獨處充電；他有時需要回到自己的空間無所事事——同時排除他累積的負面能量。就像雙魚座的喬治·華盛頓（George Washington）所言：「一個人獨處總好過跟糟糕同伴相處。」

妳的雙魚座孩子害羞但有觀察力？雙魚座是與電影相關的星座，給他一台攝影機，他們可能是有天分的攝影師，具備對色彩和光線的美感。知名攝影師安塞爾·亞當斯（Ansel Adams）和黛安·阿布絲（Diane Arbus）都是雙魚座，他們樂於捕捉自己眼裡如水彩畫或油畫的畫面，請幫孩子報名美術館課程！雙魚座可能也有科學天分，會喜歡化學實驗玩具，或任何能混合材料和成分做出溶液的東西；他能透過烹飪、烘培、泡茶或自製香皂享受調製東西的樂趣。

動物的溫柔靈魂能和雙魚座產生共鳴，雙魚座孩子可能想要領養許多寵物或幫忙援救動物。從養魚開始，再慢慢賦予他更大的責任（沙鼠、蛇、鳥、貓、狗、蜥蜴）。這些小幻想家可能缺乏時間概念，忘記在固定時間餵食或遛狗，因此除非妳準備好分擔責任，不然別讓他養太多寵物。

志工和服務工作對這星座是絕對必要，越小開始越好，他大量的同情心需要出口。如果妳注意到雙魚座小孩開始調皮搗蛋，或進入「受害者」模式，那麼他需要密切觀察物質條件差的階層是什麼樣子。黃道十二宮的每個星座都掌管或連結不同的特性、產業，雙魚座掌管醫院、機構、老年，幫助病患或長者能給予他一種神聖意義。雙魚座的愛因斯坦說：「只有為他人而活的人生，是值得的人生。」即使他不該忽略建立自身的身分認同，但愛因斯坦的話絕對是實話——特別是對雙魚同伴來說。

✶禮物指南：雙魚座最好的禮物

- 藝術和手工藝用品，特別是水性顏料。
- 任何DIY或家庭裝飾套座：彩繪玻璃吊飾組、串珠工具、冰淇淋機。
- 化學實驗套組或有趣的科學實驗套組。
- 攝影器材。
- 鹽水水族箱；裝滿五顏六色的熱帶魚。
- 芭蕾舞課或舞蹈課。
- 運動器材，特別是針對「足部」的運動，像足球、曲棍球、滑輪溜冰或溜冰。
- 有關魔法、巫術、靈性和神祕主題的書或入初學者專用的塔羅牌。
- 兒童博物館的門票、芭蕾舞劇門票或服裝、歷史博物館或相關機構的入場門票。

第二部

媽媽星座

Mom Signs

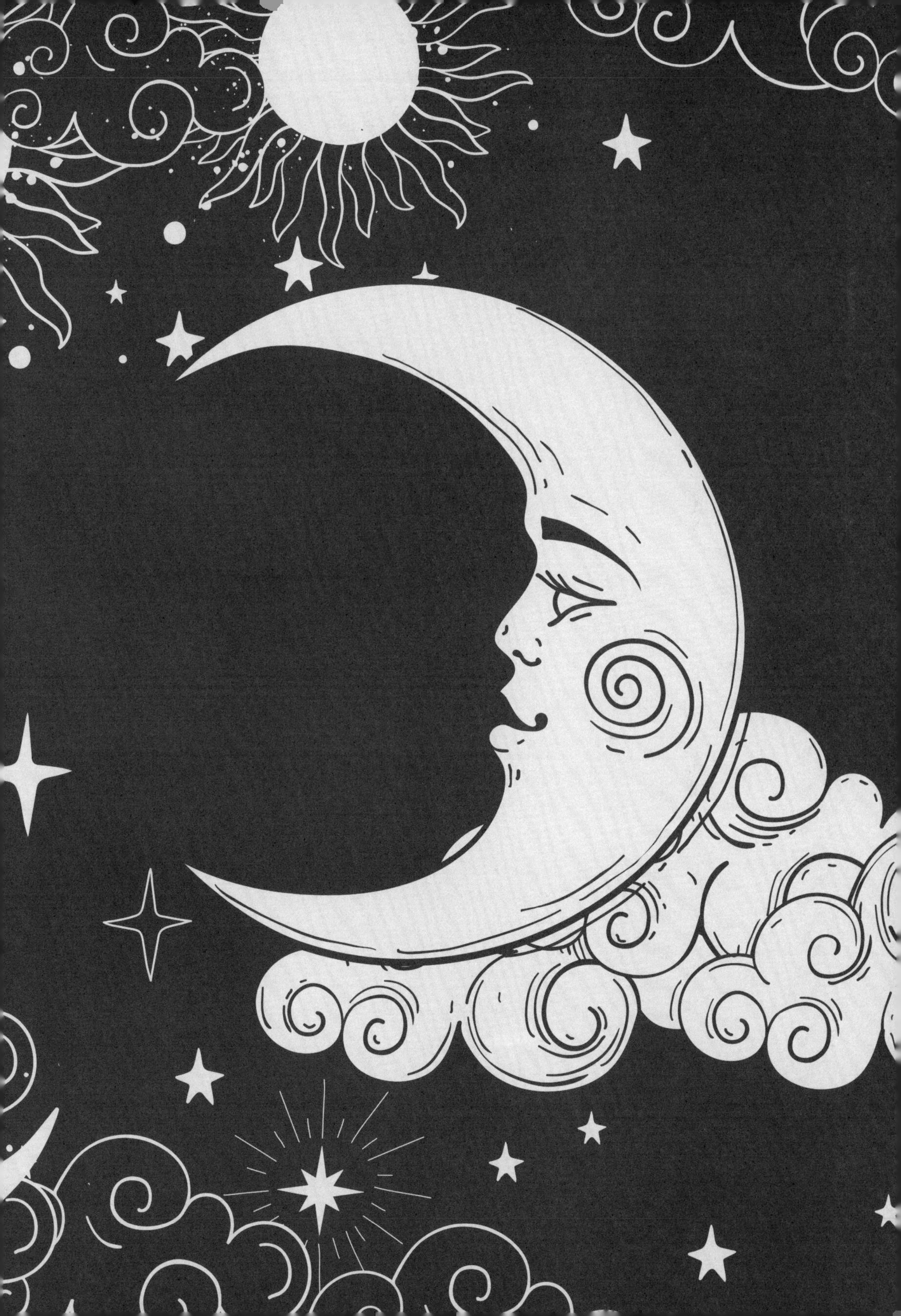

牡羊座

媽媽

（3月21日~4月19日）

媽咪魔力——妳的優點：

自信、自覺、力量、無所畏懼

媽媽咪呀——妳的挑戰：

競爭心、憤怒、視野狹隘、偏執、
虛榮和自我中心

知名的牡羊座媽媽：

瑞絲・薇斯朋、珍妮佛・嘉納、莎拉・潔西卡・帕克、
莎拉・密雪兒・吉蘭、葛妮・卡戴珊、凱特・哈德森、
瑪麗亞・凱莉、席琳・狄翁、維多莉亞・貝克漢、
凱特・戈賽琳、克萊兒・丹妮絲、菲姬

✶妳的教養風格

哈囉，戰士媽媽！牡羊座媽媽做任何事都帶著激烈的風格，妳會一頭熱地投入教養職責，意圖留下自己的印記。牡羊座由熾熱的戰神掌管，處理生活裡的每件事彷彿都像打仗，只要活著，就要保持警覺，投入後必定要獲得勝利，為人母不是膽小鬼能做的，幸好妳從不符合這樣怯弱的描述。每個牡羊座女人都有女神資質，妳的自信從不會離開妳太久——即使是芬迪（Fendi）外套沾了奶漬，或宴會禮服沾到麗滋餅乾屑，就像牡羊座媽媽高貴辣妹維多莉亞．貝克漢（Victoria Beckham），妳甚至會讓全麥餅乾屑看起來迷人！

黃道帶分為十二宮（每一宮代表人生中的不同領域），第四宮會影響妳教養子女的風格；根據妳的星座，掌管母性第四宮的巨蟹座賦予妳教養方式特定的特色，因此無論妳多麼嚴厲和獨立，都具有母性本能，涉及家庭時，妳會是家務女神。巨蟹座的象徵符號是特別具有保護欲的螃蟹，所以妳會十分保護小孩，並且不希望孩子繼承自己大膽的性格（馬上將摩托車模型從聖誕節禮物清單上劃掉。）成為母親也可能帶出妳多愁善感的面向——連妳自己都覺得吃驚。不認為自己會看芭蕾舞表演看到流淚？開始做各種剪貼？驚訝吧！巨蟹座是象徵多情的星座，因此無論高興、憤怒或喜歡，妳對孩子的任何感受都可能非常極端。

對妳來說，成為人母最陌生的部分會在初為母親的前幾年，體驗到另一個人對妳百般依賴。牡羊座是最自主的星座，就算把自己的需求放在第一位也覺得無傷大雅。但現在要把他人的需要放在妳前面，而且對方還是個小不點？好吧，這需要一點調整。不管妳多愛自己的雛鳥，有一件事是明確的：妳和他是兩個截然不同、各自獨立的個體。

坦白說，這心態大體來說是健康的。雖然妳可能為了期許孩子更獨立自主而感到內疚，但妳擅長為他樹立這樣性格的典範；牡羊座做自己或追求目標時，從不需要別人的許可——妳絕不是犧牲自己的媽媽！妳總是力求上進，是終生學習最有力的角色典範，是一女當關的成就機器，能夠打破職場玻璃天花板。

雙魚座布蘭登談到牡羊座媽媽：「我媽媽是黑人單親女性，我們住在底特律，她有六位數的收入。那時是一九八〇年代，她開著保時捷，跟繼父分開住。媽媽是個美人，但做事認真，連高中畢業舞會也沒參加。她提前一年從高中畢業，直接進入美容學校，最後買下自己任職的沙龍成為老闆。」

牡羊座女人對任何事都有不可動搖的決心。當妳開始當母親後，可能會伴隨小小的身分認同危機，特別是妳意識到自己已經無法隨意來去。獨立自主的小姐現在得回應某個人的需要，而且二十四小時待命！

希望妳有很棒的伴侶，或一群有強烈母性本能的朋友排隊幫忙；牡羊座，妳是需要支援的！妳扮演傳統的「爸爸」角色會更稱職，像是負責責罵指導孩子、成為經濟支柱、為孩子訂規則，在家裡，妳會是嚴格的執法者，伴侶則會負責給孩子擁抱、親吻、講床邊故事。（妳終於明白選個性格好的人當伴侶簡直是個聰明之舉。嗨，有求必應的保母！）即使妳仍扮演傳統的「媽媽」角色，妳的每個行動都會充滿力量和活力。

妳最終也會明白為人母這件事是一種技能，只能透過經驗學習。即使妳堅不可摧的自信稍有減少，但妳會接受挑戰，努力重新贏得堅定女性主義者的立足點。事實上，妳可能同時享受撫養孩子和賺錢養家的艱困任務。妳就像隻獵豹，會潛伏其中收集訊息，為需求尋找必要的資源——去排隊報名幼稚園，指揮你的保母、親戚和育兒幫手幫助妳應付行程滿檔的生活方式。妳會幫孩子打扮得完美，報名比賽，推動他所做的任何事都做到出色，而且……妳會讓這一切看來不費吹灰之力。

不過牡羊座是競爭心強的星座，即使養兒育女，妳也有要贏的念頭。但在此要說個殘酷的事實，如果妳是領袖型的牡羊座，其他媽媽可能不會喜歡妳，除非妳少點伶牙俐嘴的作風。妳這個女性主義可能很難過，因為女人仍被教導要「友善」或依妳的見解是「虛偽」，假裝一切都是完美的、民主的，然後在每個人背後說閒話。（跟男人相處容易許多，但如果妳開始跟所有爸爸交朋友會發生什麼事？妳不會想了解的。）妳可能無所不用其極，競爭家長會會長或吹噓孩子的考試成績，成為遊戲場上媽媽的八卦話題。

在工作上爭取上位對妳益處良多（不成為董事會女會長的話，要怎麼負擔孩子的私立學校學費呢），但當個競爭心強的媽媽可會走向災難。當然，妳不該削弱自己的光芒，好讓一群嫉妒、討厭妳的人對自己感覺良好。妳是明星，就是如此。但是如果妳發現自己總想爭第一、想勝過周圍的每個媽媽，妳要檢視自己的動機，也許妳只是妳太常談自己的事。有八個孩子的媽媽凱特・戈賽琳（Kate Gosselin）來說，她的公眾形象開始有點自我吹噓，使她開始失去原本的支持者。我們認識的一位牡羊座媽媽最近在社交媒體發了一張圖文，寫道：「跟自己競爭會變得更好，跟他人競爭讓妳變得痛苦。」說得好。盡可能給其他媽媽讚美，或讓她們成為聚光燈焦點，就會發現要跟她們建立友誼變得更容易了。

牡羊座是講求個體性的星座，因此妳絕對需要獨處的時間，不用回應任何人，只有與自己獨處的時間。我們再說一次：妳必須擁有自己的時間。這是當母親最困難的部分，妳應該擁有一群值得信任的過夜保母和照看孩子的人，這樣才能把孩子留在家裡，搭飛機去阿魯巴島享受一星期的獨處時間，或到美容沙龍體驗按摩、做臉和美甲的整套療程。我們認識一些牡羊座媽媽仍維持每週做一次SPA、和女性朋友聚會的習慣；另一些媽媽會毫不歉疚地鎖起臥房、書房或租一間臨時住所，偶爾離開孩子在那裡過夜。

妳的做法可能會讓人憤慨或被說成「自私」，但請把這些視為一種預防措施。忘記給自己減壓的牡羊座媽媽，可能會變成怒火中燒的怪物，將壓力發洩在孩子身上，作為耐性不足的星座，妳是個易怒的人，因此，成為人母會測試妳的底線，妳會需要緩和脾氣，在養育過程的某些時候管理怒氣。急性子的牡羊座媽媽有時可能太衝動。（電影《親愛媽咪》（Mommie Dearest））對養女大吼「不許用鐵絲衣架」的瓊・克勞馥（Joan Crawford）正是牡羊座。）

在管理和威嚇孩子間找到合理的平衡點非常花費心力。事實上，如果妳正在嘗試「恐嚇從善」方式，妳可能需要先處理自身的神經質與非理性恐懼；接受幾次心理治療，能讓妳免於把恐懼投射到孩子身上。此外，妳可能也會對孩子採取「照我的話做，別模仿行為」的做法。畢竟妳自己十六歲時就帶著一張巴士票和二十塊美金的戶頭離家，現在卻要孩子晚上九點前回家、高中畢業後才能約會或化妝。牡羊座媽媽，到底該怎麼向孩子解釋這一切？

妳面對客戶、同事和有需要的朋友可能是世界等級的傾聽者，但妳可能需要清空耳朵的雜音、保持靜默，學習聆聽孩子的心聲。換句話說，少說多聽。妳的目標是培養出佛教裡所謂的「初心」，不要擅自打斷孩子幫他說完或說教。自說自話和怒罵只會觸怒孩子——雖然等他長大後，可能會說出妳想聽的：「媽媽，妳說得對」。

✶如果妳有女兒

優點

女孩力量！牡羊座是講求個體性的星座，本質上是精力旺盛的戰士，妳會希望女兒繼承「妳做得到」的腳步，即使穿著馬諾洛·布拉尼克（Manolo Blahnik）或 JIMMY CHOO 的高跟鞋。妳設法在當媽媽的同時保有魅力和鑑賞力，如果女兒是未來的時尚達人，她可能喜歡翻找妳爆滿的衣櫥。你在女兒成長的每個階段都會給予支援，鼓勵她自我獨立、滿懷雄心壯志——就像媽媽一樣。無論踢足球或跳芭蕾，牡羊座媽媽擁護她追求目標和夢想。由於妳很有競爭心，肯定會以身作則；牡羊座媽媽會確保女兒明白，凡男孩能做的，女孩也能。

同時，牡羊座媽媽懂得如何要求（命令）他人將她當王后一樣敬重。儘管在極端例子中妳可能變成女神，不過考慮周全的牡羊座媽媽會教導女兒「女士優先」最高級的意義。給她王冠和權杖！女兒絕不會為了滿足男人的自我而縮小自己，或在約會時搶著付帳。總之，在妳監督下絕不會發生。

缺點

慢慢來！就因為妳可以不流一絲汗水地征服世界，不意味女兒也想過著同樣的生活。事實上，妳超級媽媽的傾向可能會帶來意料之外的陰暗面，讓女兒覺得她必須跟上妳的步調。教導女兒凡事全力以赴時，也要記得有些星座（特別是水象與土象星座）行動的速度比妳慢很多；如果妳活躍、健康，老聊自己的新陳代謝率，或有多投入太空漫步機的訓練，但女兒缺乏同樣的運動熱忱，她可能會覺得自己不如妳，結果發生競爭心態，導致失和或讓女兒有心理負擔。

請當心妳自我對照的傾向——用自身經驗作為女兒應該如何過活的標準。是的，妳的意見周到、睿智，但這只是意見。如果妳和女兒的價值觀有牴觸，特別是等她大一點後，妳那惡名昭彰的本性可能會爆發出來；與其用鐵腕方式管控，不如尊重彼此不同的觀點，鼓勵她站在自己的角度思考。女兒在成長為個體的過程中，最好應該對所有事抱持質疑態度，包括妳的信念。畢竟，她若擁有深刻的自我覺知，可能就是她對妳最高的讚頌。

✶如果妳有兒子

優點

染色體Y是否意味著……鬆口氣？妳本人很大一部分比起女孩更能跟男孩建立連結。妳對很多事情的處理方式都是「陽剛」的，會有男孩傳統上需要的務實嚴肅；妳不是軟弱、任人欺侮的人！兒子會從妳身上學會如何尊重權威。雖然妳不會約束他的風格，但會清楚說明界線，讓妳自己成為這段關係中的雄性領袖。隨著年紀漸長，他會學會如何帶著敬意、禮貌地對待女性，成長為夢想中具有紳士風度的兒子。

當妳繼續在生活裡忙碌時，會傳達出一個重要訊息：即使兒子可能是妳世界的王子，但媽媽還是王后，他的第一個女性角色模範是如此獨立自信，他學到媽咪的世界不是只圍繞著他打轉。日後，當他照自己意願探索人生時，會選擇一個同樣獨立自主的伴侶。也許未來會發生女神之爭或一山不容二虎的狀況，但希望妳感到榮幸，因為他按照妳的形象選擇自己的伴侶。

缺點

即使妳很能幹，牡羊座女人仍知道如何扮演「需要幫助」的女神（假裝的）；兒子學會幫妳拉椅子、拿外套，當妳穿著六吋高跟鞋時會挽著妳的手。儘管妳的管教策略非常現代，但關於如何對待女士——當然妳一開始會先灌輸傳統的價值觀。恢復正在消逝的紳士風尚很酷，但要確保在這過程中沒有打擊他的意志。意即，當妳發現自己管到他的每個動作細節，或試著將他打造為「媽咪的小幫手」時，請適可而止。

妳是堅持己見的媽媽，兒子很清楚妳對他的任何選擇會有的評價和觀點。不過，他有資格建立自己的信念系統——是的，即使在妳的屋簷下。否則，他可能將妳排除在他私人生活外，不想有妳的干預和不請自來的意見。給他一些呼吸空間，試著在監控時維持合理的距離。妳可能不贊同他的每項嗜好、來往的朋友或約會對象；不過妳也可能因為過於贊同對方，把他的女友當成摯友，開始參與他學校的每個活動。此時，請檢視自己的想法：這麼做是真的努力融入他的生活嗎？如果妳的動機是基於確保自己的領土，那麼請離開他的地盤。若妳侵入他的私生活是因為擔憂，請先跟朋友或心理師吐露心聲，確定自己不是見樹不見林。

✶不同年齡和階段的教養

嬰兒期（一歲）

新生兒階段可能是牡羊座媽媽較棘手的時期。作為凡事眼見為憑、認真負責的星座，習慣事情按照自己的方式。即使懷孕過程中已經嘗到失控的滋味（哈囉，身體不再屬於自己），但沒有任何事能比新生兒更讓妳內在的戰士公主屈服。即使最強韌的牡羊座女性也沒準備好面對睡眠不足、止不住的哭嚎及伴隨照顧新生兒時各種考驗，更別提妳的皮膚、頭髮和指甲似乎在一夜之間就失去從前（當媽之前）的光彩。這不是能拍特寫照的狀態，即使妳已經跟市內最棒的家庭攝影師預約拍全家福。

往常妳很快就能從任何事恢復，不過妳可能很驚訝從生孩子到恢復竟然需要花很長的時間，無論是生理、情緒和心理。失去獨立對妳這個忙不停的星座而言是很大的打擊，此時妳要時常提醒自己，這個階段只維持一年（雖然對妳來說像經歷一個世紀，一年很快就會過去。牡羊座媽媽，這是妳的大好機會：慢下腳步，休息一下！（這可能是一生中第一次也是唯一一次的休息。）仔細欣賞寶寶每天和每週的變化，唯有這一年寶寶會有如此進展。以後回想時，妳會慶幸自己沒有錯過。

妳的競爭天性在這階段也可能是個禍根。牡羊座天生會一肩扛起責任，但在育兒這件事，積極進取可沒用武之地，妳可能需要稍微緩和自身的「陽剛」面。不過，妳有時會明白自己的侷限，如果怎麼哄都無法安撫哭鬧的嬰兒時，可能開始覺得自己像個失敗者。當孩子沒有馬上回應妳的哄慰技巧，妳的挫折感會達到臨界點。

跟寶寶建立連結，特別是新生兒，可能比妳預期還要花上更久的時間，甚至會驚訝或意料不到，夢想中的與眼前睡在搖籃裡的嬰兒是多麼極端的對比。妳需要反覆提醒自己，孩子是妳最好的導師。作為一個鮮少聽從指揮的頑固星座，牡羊座媽媽可能會抗拒接受這個哭哭啼啼的小小老師教導，但學校已經開學，妳的第一課：至今為止的人生都按著自己的步調，現在要如何適應另一個人的節奏。

當妳有伴侶時，成為媽媽也意味跟另一半妥協，而且必須一起做任何的決定。取得平衡不是妳的強項，但妳需要接受才能適應如此巨大的生活變化，單親的牡羊座媽媽甚至會需要一整個部落的保母、親戚、照顧者介入和提供幫助。我們的建議是：接受妳能得到的任何支援！別想當英雄，什麼都自己來，否則妳最後會變得憂鬱不堪、難以承受。提醒自己，在這件事上不需要證明自己獨立自主的能力。

「前五個禮拜有點像在坐雲霄飛車」，兒子剛滿九個月的牡羊座媽媽蘿絲說道。「我感覺兒子和我不合。老公倒是天生好手，他知道嬰兒什麼時候餓了，知道如何把孩子處理得好好的；我則是弄得一塌糊塗，感覺根本不明白怎麼當媽媽。」

後來蘿絲媽媽給她的鼓勵為她帶來改變：「第一個星期獨自跟這脆弱的小東西待在家，真的很困難。他靜不下來，哭得非常大聲。然後來了通電話，是我媽媽的睿智話語：『相信妳自己。寶寶和妳是一體。他感覺妳所感覺的一切，有自信的話，一切會變好。』從那天起，我重新振作，放掉失敗的感受，不再回頭看。」

這就是牡羊座精神！諷刺的是，如果妳想重拾真正的勇敢本性，就必須先承認自身的弱點和短處，請摘下「無畏的面具」，讓別人支持妳。嬰兒時期的孩子不需要妳發揮目標導向的特質，我們明白這有違妳的天性，但是，當妳的小乖乖襁褓時，妳需要透過開啟一門生意或讀博士證明「我仍然是我」嗎？妳注定會崩潰。最好以現有的身分因應生活裡的變化，或是把為人母當成新的領土，勇敢、進取的去征服。

說來有趣，牡羊座正是十二星座中的「嬰兒」，妳是十二星座的第一個星座，星座裡的新生兒。如果妳想到這點，可能就能以不曾思考過的方式理解寶寶的心理狀態：需要立即滿足、遺棄課題（在妳這邊掩飾得很好）、對環境極度敏感（牡羊座掌管神經系統），及有時無法覺察別人的需求只顧自己。

是的，妳和寶寶有一些共同特質，這意味妳也仍需要被當作嬰兒寵愛。因此，妳得去做美甲或美容，即使妳穿不下懷孕前的衣服（可利用配件增添貴氣），還是要在夜晚出門約會，或趁寶寶小睡時做點自己想做的事；請姊妹充當臨時保母，自己出門上瑜伽課，或跟伴侶來場沒有孩子的迷你假期。否則，妳可能會暗暗怨恨嬰兒為什麼需求那麼多，這反而會妨礙妳與孩子建立連結的速度。牡羊座，別忽視自己的需求，即使得減少一些計畫，或花心力擬定更細緻的行事曆。

俗話所言：「一個女人生了孩子之後才成為母親。」說得有理。在這個階段，妳要向作為「新生」人母的自己致上敬意。牡羊座是講求個體性的星座，與其感覺迷失了自己，不如在這個新角色找到自己，由此展開新的探險。隨著寶寶的成長，也觀察自己每次跨越的里程碑。為妳和寶寶創造冒險的機會：如果妳熱愛運動，買台慢跑用嬰兒車，帶著寶寶出外跑步；為自己和幾個能幹的媽咪朋友規劃「夜晚約會」，一起出門放鬆。妳不知不覺會迎來一個靈光乍現的時刻，發現這可能是以父母為目標客群的創業點子，像是推出孕婦裝品牌或寫出一本育兒暢銷書，讓各地的媽媽從中得到啟發。

如果妳實在太累，沒心力征服世界，這時期也會是妳一生中絕無僅有，能鍛鍊耐性及與寶寶建立重要連結的時期。一年密集的自我發現之旅會將妳帶往新的路途，讓妳成為更充實、更好的人。

學步期（兩歲到五歲）

對牡羊座媽媽來說，孩子的幼兒期令妳愉悅又沮喪。一方面，妳有活力繞著公園追逐飛奔的小惡魔——工作後筋疲力盡或穿著六吋高跟鞋散步的日子除外，不過以妳的年輕心靈，對這個時期的冒險和積極步調仍樂在其中。妳和幼兒期的寶貝可能都有注意力集中短暫，及喜歡體能遊戲的共通點。要一起來場躲貓貓嗎？

不過，牡羊座媽媽仍渴望擁有屬於自己的東西，因此當孩子仰賴妳的關注和照顧時，妳還是力圖找回獨立狀態。妳喜歡當孩子生活裡最重要的人物，但這個角色可能會令妳沮喪，有個兩歲大孩子的牡羊媽媽嘆氣說：「一天的時間根本不夠用！」當然如此，如果妳像她一樣，同時上親子瑜伽課和攻讀碩士。

對獨立的牡羊座來說，有其他方法讓妳擁有自己的生活和嗜好，此時妳需要接受妳所謂的「自私」本性，起碼妳要為孩子提供獨立和自食其力的模範。孩子未來會明白媽咪不一定總在身邊、有求必應，只要程度適當，這反而能促進孩子與母親間健全的分離。但在這個階段，很多時候孩子可能不接受替代方案，妳仍須付出比想像還要多的關注。

如果改變不了他，就加入他吧。確保妳安排許多有趣活動是自己和孩子都喜歡的；別強迫自己參加青年會冰冷游泳池裡的寶寶游泳課（妳可不想失溫）或逛寵物動物園（妳的潔癖會發作）。如果妳喜歡跳舞、打鼓或親子瑜伽，那麼妳就去做。孩子在這年紀更重要的是和妳共享美好時光，即使只是用手指沾顏料亂畫或用湯匙敲打鍋碗瓢盆。

說到活動，由於妳具競爭意識，認為現在是替孩子報名小提琴教室、開始學琴的年紀，或報名一流的空手道學校、帶甜美的女兒參加選美比賽。但牡羊座媽媽，妳要謹慎踏出每一步。如果孩子心理上還沒準備好，這樣做不僅傷害他的心靈，甚至會讓妳落入時間快轉的陷阱；想像兩年後的自己：拖著孩子參加武術比賽、全國音樂大賽，或花大筆錢買美髮噴膠、亮片禮服及聘請選美教練，成為「媽媽經紀人」肯定使妳變成為孩子而活（透過孩子活出自己人生）的犧牲奉獻型媽媽——這個角色跟牡羊座毫不相稱。

如果妳的孩子確實有天分，那麼就培養那些才華，但別因為想證明自己是傑出的媽媽就偷走他的童年，也別早早就對他灌輸競爭心。妳可能非常積極，忙著排定最好的活動，籌辦幼稚園的年度籌款活動，但偶爾稍微收斂——媽咪聚會和孩子遊戲時間，不必每次都由妳負責。很多媽媽在孩子的幼兒期最常感到挫折、不堪重負，不過妳可能沒多少耐性聽其他媽媽抱怨。儘管妳無須一再展現同情，但也絕對別陷入自吹自擂的狀態；當另一位媽媽累到隨時可睡著時，千萬別說出說出：「我有最棒的保母」或「我的孩子都馬上入睡」等類似的話題。當一個自信、能幹的媽媽楷模是一回事，當妳要給其他媽媽打氣，提供睿智建議時，但也別忘了認可對方的情緒和經驗。

此外，孩子「可怕兩歲」的叛逆期，就算對牡羊座媽媽來說也是段艱難時期。當妳面臨巨大壓力時，會慶幸當初沒有為了成為完美媽媽而逞強，疏遠新的支持網絡。這段時期只會持續數年，對於一向單飛的牡羊座而言，這是學習團體合作力量的大好時機。因為無論妳使出任何嚴厲或威嚇手段，或按照書上的做，孩子就是會不守規矩、唱反調，讓妳在旁人眼中像個糟糕媽媽。

在這方面，妳天生的管教作風可能有點攻擊性，會想好好控制自己的情緒。當孩子在大庭廣眾下發脾氣，或突然衝到馬路，嚇得妳魂飛魄散，此時妳可能會努力保持冷靜。不過問題會慢慢浮現：妳要怎麼教導孩子保有必要的「恐懼」，以避免危險和威脅生命的情況發生呢？牡羊座媽媽，這是妳需要訓練的部分。與其把錢揮霍在昂貴的音樂課程（小孩可能記不得學了什麼），還不如花在教養工作坊——這並不代表當媽媽這件事尚有不足或做得很糟；事實上，妳需要花費一番力氣才會承認自己沒有所有問題的答案，培養這段時期需要的耐性和眼界，能讓妳在各方面成為更好的人。

另外也要記住：牡羊座媽媽開心時，所有人都會開心。要是妳沒有找到足夠的時間放鬆，妳可能需要徹底改變環境。是的，這可能意味搬家，搬到生孩子前自己不曾想過、更安靜的居所。妳一直是都市人嗎？可能破天荒地覺得郊區很吸引人。妳可能搬到完全不同的城市居住，甚至搬到別的州、縣市或國家，讓自己（及朋友）大吃一驚；或買下湖畔木屋、鄉村房子或分時渡假屋以便定期散心。妳比以往任何時候都更需要在「媽咪」和「自我」間找到平衡，即使這意味著有需要重新檢視自己的優先事項和生活型態，不過對妳而言將會是很有價值的改變。

童年早期（六歲到十一歲）

小學鐘聲為誰響？當然是妳牡羊座！這代表自由的美妙鐘聲，妳能把孩子交給能幹的學校老師照看、指導——終於能回到自己的工作和事務上。過去起碼五年的時間裡，妳等不及開啟網路商店的生意、完成博士學位或重新找回頂尖房地產經紀人的地位；或者是時候回電給窮追不捨的獵人頭公司，接受經理的職務，妳不就是那個最完美的人選嗎？

早晨吃完早餐或送孩子上學後，妳可能會略微感傷：他怎麼成長得這麼快？畢竟妳才剛習慣媽媽這個新身分，現在比賽規則又變了。但是，一旦妳發現能重新獲得多少的自由時間，很快就回收起淚水。再說妳有很多機會能在孩子學校留下特別的足跡，總要有人計畫大家真正想參加的學校籌款活動（想像以馬戲團為主題，有活生生的動物、條紋帳篷，由當地餐廳負責外燴，舉行玩具拍賣會），妳會讓所有人大開眼界。當妳看著孩子背著十磅重的書包回家時，誰會開始執行高科技的作業呢？立刻動員一支團隊將教科書數位化，製作成可下載的檔案。三兩下完成！有誰比妳更適合當家長會會長呢？

在這個階段，孩子開始變得更獨立，妳喜歡這樣的變化，因為這比處處唱反調的幼兒好應付。他在這個容易受外界影響的年紀時，可能會非常崇拜妳，這讓妳暗自得意，他帶回家的手繪圖畫和作文都在描繪媽媽有多厲害，妳別覺得特別驚訝（立刻貼在冰箱門上！），跟孩子相處的時間變得有趣而非挫敗，妳能在知性上與孩子產生交流，妳喜歡他熱切地提問每個問題並教導他獨立思考。這段時期可能是妳當媽媽的「黃金時期」。

不過，在這個階段妳將會面對其他挑戰，十之八九和時間管理有關。此時妳可能勤奮工作，因此在孩子的課後活動、家庭作業和工作間，找到時間完成目標、做運動和寵愛自己會是個難題。如果妳幫孩子安排過多活動，可能會壓力重重、煩躁不堪，覺得自己更像司機而不是媽媽（送女兒上芭蕾課的路上可能唸她幾句），但這會好過讓他跟著妳去辦事、開會和赴約。妳希望孩子整天有良好的監督和排遣方式，即使妳不是負責這些任務的人，不過如有人能代替妳關注孩子，妳就能多關注自己！

布蘭登這樣描述他單親的牡羊座媽媽：「我媽媽是美髮師，她週三到週六從早上七點工作到晚上。她是全力以赴的類型，因此她回家後，不會倒杯紅酒放鬆，她會問我的作業、朋友和計畫，接著準備晚餐，和我們一起看《歡樂酒店》（Cheers）。她總處於『運作』狀態。」牡羊座，即使妳能幹、出色，在這個階段要是什麼都想做，可能會疲勞過度。這段時期，妳應該跨出女超人的舒適圈，開始集體合作：看顧、接送小孩以及其他必要工作，都能與其他媽媽輪流，比如妳週一負責讓所有孩子來家裡玩桌遊、做拼寫練習，另一位媽媽負責週二接送孩子上體操課，牡羊座媽媽，請發揮妳的創意。另外，如果妳自己開店，能在店裡安排一個區域讓孩子畫畫、玩遊戲、寫作業。由於這個年紀的孩子仍想取悅大人，妳能派給他一些工作或任務，甚至用零用錢當作獎賞。布蘭登十一歲時，媽媽雇用他在美髮店掃地和負責洗頭，他笑說：「如果我需要額外的零用錢，就會去媽媽的美髮店幫客人洗頭。」

牡羊座的作風就是，如果無法打敗他，那麼就加入他。一位牡羊座媽媽的女兒回憶：「我媽媽在外頭經營一間照顧中心和蛋糕烘培事業，媽媽似乎早就預想到我們會去幫忙。我和姊姊看管孩子、替蛋糕準備食材——我們就在她身旁，一起經營事業。雖然有時會有點厭倦，不過媽媽向我們展現了良好的工作態度，讓我免於一些麻煩。到目前為止我很感激她。」

隨時保持專注的牡羊座不喜歡遠離目標，但現在妳比以往更需要與生活劃清界線——為妳自己留下自由及保留與孩子相處、工作、學校、活動還有談戀愛等的時間。妳是如何辦到的呢？因為妳對當下通常保持高度專注，工作時專注工作，玩樂時專注玩樂。妳可能想努力創造一個固定的「家庭日」或不可妥協的聚會傳統，如餐桌上禁止使用手機，心無旁騖享用晚餐。如果妳有宗教信仰，可能會在一頓特別的家庭午餐後，一起上教堂或拜拜；也許在每個週六下午都有場冒險，例如去溜冰、爬山或參加博物館的互動活動。結合豐富性與感性能使活動走得長遠，孩子會喜歡與帥氣、能力好的媽媽一起探索世界！

參與學校活動是另一種共享時光的方法，妳能滿懷希望與一些酷媽媽結交新朋友，不過這其實對妳來說並不容易。因為牡羊座代表獨立自主，妳習慣開啟、領導群體，但不渴望加入已存在的團體，可能需要花點時間適應學校的場面，因此請先放慢腳步。布蘭登的媽媽因為太忙碌，無法參與學校家長會，但仍想密切關注兒子在校學習和行為，於是就派出她友善的射手座姊妹作為交流大使。

有個最新快訊：許多牡羊座媽媽在打入新的社群時會以兩種速度進行，一種像機關槍掃射打入團體（準備開火，這個鎮上來了一位新警官！），並以直率的態度熱心對待每個人；抑或像老鷹，看起來既勢力又高傲地觀察他人。請小心！比起帶著心機打量其他家長，還是盡可能讓自己保持溫暖和友善，不然妳可能會受到冷漠對待或得到更糟的名聲。在這樣的環境裡，謙虛是關鍵，比起一直誇耀自己的孩子、談論自己的事，不如多問問題，如妳有幾個孩子、他們都在這裡上學嗎等。另外也不要忘了微笑！牡羊座掌管臉部，妳的表情會說明一切。因此，當妳剛好感到不舒服或仍在尋找適合的環境時，妳擠眉弄眼的外表會不小心透露出「這地方不適合我」的訊息。

當妳開始感到舒適時，就會享受孩子的朋友不定期地來家中過夜或玩耍，隨時關注他們的反應，帶著他們在鎮上盡情玩樂幾天。如果事業非常忙碌，那麼就多花點精力了解孩子最好的朋友的父母。牡羊座不易相信別人，不要因為妳不容易對其他照顧者進行中央情報局般的背景調查，就壓縮孩子的社交生活。那麼就邀請整個家庭一起晚餐！當妳招待對方知名的義式獵人燴雞料理時（就算只是將在全食超市買的食物加熱，反正也沒人想知道），妳能藉此詢問對方一些重要問題，暗中觀察對方的價值觀和育兒方式。

綜合以上建議，記住請盡情享受孩子這階段的甜美時光！不過妳若太熱衷「投入」每件事，讓女兒變成數學競賽的常勝軍，或讓兒子學習中文準備改變第一強權等，導致忘記與孩子建立連結時，就會發現這些真的不重要，除非妳從來不了解彼此。只要妳透過不斷反覆嘗試，就會學習到如何在當下安排他的人生。

青少年期（十二歲到十八歲）

恣意妄為、固執，只要稍微要求就放縱，認為他銳不可擋，能回答任何問題……等等，我們現在是在說孩子……還是妳，牡羊座？

青少年期對任何家長來說都並非易事，不過妳具備所有的技巧來處理他在衝動、身分塑造的階段。青少年是個有趣生物：前一秒他想炫耀獨立自主，下一秒就變成一個孩子——請稍微後退一步，問自己是否使用不同的方式對待他。

妳對於堅守陣地和劃清界線無所畏懼，與缺乏智慧的青少年對話也無法對妳造成威脅或傷害。即使妳盡量讓自己不一樣，青少年確實也會劃清界線，因為這能幫助他對之後發生的事感到安心，關鍵就在於妳的規則是否合理。妳並不是害怕孩子，而是害怕他對周遭破壞性的影響，那麼要如何在不擊潰他的自主性的同時也設定界線呢？

「一致性是關鍵」——從人才仲介轉職為治療師的牡羊座朋友泰瑞・科爾（Terri Cole）如此說。她在十五年前嫁給鰥夫，是三位難以控制的青少年男孩的繼母。「當我走入那個家時，孩子們正在屋內四處奔跑，完全是失控狀態。第一次晚餐時，最小的孩子在餐桌上對著哥哥大叫要他住嘴。於是，我深吸一口氣，冷靜地說：『從現在開始，在這個屋內沒有尖叫聲。』他盯著我，覺得我一定是瘋了。接著我為整個家庭帶入治療，他們確實需要很多療癒。」

牡羊座特別容易動怒，在妳覺得無法控制時，挫折很快會出現，此時做些聰明之舉就顯得重要。妳需要感覺在操舵一艘船，而不是想著和叛逆的十四歲孩子搶奪船舵。泰瑞的治療訓練幫助她理解孩子潛在的情緒，如憤怒、挫折和不安全感等這些隱藏在青少年底下的溝通方式。「有一次，最小的孩子想談關於汽車和車框的事，我跟他談了關於車框的話題。」泰瑞道。「直到現在，他已經長大、變成爸爸了，還是會向我詢問意見。」

如果妳不是擁有敏銳聆聽技巧的牡羊座，而且不想因為強烈反應或情感引起恐懼，導致失去優勢，可能要從現在開始培養並投入相關課程。無論妳是否相信，孩子非常需要妳的指引，讓他能隨時找到妳、向妳傾訴，這也代表在孩子離開時，妳也能處理自己受挫的自尊心和失落感。當妳的頭號粉絲突然間變成頭號的公敵時，提醒自己，青少年時期只是他一個短暫的過渡，而孩子的離開也代表他正在形塑性格。

「有件事要記住，妳永遠是他的父母。」泰瑞提到，「妳永遠是他的大人。」當然這不代表要看起來「像個」成人。妳能永遠保持年輕（我們也敢這麼說），維持光鮮亮麗、流行，穿搭甚至比孩子時髦，不過這也可能會讓他同時感到驕傲和尷尬，特別是妳的服裝過於前衛或性感。請將這些留到女孩午夜派對時吧！妳不需要在家長會的場合上穿著露肩衣服。

在這時期，妳會變得非常忙碌，自己的生活也很活躍，充滿各式各樣的人事物。妳可能為了不想被孩子干擾，讓他參與太多的戶外活動，特別是妳不在孩子周圍監督時。注意，這可能會對他累積過多壓力，導致他變成一個反抗者——讓孩子擁有平衡的人生吧！比起過度保護，不如讓他接觸，不過也別太過壓迫。妳能在寬廣世界裡對他展示許多令人興奮的可能性，啟發他追求更多事物。

「孩子成長並落入妳的期待。」一位牡羊座媽媽說道。「如果妳讓他覺得能因做壞事受到安慰的鼓勵，這就好像在告訴他，妳認為他是失敗者或能力不佳。」不要忘記此時青少年的身體和大腦還在發展，妳的期待需要符合他的發展階段。需要面對現實嗎？如果妳和某人在交往，伴侶會提醒妳是否處在過於嚴厲的狀態，即使妳不會每次都聽進去。有遠見的牡羊座媽媽會對她的後代想像一個精彩的未來，她不害怕藉由結果促成或推動事物。

大部分的牡羊座媽媽雖然知道如何與另一半維持浪漫關係，不過在養育孩子的階段，妳的轉變可能會威脅到原本完美無缺的伴侶關係，需要留心。因為妳可能變成過於極端、嚴厲的人，妳的另一半則會扮演溫和善良的角色，當然如果能讓孩子遠離麻煩，對於紀律操守或扮演黑臉，妳都能完美詮釋，但妳也需要創造一個統一的父母陣線。

即使妳只能出席重要的活動（比賽、學校音樂會和頒獎典禮），讓青少年孩子知道妳會支持他。如果不知道呢？至少讓他知道能回到家裡這個避風港，哭訴自己被欺負或遇到其他不公平的事情。此時，妳會進入完全的戰鬥模式，教導他克服逆境的技巧，以機智戰勝敵人。畢竟妳對於不公不義很敏感，而且有個堅不可摧的靈魂——是的，昨晚孩子抱怨不願讓他延長門禁的人就是妳——妳會給他信心，讓他能抬頭挺胸走在高中校園裡令人害怕的大廳，就像他心目中期待的媽媽一樣。

掰掰，小鳥離巢（十八歲以上）

美好驚喜！當孩子離開家中的那一天，會是一段美好關係（友誼）的開端。這有點像是「非禮勿視」的情況：孩子少了密切觀看的眼神，妳也能放縱自己，稍微忽略健康問題，恐懼獲得解脫，與兒女享受如朋友般的相處。一開始，妳能與後代真誠交往，展現自己有趣而非嚴肅的一面，並非妳就不表達意見或試著引領他，妳只是在等待他要求介入。一旦在法律上妳不需要對孩子負責時，對於他的過錯就能比較容易以個體的角度看待。

過去幾年妳給予孩子那些嚴格的愛，現在也獲得回報；妳越努力督促孩子獲得成功，常以「贏家從不放棄，放棄的人從不獲勝」這類老生常談訓斥他，想必越能讓他準備好面對競爭激烈的大人世界。妳自己做好典範，教導他在廣闊的世界裡有更殘酷的事實正等待著他。如果妳沒有給他太複雜的事物（妳能稍微控制），那麼妳可能就得準備幫助他謀生、繳帳單及處理他成人應負起的責任。

當然，如果孩子較脆弱或晚熟，還沒準備好離開鳥巢，這會是段艱難時刻。告訴妳最新資訊：因為「妳」覺得獨立是件很棒的事，但不代表孩子已經準備好離開。雖然也不是要孩子去當兵或將他的行李丟在路邊，但妳會對他持續施加壓力。當妳提醒孩子已經是合法成人，或住在妳的房子時要付房租，他肯定會感覺自己不受歡迎。當然妳也不希望孩子一直依賴父母，但就是有些人還沒準備好獨立生活、上學或是還不確定未來賴以為生的職業，即使他的年紀已經大到能買啤酒和投票。

對於有兒子的牡羊座媽媽來說還有個潛藏的因子：他多快搬出去，取決於他對妳是否有用。如果兒子能充當雜工，又能在自家多房住宅內當房客（當然是按月付房租），妳不會介意他待在身邊。但如果他住在開車能到的距離外，妳會把他的電話號碼存入快速鍵，每次妳需要搬重物或家務協助時就找他——當個女神媽媽。沒有兒子嗎？沒問題，女兒也能代勞。當然，妳自己也強壯到能搬動一個中型器具或油漆儲藏室。但妳認為既然養了這些孩子，妳有權要求他的協助。

成人期可能也是妳跟孩子重新建立連結的好時機。妳不像其他媽媽會為了孩子犧牲自己的身分認同，即使在他上學時也幾乎保有自己完整的生活。對妳來說，不太會有空巢期——事實上，等孩子一搬走，妳可能馬上會把他的臥室改成辦公室。即使感傷，但妳更需要個人空間！妳也需要個人時間，現在有大量屬於自己的時間，不需要做飯、帶孩子練團或配合別人的行程安排。妳能習慣的！（等等，妳已經習慣了。）

因為有這樣多餘的空間放鬆，因此當妳見到孩子時，會跟他享受更多美好時光。妳能計畫特別的外出行程，一起購物、進行真摯對談，然後與他吻別，回到自己的地盤。如果育兒一來都這麼容易就好了！嗯，就把這當作獎賞好了，妳可是在近二十年歲月裡，把另一個人的需求放在妳的需求前。對於「我最大」的牡羊座來說，這是非同小可的壯舉！

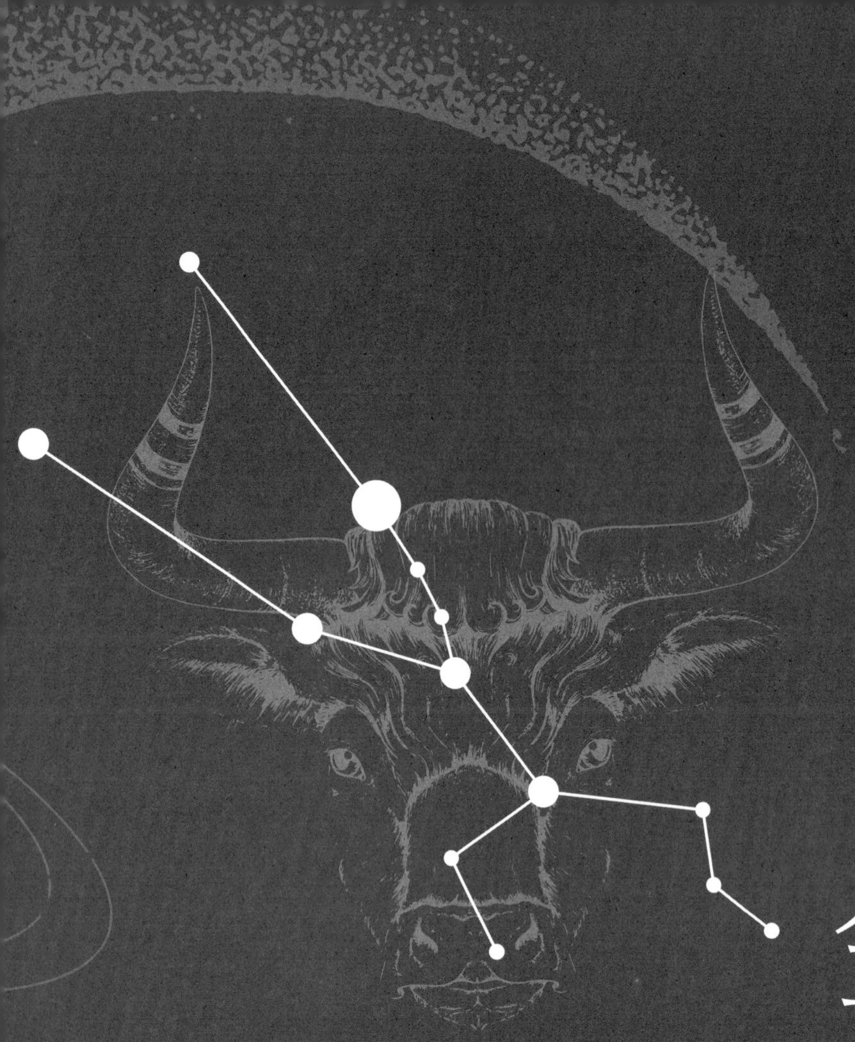

金牛座媽媽

（4月20日～5月20日）

媽咪魔力——妳的優點：

穩定、品味佳、有常識、刻苦耐勞

媽媽咪呀——妳的挑戰：

懶散、物質主義、心情不穩定、虛榮

知名的金牛座媽媽：

桃莉・史貝林、潔西卡・艾芭、蒂娜・費、雪莉・謝波德、
雪兒，梅根・福克斯、泰瑞莎・朱迪斯、莉莉・艾倫、
潘妮洛普・克魯茲、烏瑪・舒曼、愛黛兒、姬莫拉・李・西蒙斯、
伊麗莎白・羅姆、凱特・布蘭琪

✶妳的教養風格

金牛座是蓄著前短後長的狼尾頭媽媽——看似一板一眼，實則隨興不羈。有時妳以嚴格的態度撫養孩子，讓他畏懼上帝、馬路和奇怪陌生人，不過一旦確定每個都安全、可靠，馬上轉變成派對時間！金牛座媽媽是選擇性堅定，是的，對一些關鍵課題會絕對堅持。每個金牛座都有老派的一面，不願對一些標準讓步，但在這個堅決的表面下是一位非常實事求是、樸實的大自然女神。妳可能會強迫孩子在成年以前每週去上主日學，但是會讓他在家旁觀分娩過程，或十二歲就能騎摩托車。

掌管妳第四宮的星座是威嚴的獅子座，因此妳會有種女王媽媽、莊園女主人的氣派，也讓妳對孩子有強烈的保護欲。妳的打扮時髦精緻，知道如何在公開場合展現得體。維持家族名聲的地位對金牛座很重要，畢竟名氣能打開所有可能，讓妳為家庭提供安全、美好的生活。有時候，星盤裡的獅子座部分會讓妳有點太在乎被人尊重（過頭的話，會變得有點自戀）。

金牛座是十二星座中善於規劃財務、精打細算的人，妳相信投資就有回報；因此如果花費人生的好幾年養育孩子，妳會期待受到認可！妳將孩子養育成品行端正、尊重權威的人，如果可能，他會是把妳視為偶像的孩子。最起碼，妳試著讓他的人生裡永遠都保有媽媽重要的位置，妳希望跟孩子親近，但不會犧牲孩子的尊重去當他最好的朋友。在義大利製的皮手套裡是一雙鐵腕（指甲精心修剪、塗上蔻丹），即使妳要費一番力氣才能舉起拳頭；只要孩子沒有當眾令妳難堪、違反某個核心價值或公然不尊重妳，就不會有任何問題，這樣夠簡單吧？

成為母親可說善用了妳的管理才能，這是多數金牛座女性天生擁有的才華。妳注重實用細節，天生有條理，是家族裡的營運長。妳喜歡管理人們的生活，哎呀，妳已經為女性朋友、家人做這件事夠久了，養育孩子條理分明的節奏對妳而言如此自然，這跟許多其他星座的媽媽很不一樣。即使金牛座媽媽在社交聚會上總是遲到（我們就認識幾位），但對於報名菁英藝術營獎學金、登記私立學校等候名單、為孩子計畫高雅的週歲生日派對（邀請七十五位最親近的叔伯姑姨、表親堂親等），妳永遠準時。說到優先的養育任務，妳就像雷射光一樣精準，任何其他事都是次要的，只有妳認為真正重要的，才會給予戴上白手套般的精心對待。不過妳需要注意這種模式會給人留下的印象，比方在成人禮或受洗禮最後十五分鐘才到場，錯過整場儀式和歡迎會，只因為女兒當天有舞蹈比賽。

由於金牛座是按照例行公事和習慣的星座，堅持固定的就寢時間、三餐時間、接孩子放學和家務時間，而且知道如何在生活的日常瑣事裡找樂趣，像是準備晚餐、換尿布、讀床邊故事，養育孩子從不缺這些瑣事！妳也樂於把自己的價值觀灌輸給孩子，教導他喜愛的傳統或分享妳的精神信仰。

不過，妳純樸但也會頹廢。金牛座由象徵愛、美和感性的行星金星守護，儘管講究實際，但每個金牛座其實都是隱藏版的女神，妳又是體力充沛的女神，毫不遮掩地喝美酒、吃美食；也會精心打扮赴晚餐約會，或可能在臥房裡有張舒服大床。妳能公開談論性事，不過這讓孩子有點不知所措或感到不太舒服，但對這方面，妳採取歐洲人的風格而非清教徒姿態。此外，妳工作勤奮，也喜歡享受生活；吃晚餐時來杯紅酒，穿著綢緞袍子慵懶地躺在由專家設計的寬敞衣帽間——即使當了媽媽，也要像個女神。

妳也縱容孩子。首先，妳喜歡購物，而且比其他星座更能在便宜貨裡找到高品質的物品。金牛座掌管物質世界和五感，對妳來說，一個漂亮、舒服的環境十分重要。妳盡心打扮孩子，或在家裡創造出對的氣氛，天生善於打造出有品味又能生活的空間。對於更細緻的傢俱陳設，妳會劃分禁止進入的區域，但總有舒適和時尚的家庭活動區域和臥房。妳可能成為朋友最愛的家用品供應者，定期為對方重新裝潢家裡——慷慨送出不想要的藝術品、沙發和餐桌椅。

玩具、衣服和其他孩子用品將會需要額外的儲藏空間，因為妳可能會大量囤積。我們認識的一位金牛座媽媽，七月就開始採購當年的聖誕禮物，她總在「黑色星期五」時排在購物隊伍的第一個。這就是人生！寵壞孩子是種權利，不是特權，至少就妳而言。

不是說妳一定會在各家商店掏出信用卡爆買。因為許多金牛座媽媽喜歡撿便宜及自己動手做，因此可能以樸實的方式表達自己的精緻品味。我們的金牛座朋友譚雅把兒子凱魯瓦打扮成一顆壽司，在陶器倉庫（Pottery Barn）兒童傢飾店舉辦的萬聖節扮裝比賽贏得勝利。譚雅手工製的服裝設計巧妙，完成度擁有專業水平。隔年，陶器倉庫推出了嬰兒版的壽司萬聖節服裝。巧合嗎？我們永遠不會知道。但在我們看來，譚雅只花十美元就打造出來的服裝（還包括用海苔包裹的生魚片）更高明、更逼真。

這就是金牛座風格：必須在一件事上留下自己印記時，會直搗黃龍。驕傲是金牛座的標記，但太驕傲會讓妳專橫、頑固，反而成為缺點。妳過度堅持自己的信念，甚至讓不認同妳世界觀的孩子變得疏離，讓他覺得在自家像個局外人。對金牛座來說，沒有「我沒事，你也沒事」，而是「我沒事，你卻有事。」

寬容未必是妳的長處，卻是必須學習的技巧，陷入對與錯的模式只會讓妳與孩子疏遠。此外，他可能只是在妳背後偷偷摸摸，藐視規定。最好教導孩子「看法會隨著時間改變」（是的，甚至是妳的看法）。當妳把任何情況都過度簡化為好與壞，永遠解決不了家庭紛爭。請尊重他的自我表達、做法和選擇，即使妳清楚表達不同意的態度。

金牛座是土象星座，因此妳可能是對每樣東西都講究有機的媽媽。例如金牛座演員潔西卡．艾芭（Jessica Alba）自創對環境友善的嬰幼兒品牌「誠實公司」（Honest Company）；瑞秋．薩諾夫（Rachel Sarnoff）建立的「最環保媽咪」（Mommy Greenest）網站，為具有環保意識的人提供育兒用品的相關資訊，從不含氯的尿布到不含待乙妥（DEET）成分的防蚊液。妳將以天然產品擁護者的眼光監督孩子所有的吃、穿及碰觸的東西，然而妳仍對自己的消費選擇非常挑剔，甚至勢利。好吧，高級品牌市場和商店也許要感謝妳讓他們有生意可做，別管節約了。

對另一類金牛座媽媽來說，妳的土象特質意味著腳踏實地——妳沒時間或興趣找無麩質的孩童點心、無添加某種染劑的洗衣精。妳可能把外在一切打理得體，但對環境毫無意識。妳天性就不是走在潮流尖端的人。妳會讓孩子喝酷愛（Kool-Aid）果汁、煮卡夫牌（Kraft）通心粉，孩子得好好長大了。

在金牛座陣營裡肯定有些物質主義的媽媽，她們會告訴所有人在那裡買了哪件東西（及多麼昂貴），也許妳就是揮霍購買兒童高級訂製服的媽媽。我們的一位金牛座朋友花大錢買了匹馬和馬廄，好讓女兒參加馬術比賽。有時只是關乎妳的行事作風，但如果妳就是輸人不輸陣（或者就徹底打敗別人），請檢視妳重視地位的面向；用不著透過讓孩子擁有多少雙時髦鞋子，或讓他進入「好」學校、跟「好」家世的同學往來，來證明自己是多棒的媽媽。

金牛座媽媽可能忙著給予孩子舒適的物質環境，導致忽略孩子的情感需求，或是錯失孩子需要家人幫助的訊息。哎呀，妳會發現朝那些問題扔扔昂貴玩具也沒用，不過妳也不會像生氣的公牛般怒吼。一位金牛座媽媽承認：「我從不打孩子，但我曾經在生氣時往牆壁扔東西。」

在為母之路上遇到顛簸？請少花點時間演戲，給孩子空間做他自己，即使妳覺得難堪，但這會讓你們建立更持久的母子關係。如果妳是那種急於衝去拯救孩子的金牛座媽媽，請先後退。當然，妳幾乎能為孩子搞定所有事，但有時最好讓他自己掙扎奮鬥，在過程中培養出性格。給孩子工具，養成自我主見，並在人生中做出可靠決定——那些讓他快樂、健康、獨立自主的決定。

✶如果妳有女兒

優點

由感性金星守護的金牛座媽媽，知道如何成為一位女神。妳熱衷訓練小女孩在女性特質上的培養，希望她有個死黨能一起沉溺冒險。妳能表現中規中矩，但也會出現放鬆狀態，就像妳教導女兒禮儀，但同時也鼓勵她展露情感。妳希望她把握每次機會，在餐桌課中知道使用哪支叉子，及如何寫出適當的道謝文字。其他星座不像妳對換季拍賣如此敏感，妳會教導女兒成為聰明的消費者，總以最好的價格買到最佳商品。妳負責任的性格喜愛幫她穿好衣服、精心打扮，幫助她找到個人風格。如果妳是擅長居家打理與料理的金牛座媽媽，會將簡單的食譜、裝飾技巧傳承給她，賦予她招待客人的天分；或教導她利用網路購買藝術品，及如何在晚餐時做妳最喜歡的事——預約！

當妳展露實事求是的性格時，能直白地對女兒講述性方面的基本常識。金牛座掌管五感，會連結到身體及享受的愉悅，最終妳想要女兒掌控自己的人生、身體和選擇。儘管妳觀念傳統，希望她等到成年才有性關係，不過妳也很實際，理解荷爾蒙的改變與性衝動只是生理的正常反應。因此，比起讓困惑的感覺引導她，不如形塑她的觀念。事實上，金牛座媽媽會努力確保女兒不聽取他人廢話，也知道妳會引領她回家，如果有任何人招惹她，妳會站出來替她解決。

缺點

雖然妳可能不想承認，其實妳和女兒間有些競爭意識；金牛座天生就帶有這樣的天性。如果孩子繼承妳固執、驕傲的性格，那麼妳們可能會在家務上釀成一些問題而產生爭執。妳可能需要（不斷）提醒自己「模仿是最真誠的恭維」，因此，妳得以身作則，減少公主病、難搞的傾向。妳無可挑剔的穿著、完美料理及如室內裝潢冠軍般的擺飾，會為女兒帶來啟發或模仿，特別是她如果沒有像妳有天分時。不過要小心，不要設定太高標準來追求每件事都完美呈現。

妳想和女兒無所不談，不過有些主題可能會踩到妳的地雷，最好盡量避免。大致來說，妳可能不認同政治、她的工作道德（能從成績及她如何對待擁有物證明）、她的朋友及任何帶有強烈觀點的敏感議題。當金牛座媽媽開講時，將會是場地獄般的磨難，不過妳可不要期待女兒會準時收聽妳的臨時演說。如果妳只是單純心胸不夠開闊、無法互相寬容，此時可能得向悠閒的阿姨或老奶奶討論這些敏感話題。此外，妳是個解決問題的高手，當妳嘗試修補與女兒的一切時，自我保護的面向會發揮作用。實際的金牛座天生擅長有話直說、點出重點，找出簡單的解決方式——為每個議題劃出重點。不過將問題過於簡化的傾向，會阻擋孩子必須經歷的情緒過程，像是對失戀的女兒說「他就是配不上妳」時，是無法減輕她的痛苦；比起給她處方籤或神奇藥丸，她可能只是需要妳的「聆聽」，請讓女兒感到安心、少犯錯，並確認妳愛著她。有一天，妳可能會聽到她對你說：「妳知道嗎，媽媽，妳是對的」而心滿意足，不過直到那天到來前，請頤指氣使的金牛座媽媽保持沉默！

✶如果妳有兒子

優點

一位明星誕生！金牛座媽媽會以英雄般的姿態迎接孩子到來，並在未來的日子裡持續熱烈歡迎他。妳毫不保留地培養一位「明星」，也希望他能配合妳的計畫成長。喔，金牛座媽媽，妳是不是對最年長的兒子特別期待，滿腔熱血地為他計畫，他如同妳的展示品，妳以他為傲，在部落格裡記錄他可愛的舉止和故事。

他在妳的品味影響之下，可能會成長為一名都會型男，不過，妳還是會讓他參與運動和競賽，保有基本男孩的刻板印象。當然一位對孩子感到驕傲的母親，一定會在任何場合中誇耀孩子，讓妳的小伙子受到鼓舞。兒子年輕時，妳很樂意向他介紹妳的興趣和藝文活動，與他分享對音樂、舞蹈、料理和各種事物的喜愛。在艾瑞爾・美雅度・斯托林斯（Ariel Meadows-Stalling）的部落格「打不倒的媽媽」（Offbeat Mama）裡寫道，她曾帶著兩歲兒子塔維參加在奧勒岡舉辦的四天露營與音樂祭典。

當然，妳在外面可能是熱衷接送兒子參加各種活動的足球媽媽，卻不喜歡在設備完善的家裡有任何摔角大賽的出現，這可能毀損妳珍愛的財產。妳需要將漂亮的物品先打包收起來好幾年，或將美輪美奐的客廳圍起來，免得兒子無可避免地打破東西。好吧，妳能在宜家家居（IKEA）或目標百貨公司（Target）找到完美的「複製品」，把燭台放到高一點的地方，甚至修復一個二手櫥櫃，妳不會介意這些家具時不時地被撞翻，因為只要打磨、重新上漆又能煥然一新。就是這樣，一個品味高雅的家仍經得起兒子的磨損和破壞。

缺點

和小男孩依偎，是妳最喜歡的愛的展現，但隨著孩子成長、想逃脫你的掌控時，妳可能對此感到有點心痛。金牛座是始終如一的代表，妳不喜歡改變，特別在妳珍惜的關係上。不過妳仍需要發展母子間的連結、創造適合孩子年齡的界線，雖然這可能有困難。請在妳的領土範圍內做出示範，使用帶有占有性的舉動嘗試劃出界線——妳對孩子在興趣、約會、音樂和服裝上會積極參與討論、出意見，即使孩子沒請妳這麼做。此外，若妳管得過於嚴厲，可能會適得其反，特別是妳的語調變得讓他覺得失去男子氣概時。其中一位朋友記得他的金牛座母親，曾在一次激烈的青少年吵鬧中，與他的高中女友告狀他偷聽到他母親說：「如果我兒子無法料理好他的生活，他會失去發生在他人生中最好的事！」媽媽，妳前一秒把孩子當神養，下一秒又把他放在嬰兒床——這樣不一致的教養方式會使人混淆。

因為妳盡可能在一個屋簷下（當然是在妳的屋簷）維持家庭緊密的關係，妳的任務是訓練孩子成為獨立自主、正直的個體。他同時繼承妳的一些傳統，但又創造出屬於自己的個性。即使他的選擇和行為會受到妳的影響，但到了某個階段，妳的任務就算完成。妳需要互相寬容與尊重，畢竟這是妳從其他人的批評中所得到的核心建議，比起精心準備的紅酒燉牛肉，妳的王子偶爾比較想吃油膩的披薩，放輕鬆，讓他吃吧！對於灌輸優良血統這件事妳做得很好，況且他的工作也不是要幫妳獲得年度媽媽的頭銜。比起控制他的一舉一動，不如暫時轉移注意力，確保他在安全無虞的情況下展翅高飛，有一天他會自己回來的！

✶不同年齡和階段的教養

嬰兒期（一歲）

寶寶的祝福？新生兒的視線、聲音和味道讓妳面對現實，又或者讓妳感到不耐，要知道妳的好日子快結束了！金牛座主掌五感，擁有高度的調和能力，因此，妳能沉浸在過渡階段的感官享受。對觸覺敏感的金牛座媽媽很享受嬰兒時期的觸摸，妳會在與新生兒碰鼻子、呵護的情境下忘記時間的流逝，唱些有點可愛的歌曲、說說孩子的小名或輕咬小巧的手指和腳趾頭。此外，新生兒的味道讓妳的鼻腔感到清新（缺點是新生兒的尿布味誘發妳嘔吐）。

即使是勤勞的金牛座媽媽計畫好快速回到辦公室，都會因為寶寶發燒而更改計畫，令人驚訝是，妳已經不在乎信箱裡累積了兩千五百封未讀的信件！因為妳寧願花時間與剛來世上的新生兒摟抱。如果妳還沒開始養兒育女，那麼沒有其他任何微小的練習能改變固執的妳，妳可能樂於為自己找藉口，放慢腳步、簡化生活簡化，日復一日，這就是金牛座最理想的生活步調。

自我要求嚴格的金牛座媽媽只要熟悉嬰兒時期的各種事物，依舊會閃閃發光。當然嬰兒不可能會按照指示行動（除了他的身體動作），不過還是有些基本的育兒祕訣能輕鬆遵守——吃飯、睡覺還有自我安慰，然後重複。嗯，這就是孩子的行事作風。

不過現在也不是說能伸展雙腳，像在懷孕期間當個貴婦、吃糖果的時候，而且養兒育女是妳的工作，不要再對這些事情抱有幻想了！一些金牛座媽媽以動作慢聞名（妳優雅的行為可不能受到催促），然而當受到使命召喚時，妳會將鬧鐘設定好隨時準備行動。寶寶第一年固定的生活步調對妳來說可能不是太大問題（十點與四點的小睡、每兩個小時準時餵奶），對日常的生活節奏妳能很快適應。

畢竟新生兒一天可以睡上十六個小時（最後妳也一起打盹），這讓妳有很多時間製作有機寶寶副食品、補上之前最喜歡的表演和閱讀，或預約喜愛的女按摩師到府服務。寶寶的小睡片刻是寵愛自己的時光——誰說貝里尼（一種水果雞尾酒）和哺乳不能偶爾穿插一下！

當然如果新生兒的腸絞痛不按照規則發生，對於第一年的新手媽媽來說，可能是個挑戰。簡單來說，妳不喜歡熄火的感覺——黃道十二宮的第二宮金牛座通常會有兩種生活速度：火力全開或完全熄火。妳努力工作，但需要相同的休息時間，一到了夜晚處於斷電狀態時，妳會拿著裝有馬爾貝克紅酒的無柄酒杯，或裝有薰衣草洋甘菊茶的馬克杯，此時的妳已經下班。如果另一半不願意在晚上照顧嬰兒，或沒有能力安撫哭鬧的寶寶，妳的第一年可能會相當痛苦。而妳也需要與另一半擁有固定的性行為，這對精力充沛的金牛座媽媽相當必要；妳需要肉體的解放來減緩壓力，沒有什麼地方比閨房還適合。另外，也請做好事前措施，妳可不想最後還來個「愛爾蘭寶寶」（意指出生時間相差不超過12個月的兄弟姊妹）。

「第一年對我來說非常艱難。」金牛座媽媽米雪兒表示：「我希望寵愛自己的例行事項能保持穩定，但我在塗指甲油時，寶寶哭起來會讓我沮喪。老公叫我去美甲沙龍，但我不相信他能照顧寶寶，或按照我的規矩做所有事。這太難了！」

這階段通常是自認隨和的金牛座女性發現自身彈性受到侷限的時候。「寶寶無法預測，因此很嚇人。」金牛座媽媽珊姆表示。她的一個孩子五週大，另一個在學步，但真正令金牛座驚嚇的不是得照顧脆弱新生命，而是毫無準備。金牛座需要知道有什麼在等著的安全感——包括前面和後面階段的事。當妳讀了書架上每本育嬰書籍，還是無法讓寶寶停止哭泣、退燒或擠出奶水，妳會非常緊張，覺得自己一無是處，因為金牛座是天生的供給者，若無法馬上給予寶寶安慰，會升起一種無助感——這是妳鮮少體驗到的感受。

金牛座媽媽吉兒說：「兒子還是嬰兒時，我沒安排生活作息表。」她吃了一番苦頭才明白，成為母親不會是她這輩子第一次體驗從容不迫的時機。「我想要『隨遇而安』，但這大錯特錯。最後還是得開始安排作息，因為太遲才進行，讓孩子遵守時間表又花了一番工夫。」

金牛座過多自尊的特質也沒有幫助。妳可能自以為是批評其他媽媽，殊不知「那雙鞋」可能也會穿到自己的腳上（依然腫脹的腳），容我們直言——妳現在寧可去隆乳而非「隆起」自我，在育兒這件事容不得牛脾氣的虛張聲勢。最好承認妳無法負荷、力不從心，進而讓親愛的朋友和家人協助妳。

所幸金牛座媽媽從各方面都是徹底的現實主義者，妳會以堅定的決心挺過一個又一個無眠的夜晚。妳也是土象星座，這有助於妳腳踏實地。基於這個理由，自然派媽媽風格非常適合，只要妳坦然接受。事實上如果可以，就將「打赤腳懷孕」變成「打赤腳過產後生活」來看待。金牛座的萊瑟姆．湯瑪斯（Latham Thomas）為一名陪產員，著有自然育兒手冊《媽媽光輝》（Mama Glow）一書。她描述兒子弗拉諾在田園度過的嬰兒時光：「我們住在布里奇漢普頓一位朋友的家裡，那裡有花園和戶外淋浴。弗拉諾沉浸在大自然裡。房間裡有張吊床，我常常和他躺在上頭。」能在雜誌《城鎮和鄉村》（Town & Country）般的環境裡育兒，這樣的幸福著實讓我們羨慕。

這樣的生活聽起來跟妳的幻想一模一樣，但現實截然不同，尤其如果妳是位單親媽媽，妳很可能是家裡的經濟支柱，或者起碼得分擔家庭生計。因此，寶寶出生後，幫自己一個忙，慢慢回復到以往的生活節奏。如果妳從照顧寶寶馬上轉到工作狂模式，只會讓妳的運作系統深受阻礙。

要記住，金牛座由代表美和感性的金星守護，妳需要尊重天性裡享樂至上的面向，盡可能安排一些兩人約會和呵護自己的時間。運動對妳也是一帖靈丹妙藥，雖然可能需要發奮圖強才會開始行動。金牛座媽媽在懷孕後會變得不太愛動，產後的體重可能降得很慢，但妳得保有耐性，關愛自己的身體，要是因為心煩挫折而縱容自己，就得當心了。妳將受慣性影響，一旦停止運動，就很難重新開始。鞭策自己保持活躍，選擇健康食物；不妨每天開始在社區散步，再慢慢增加活動量，整天補充大量的水分。金牛座掌管的黃道第二宮代表日常生活例行公事，對妳來說千里路（或減去三十磅體重）就從第一步開始。

等妳投入後，會開始刺激五感；用快步（帶或不帶寶寶）往返最愛的書店、咖啡店或美食雜貨店時，同時瀏覽櫥窗，出門時買束鮮花回家。妳預定了產後皮拉提斯課、加入SPA療程、在家做精油擴香、在客廳開音樂跳舞並重拾性生活。

另外也要欣賞寶寶跨過的每個「里程碑」，孩子從出生到周歲間發育最快，妳可能跟別人一樣忙碌、心不在焉，但少有其他星座能和金牛座一樣真正品味當下。擁抱妳活在當下的出色能力，從這個時期大量汲取盡可能多的美好回憶。

學步期（兩歲到五歲）

歡迎來到超乎想像的混亂狀態！雖然有趣，但依然混亂。對於妳這樣喜歡保有秩序且實際的星座來說，家裡有個亂跑的幼兒會讓妳龐大的耐性面臨考驗。這年齡的多數孩子注意力範圍跟蚊子一樣小，這意味當妳把摩天大樓模型或陶器拿出來時，他已經失去興趣、想做別的事。請向疲於奔命的日子說哈囉！

多工作業不是妳的專長，妳喜歡一次做一件事，做到最好。很遺憾，專心在一件事對於應付學步期的孩子毫無幫助，因為這階段的孩子需要妳發揮三頭六臂的能力。穩定的金牛座不喜歡改變，然而改變似乎是現在這個階段唯一的不變。

如果妳打算當個在家工作的媽媽，祝妳好運，妳很快就會發現這安排離理想甚遠。孩子還小時，妳需要工作、領薪水，因此最好出門賺錢。金牛座媽媽珊姆承認：「我很難同時專注在兩件事上。我工作時專心工作，在家時專心家務，必須從中選一個，否則會很有壓力。」

妳對於將孩子交付給保母可能會感到一絲愧疚，不過還是傾向讓自己呈現多產狀態，盡可能提高生活效率，這樣能避免在生活與工作交錯間感到挫折——沒有什麼事比在孩子哭鬧時還得趕最終期限或回覆信件時糟糕。在這階段，共同育兒顯得重要。如果妳和另一半同住，就必須確保雙方有良好的協調策略。通常有許多伴侶會在這階段發生爭執，因為妳知道你們對於各種紀律、規則等有極為不同的態度。因此，盡量善用彼此的長處，分配好各種家務，例如妳處理早餐，另一半負責孩子洗澡和入睡或遵守一些簡單的家規，如下午五點前不看電視、只吃無糖點心等。

「現在擁有良好的托兒照護，工作團隊也相當支持，而且還有一位『真正』的丈夫幫忙家務。」珊姆說道。現在妳能做到的事，是分配所有事物。妳需要在身心處於良好狀態下，分派任務給另一半或是保母。即使妳得掌握所有的事，還是得要讓伴侶參與照護育兒的過程。這不僅關乎妳能多快完成任務清單，更要讓每個人都能成為育兒過程的一分子。

所幸妳就像是個紀律良好的軍人，嚴守規則，所以請放手去做，妥善安排每日行程，將各種事務交派給底下的軍隊。妳享受成為家中的管理者，設定行程，確實執行：早上七點起床、八點享用健康早餐，每晚安排固定的時間盥洗和睡前故事。當然妳也能在例行事務中發揮創意，一位認真勤勞的金牛座媽媽會事先準備各種裝好物品的包包，每個包包裝滿適合不同活動的物品，像是過夜、到親朋好友家玩耍、去幼兒園或游泳等，每個標記好的包包整齊地掛在櫃子內，這樣就能隨時拎著就走，感覺是個不錯的想法！

提高效率的好處還有什麼呢？妳能在與孩子共處的時光裡獲得良好的生活品質。妳知道妳能離開辦公室、放自己一天假，在沒有任何分心之物的打擾下，更專注在小孩身上，將地板清空讓孩子玩耍、玩麵粉、擁抱，在不用隨時專注手機時磨蹭彼此的鼻子。妳對於每天的行程也樂在其中，即使重複看五十次芝麻街影片或一直去相同的遊戲場也不太在意。

當孩子逐漸成長（變得聽話）時，妳會對孩子的學步階段樂此不彼：享受冰淇淋聖代、去最喜歡的玩具店、參加披薩派對和嘉年華，妳會帶著可靠的相機，咔嚓咔嚓地按下快門，捕捉所有可愛瞬間。

不過小心不要過於溺愛。請利用專注力技巧分散孩子對模擬遊戲、禮物的注意力，此外，購物不是適當、長期的行為修正對策，妳可能需要教導孩子如何控制自己的行為，像是「如果我大叫，媽媽會買給我一隻填充動物玩具，太棒了！」這樣的行為絕對禁止。

因為妳想在公共場合中維持良好形象，孩子聲嘶力竭地大吼大叫會讓妳丟臉。儘管金牛座媽媽也喜歡受到關注，但妳會害怕牙牙學步的孩子上演尖叫大會、咬人和示威，這讓妳看起來像個「壞」媽媽。喔，金牛座媽媽雖然能掌控人生中很多事，但不包含孩子的耍脾氣。

如果妳還是感覺到失敗、受挫，試著閱讀教養書《最快樂的新生兒》（The Happiest Toddler on the Block），書中有許多安撫失控孩子的不錯方法（我們很喜歡，因為它將小孩比喻成原始的小山頂洞人，的確如此！）這階段的小孩並不具有真正的推理技巧，他憑著直覺和原始情緒做出反應，這就像金牛座一樣，當妳生氣時，會變得跟華爾街那座金牛雕像般怒氣沖天，處於暴走模式的妳，沒有任何事物能阻止，孩子也是如此。因此，對自己和孩子多點同情心，妳一定也能理解孩子正走在跟妳一樣的道路上！

對每個金牛座媽媽來說，正面強化應該是能掌握的技巧。與其用冰淇淋甜筒或棒棒糖安撫孩子的脾氣，反而應該在他表現良好時才給予獎勵；這不是賄賂，也不是每個好行為都用這樣的方式，不過，面對孩子的討價還價，會有適當的評估方式。請想想看「延遲享樂」：「孩子，只有在你穿上外套和鞋子後，才能拿到餅乾」，一旦完成良好的行為，隨之而來的就是稱讚和獎賞。孩子雖然可能沒自覺，不過他就是為了討好父母而生！

現階段妳的感覺到目標明確且心滿意足，因為妳有個重要的任務——需要管理某人的人生，這帶給妳意義。如果妳現在還沒步行在時髦的社區裡，可能就會積極地為了房產不斷努力，好讓妳家有片茂盛草皮、鞦韆及鄰近完美的公立學校。妳想像在偌大的房子裡，有種滿新鮮蔬菜的花圃、裝潢別緻的房間及許多用來休閒玩樂的空間——與小孩玩耍的時間，正是孵育出這樣想法的完美人生循環。

不過，這些像是瑪莎·史都華的美好夢想可能要再等等，因為孩子如自殺攻擊隊的破壞力恐會摧毀妳美麗的物品。嘿，這些只不是雞毛蒜皮的小事，對吧！總有些東西能替代。如果無法，那麼就放在寶寶無法碰觸的位置，將東西收拾好，幾年後再拿出來。接著準備一處最大、最豪華、色彩繽紛的玩具空間，與孩子一起坐下來，將遊樂場弄得髒兮兮，灑滿牛奶和所有玩具。

童年早期（六歲到十一歲）

開始玩樂吧！金牛座媽媽努力工作與玩樂，享受這階段的歡愉……大部分的時間。金牛座就像只有一種速度模式的機器，如果妳將所有精力投注在孩子身上，那麼這段時光會變得相當豐富。聖誕老公公來到鎮上（至少透過妳從煙囪贈送禮物），此時，妳會安排密集的週末活動，從復古飯店裡的早餐到瘋狂大採購、冰淇淋聖代及現場表演秀之後的室內攀岩活動。實在很難說到底是誰比較享受這些娛樂活動呢。

當經歷整天活動，要進入深層的放鬆狀態，妳也已經鑽入最喜歡的沙發位置時，此時孩子的能量雖然可能也消耗殆盡，但還是想與妳有些互動——「我們不可以一起看電影就好嗎？」除了向孩子懇求外，還抛出一些賄賂。妳的小窩或許能媲美ＦＡＯ施瓦茨玩具展示店，這樣做只是為了在家庭時間，能讓妳稍微鑽到角落享受自己的時光。

成為良好的工作典範是妳的強項，如果妳擁有事業，孩子會看到媽媽完成任務的模樣，而且妳對任何事都全力以赴。注意！如果妳無法準時在下課鐘響時接孩子回家，就得確保安排課後活動和家教來幫助妳。「自己成為小型事業的老闆及在家工作，從許多方面來說是家裡的一大福音。」艾莉兒說道，但無可否認，孩子會時常感受自己被媽媽忽略了。「因為有時媽媽就是得工作，表示他要和爸爸待在房間裡大聲叫我，但我還是必須將門關上。」

幸運地是，妳天生就是個管理者，無論負責功課、運動練習還是餐點都難不倒妳；妳也擅長排定優先順序，能確保家中一切整齊有序。此外，在這階段，妳會希望自己在孩子上學時擴大個人能力，因此會有許多計畫。為了成為生活有規律的人，妳最大的調整就是不讓孩子整天在身邊，或將他送到托兒所後，再送到能課後輔導的學校。妳的時間管理策略可能還要做些改變，不過幸運的是妳能在孩子高中畢業前，為自己創造持續堅持的基本生活行程。

很快地妳會參與學校的活動。在個階段，開始成為學校社群的固定參與者，每天在接送孩子、家長會和音樂會上看到熟面孔的父母出現。大部分的金牛座媽媽樂於作個賢妻良母，妳會踩著品味十足、使用「純素皮革」製作的靴子，戴著講究的鑽石鼻環，或用路易士威登的包包和JIMMY CHOO的鞋子打扮自己，孩子也會感受到相同的驕傲而受到鼓舞。

注意，來自社會的好評價能幫助妳更有效率地運作。在每個金牛座女人的內心深處都害怕來自批評的恐懼，不是說妳真的在意別人怎麼想，妳只是想支持自己的意見和選擇，讓其他人閉嘴。不過，如果有任何事物稍微威脅到妳的生活或孩子的幸福時，妳會變成一個行走的公關。妳知道學校裡的閒言閒語可能形成小團體和結盟關係（就像小孩子常做的事），變得殘酷且受到譴責。因此，妳得把事情做得滴水不漏，讓自己在混亂中站穩腳步、確保家庭名聲，及獲得任何可能的機會。這是種默默保護孩子的方式，妳本能知道如果他擁有好的評價，就會遇到好的人、獲得好機會、終身安全能獲得好的保障。

「我在相當富裕的地區撫養孩子，在那裡，大部分的媽媽都不用工作。」金牛座媽媽瑪莉亞說道。「我是全職工作但我不想要小孩受到差別待遇，所以我每年都會當班裡的愛心媽媽，積極參與學校活動，也會讓孩子買些名牌品，因為我不想要他覺得自己跟別人不一樣或受到冷落。」

請隨時留意母親角色與物質間的界線；不然，妳為了留下印象的需求，可能會自然激起競爭心態——這可能會適得其反，造成反效果，讓他人對妳失去興趣。妳喜歡用辛苦賺來的錢購買名牌包或賓士轎車，不過這樣的舉動恐怕會使孩子的價值觀變得膚淺，讓他存有沽名釣譽的心態，或充當妳喜愛的高級品牌免費宣傳大使。

在這階段，請留心不要過度溺愛孩子，讓他做些家事以換取特殊權利或零用錢，這才是比較聰明的做法。到了青少年時期，免不了要面對分離過程，過程中妳與其像打擊非法組織的執法人員般激烈，不如和緩地進行會更好。事實上，妳心裡希望在養育孩子時，讓他追隨妳的腳步，或者花更多時間陪伴，也許與孩子分享妳最喜歡的孩時興趣、訓練孩子的足球團隊或繼承妳微不足道的芭蕾舞鞋，在未來成為一名芭蕾舞者。

「我真的想要女兒像我一樣熱衷舞蹈，這樣我們就可以一起分享。」一位有十一歲女兒的媽媽米雪兒說道。「但過去我花很多時間讓她投入競爭激烈的舞蹈世界，但這已經超過她能力所及，對巨蟹座的她來說，這太敏感了，指導員也過於嚴苛。後來喜歡上了騎馬，於是我買了匹馬給她，付錢租了馬房。雖然花了我一大筆錢，但我強烈感覺到孩子擁有熱情，任何人的人生裡都必須擁有讓自己感受熱情的事！」

這就是金牛座媽媽的育兒之道。只要關乎孩子的幸福或未來成就，任何花費或付出都值得，妳會日夜不分、拚命工作以提供他想要的一切。但是這樣的方式正確嗎？檢查看看孩子每次的要求（甚至更多）是否都帶些潛藏的難過或擔憂。此外，妳需要有更多包容心，應付孩子無法避免的失落感，像是理解到根本沒有聖誕老人或復活節兔子的存在。處理妳的小男孩或小女孩成長時所帶來的難受心情，則是大人要理解的課題，他們可能在原本的親子時間裡更喜歡去跟朋友在一起。此時，請停止用物質吸引他！（幸運的是，大多數這年紀的孩子仍想與妳親近，還是能在各種時候藉機與他培養感情。）最後提醒自己，妳的任務是讓孩子隨時準備成為一位獨立自主的未來公民。

很快地，妳將會享受真正屬於自己的時間。那些必要的修指甲活動？現在妳可以在毫無打擾的情況下好好享受，甚至還能再加上十分鐘的腳部按摩。一位金牛座媽媽說道：「我記得當孩子能自己洗澡、刷牙時，我再也不用在浴盆裡彎著腰了。這讓我鬆一口氣，這感覺就像他已經從大學畢業之類的！」

在孩子練習游泳或參加生日派對時，與其他媽媽聚在一起盡情享受女神般的活動；妳可能會經營一些媽媽朋友的友好關係，習慣一起小酌、快走或購物來排解壓力。

現在也是減少固定例行行為，大量嘗試以前不會做的事的好時機。是的，金牛座媽媽，妳能嘗試和女童子軍一起露營，或學習室內曲棍球的奧妙之處，藉此讓妳和兒子產生共鳴。「我會讀《家庭圈》（Family Circle）和《七姊妹》（Woman's Day）的雜誌來尋找靈感。」瑪莉亞回憶。「我們能在地毯上擺設野餐風的週三晚餐，一起玩遊戲、看電影。我也會為女兒計畫主題式的生日派對。」

不久之後，孩子可能不想與妳一起出現在公眾場合，那麼就趁現在好好建立彼此關係的機會吧！你們相處的時間會逐漸變少——這無可避免，因為妳得和他的同儕爭奪相處的時間。為他築巢的同時，也確保能讓他能往外飛翔！

青少年期（十二歲到十八歲）

捧在手心的孩子轉變成脾氣易怒、多愁善感，臉上長了青春痘的青少年時，此時，你們絕對無法好好相處。突然間，家中多了一位自以為自己正確、無所不知又固執、恣意妄為的小大人。等等，這個小大人不是妳造就的嗎？妳的縮小版現在勉強稱得上一面放大鏡，這當然會經常讓妳感到不太舒服。

說到鏡子，金牛座是由表美麗的行星金星所守護，因此現在妳會因為自身的虛榮或不安而突然發怒，特別在有女兒的時候，因為這可能是妳第一次感覺到自己「老」——誰叫妳是青少年的媽媽呢！妳會試著展現自己年輕、有活力的一面，透過批判性和諷刺性的笑話與孩子產生連結，以此解決衰老的看法。妳本來就帶有冷嘲熱諷的性格，妳會發現孩子肯定對妳的幽默感印象深刻，直到他的重心不在妳身上時。但很快地，他又會重新關注妳，因此，在嘲笑自己之前，先學著擁抱自己吧！

雖然妳會發脾氣，但土象星座的特質會幫助妳維持穩定。大多數的日子裡，妳就像大地一樣是孩子最好的安全網，不過其他時候，妳的固執會是妳不斷挑戰孩子底線、產生衝突的一大障礙。金牛座，妳不是最有彈性的人——對，特別是談到妳最在乎的價值觀。無論是期待孩子在學校的表現、花多少時間和家人在一起、是否將房間整理乾淨、是否尊重他的母親（這個沒有任何討論空間），妳對底線不會有任何讓步，孩子似乎也隱隱約約清楚媽媽的習性，知道如何確實忽視那些妳在乎的事。

所以……金牛座到底要怎麼做呢？這就像任何精彩的鬥牛表演，妳需要充滿狡詐與智慧的心態。雖然妳也是頭「牛」，但可能需要汲取鬥牛士的技巧；鬥牛士當然不會朝精力充沛的野獸橫衝直衝——除非在父母有「鐵拳」的情況下才會發生——鬥牛士是一邊揮動著披肩，但在需要時會優雅地避開危險，這就是成為父母最真實的藝術。妳越是堅持己見，拒絕接受孩子展現他未成熟的獨立，越有可能會被他輕視；讓開關一下子火力全開，只會導致令人後悔的撕破臉場面，而妳可能會在這場攤牌裡輸掉比賽。

有個方式能幫助妳，妳需要學習如何解讀字裡行間的細微差異，軟化妳的作風，因為比起心思縝密和富同理心，妳通常太過直接且固執。即使妳名義上是母親，孩子一定知道他自己的角色，妳也表現得非常清楚；但妳是否也能將心比心，試著站在孩子的角度設想呢？「尊重」才是能讓你們彼此互相幫忙的方式。

聆聽不是金牛座的強項。妳對於「選擇性傾聽」有很厲害的過濾功能與天賦，妳只會專注在「想要」聽的部分，排除掉其他不想聽的內容；這個技巧幫助妳在需要專注於手上某個工作任務時，能表現相當有效率。然而，這項能力，在需要轉譯青少年的語言時會失去效力，往往會讓妳只能聳聳肩，兩手一攤。

「我學習只批評行為，而不是小孩。」一位金牛座媽媽說道，這是聰明的選擇。另外在證實孩子情緒狀況（妳應該常常做）及是否對他過於寬容，其實只有一線之差。理解「為什麼」青少年抽菸，是因為對融入感到痛苦、有壓力，還是希望讓某個特定的人覺得自己很酷，嗯，妳能確實捕捉到他那時的情緒。雖然妳表示認同，但不代表告訴他抽菸是正確的行為。現在你們彼此產生共鳴，因此妳能藉此設計一場真心話大冒險，用來討論所有關於同儕壓力的問題，確實引導他學習自我修正，在下次派對上拒絕香菸的誘惑。

關鍵就在發怒前自我察覺。妳的反應很有可能是基於恐懼，這份恐懼也包含他人對「妳」這個家長的看法所帶來的焦慮。（一位金牛座的成年女兒回憶，她媽媽曾在公開場合處罰她，使她難堪——嘿，妳不知道名聲對金牛座有多重要，這可能是家庭未來是否獲得機會的關鍵。）經過多年用物質獎賞孩子的經驗，妳可能嘗試藉由收回使用車子、電腦和其他擁有物的特權作為處罰的手段；或決定適時讓他學習負責，自己賺取生活費。不幸的是，妳的孩子可能不當一回事，他已經被寵壞了，習慣媽媽提供所有事物。因此，請對這段期間會發生的一些衝突做好心理準備，直到他真的習慣妳所建立的新的道德標準。

最終，付出會有所回報。「我鼓勵孩子藉由工作和家事換取零用錢。」有位成年孩子的金牛座媽媽瑪莉亞說道。「這樣的話，如果他想要某個東西，我會幫他付一半的費用，幫助他建立預算的概念。我們用咖啡罐存不同的費用資金，有長期目標和短期目標，後來兒子也能為自己買把吉他了。」

妳也會發現為孩子設立清楚目標有所幫助。「我告訴兒子，盡你最大的努力。」有位十四歲左右孩子的金牛座媽媽珍說，「當他帶著只有中等的成績單回家時，這讓他頗為失望。他回答：『妳只跟我說盡最大的努力。』我跟他說：「上帝賜給你很棒的頭腦，這不是你最好的表現，你能拿到最好的成績。」

提供孩子嚴格的愛但適當的份量，隨時準備好讓他在下一個階段「成人」變得獨立、自給自足，而不是到時候還認為妳會為他處理每件事或提供資金。如果妳要當出資者，就需要檢視妳自身的動機（DJ，請再放一次披頭四的《為我買不到的愛》（Can't Buy Me Love））。在妳內心深處有個敏感靈魂，當小孩在這幾年離開家時，妳會感覺自己被嫌棄。不過，嘗試藉由巴結他或買人情來維持親近關係可是大忌，這會阻礙他獨立成長的機會。

現在需要與小孩分開，妳知道這樣做很安全。如果他感覺到在自己個體化過程中對妳造成傷害，就會私底下做些叛亂行為，像是和壞朋友做些蠢事，但父母卻一無所知，以為孩子像個天使，還讚賞自己育兒有成。

「我高中一年級時，我會坐在爸媽的撞球間喝啤酒。」一位有金牛座父母的兒子回憶道。「他們完全沒注意到，因為他們忙於工作，只關心我弟弟。那時我很難融入學校，我的第一次約會也有點戲劇性。現在回頭來看，我當時可能有點消沉，但又不想他們擔心，因為他們很努力工作。我想我只是需要一些關注，所以某天我被他們發現我喝得爛醉。」

記住，無論妳是哪個星座媽媽，青少年時期都是段棘手的過程。當所有其他一切都失敗了，就重複這句咒語：「一切都會過去。」妳的堅定不移是其中最好的特質，持續保留愛的空間，鼓勵小大人盡自己的全力，同時不斷灌輸他重要的工作道德觀。引領妳的孩子，而非縱容或威脅他，並以身作則，這些就是妳能做到的一切，金牛座！

掰掰，小鳥離巢（十八歲以上）

警報響起！「改變」絕對不在妳最喜歡之事的名單中。歷經十多年來孩子在學校、課外活動、露營和過夜的轉變，如今脫離熟悉的例行行程，會是條顛簸的道路。生活如妳所知已經告個段落，空蕩蕩的鳥巢讓妳感覺有點槁木死灰，只剩下每天哀嘆悼念的聲音。畢竟妳已經在孩子成長階段建立大多數的身分認同，現在卻沒有人能撫養、塑造或管理。即使妳可能會不斷抱怨自己就像被選到的笨蛋，不惜一切開車接送孩子參加游泳比賽或樂團彩排。「我整個心灰意冷。」一位金牛座媽媽送小孩去讀大學時回憶道，「自從離婚後，我突然覺得這偌大房子只剩我一人，於是我離開郊區，將房子出租，搬到都市公寓。」

金牛座是生活相當規律的人，需要新的例行工作來填補空白。如果妳開始每天變得愁眉苦臉、抱著女兒第一隻泰迪熊、擦起她溜冰比賽獲得的獎盃時，此時就是展開新興趣的時機了。「我開始參加聲音課程，因為我除了小孩沒有任何東西。」一位在小孩離開家裡、重拾對歌唱熱情的金牛座媽媽布蘭達說。「我以前習慣忙於孩子的事。雖然我不想時光倒流，但我必須為自己計畫安排。」

這是聰明的舉動！除非妳變成像瑪莉亞一樣有點跟蹤狂的行徑。「我兒子第一次上大學時，我每週都會開車去找他。」她笑著說。「我開了四十五分鐘去拿他大量的盥洗衣物。把衣服帶回家洗好，週日再將乾淨的衣服摺好送回去。我可能只能見到他大概十分鐘，但這是我用來確認他是否過得好的方式。」

憑心而論，這是在視訊軟體發明以前所做的事。金牛座是個重視視覺、感覺的星座，眼見為憑，所以在沒確認孩子是否過得安好前不會鬆懈。可以理解妳希望他過得舒適，但是，牛媽媽，妳得設定合理的標準啊！妳需要抑制自己迅速拿出信用卡，幫他在宿舍裡添購吊掛式燈飾，或在套房裡放花俏傢俱的衝動。沒錯，妳的女兒確實用塑膠牛奶盒當作床頭櫃（真醜！）嗯，兒子則因為太懶、太忙，或根本不知道為什麼，竟然用孔磚支撐床墊，還不去買組適當的床架（可能還用妳寄給他的支票買披薩和啤酒）。這些是關於他們……還是妳？誰在乎鄰居怎麼想，金牛座！特別是「鄰居」是二十歲《死之華》樂團的愛好者，他珍貴的房間裝飾可是放上巨大水煙壺，旁邊掛著二手的南美地毯呢（死之華萬歲！）

「和女兒在一起時，我會嘗試一些不一樣的事。」瑪莉亞說道。「她在讀大學時，我每個週六會去她的房子，為她和她的朋友煮飯。我會做一大盤筆尖麵，這樣就能讓她們吃整週。這滿足我填補例行工作的需求，我們也會度過有品質的時間。我們相處得很好，也會每週在餐廳一起享受女孩的晚餐！」

聽起來很棒，對吧？固定與孩子碰面，絕對能幫助彼此減輕過渡時期的困難，請用非侵入性的方式進行。之後他們就會在假日時回家並提著洗衣袋，接著就是帶著他學步的小嬰兒，與妳享受以前你們常做的飛高高遊戲，妳又有一次機會用妳一貫的方式寵愛孫子——這是金牛座唯一會做的事！

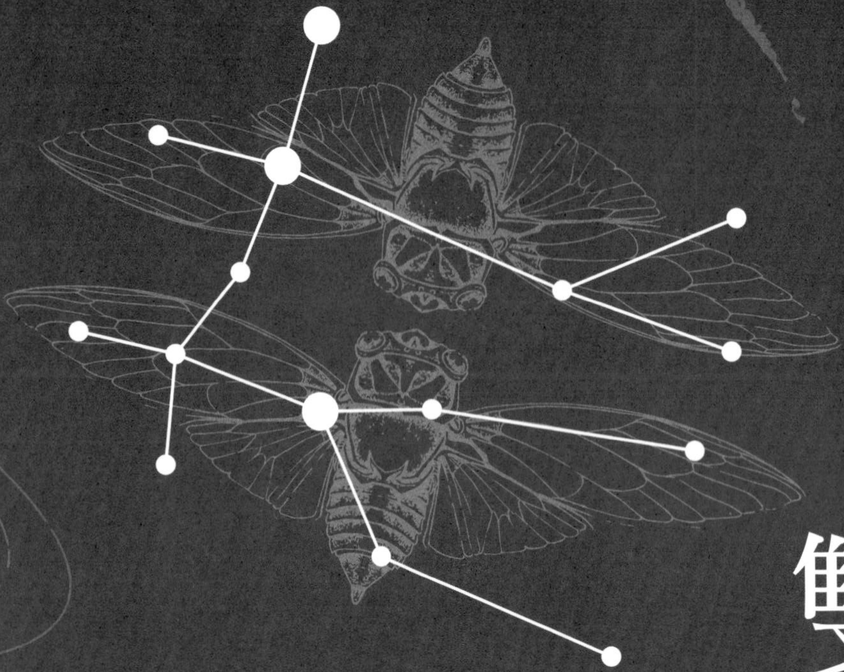

雙子座

媽媽

（5月21日～6月20日）

媽咪魔力——妳的優點：

靈活多變、青春洋溢、好奇心、
心態開放、獨創性、創造力

媽媽咪呀——妳的挑戰：

不一致、缺乏界線、自相矛盾傾向、
缺乏耐心、自顧自講話或說教而非聆聽

知名的雙子座媽媽：

安潔莉娜．裘莉、瓊．瑞佛斯、海蒂．克隆、
寇特妮．考克絲、布魯克．雪德絲、娜塔莉．波曼、
妮可．基嫚、艾拉妮絲．莫莉塞特、伊麗莎白．哈塞貝克、
芭芭拉．布希、卡德拉．威爾金森、約瑟芬．貝克

✶妳的教養風格

嗯，身為一位媽媽，妳有很多不同性格，有時複雜、甚至矛盾，但絕對不會無聊。這就是由黃道帶雙胞胎所守護的雙子座媽媽，變化多端、多才多藝的特質，讓妳的家人經常猜測妳的下一步會說什麼和做什麼，甚至一些家庭成員也見慣了妳天馬行空的決策。

在某些方面，妳的教養方式帶著自由及放蕩不羈的靈魂，遵守歐式優雅的模式，把孩子當作小大人，他會自己準時上床睡覺或留著莫霍克（mohawk）髮型。當然，在雙子座的世界裡不會發生任何缺乏平等的事，妳也會在需要確實掌控孩子時，發揮母親功能。即使妳看似悠哉、打扮得很時髦，還是有所原則，用「妳自己的方式」這是妳當媽媽第一天開始就被賦予的特色。

有的雙子座媽媽會為孩子挑選具環保意識的幼兒園（配有可行生物分解的尿布包）、與孩子一起睡覺（因為妳最喜歡、有母性的寶寶古魯堅持拒絕分離焦慮），以及為了母乳堅持嚴格飲食並製作有機寶寶副食品。妳覺得最棒的寶寶產品，是有有趣的條紋和顏色的長揹巾，這樣妳就能將自己喜愛的樣式增加到新配件上。

有的雙子座媽媽一開始就立刻餵配方奶、遵守固定的入睡時間及請一位全職保母，沒理由為了孩子放棄自主權，妳會「掌握」全場，畢竟妳可能是在寫著科幻電影腳本，還開設瑜伽工作坊、營運數位行銷公司、進行樂團巡演的同時，發現驗孕棒上出現兩條清楚的線！

妳急於掌控所有細節的特質來自妳的第四宮由處女座——代表健康、幸福和組織的拘束星座所掌管，育兒可能會帶出妳嚴厲、死板的一面。另外，出現控制欲的反應可能也會令妳驚訝。無論妳對朋友如何天花亂墜地描述，畢竟成為母親是人生的一大轉變，就某層面來說，宇宙已經決定讓妳變得狂野且瘋狂，妳得對另一個人的人生負責。無論妳是自己生育或領養，兩個靈魂已經在母子共舞中纏繞一起，妳還不確定是否要踏出那一步，因此，妳可能會藉由禁止家中非有機物的出現，或是讓寶寶隨時受到看管，藉此抑制自己的緊張情緒。「我們本能上真的與孩子非常親暱。」其中一種類型的雙子座媽媽說道。

當然妳的標準會在沒有任何預告下改變，因此陽剛的一面可能夾雜一些大膽行徑，妳會在嬰兒洗澡時擦拭每個該洗的部分，但卻帶他去人滿為患的爵士俱樂部，或在烏煙瘴氣的都市裡撫養他，妳有時就是會不自覺地做出自相矛盾的事，承認吧！如果妳是非常有原則的人，就不會是漫不經心、難以預料的雙子座。因此，妳可能會將新生兒汽車安全座椅固定在豐田普銳斯汽車內（還用代表和平象徵和 NAMASTE（印度語表問候）保險桿貼紙裝飾），載著孩子到城裡最好地區的菁英「媽咪與我」集團；或在紀律嚴明的船隻裡，真的在一艘船裡……因為妳決定在孩子第一年住在船屋。和雙子座一起，妳永遠無法預期。

雙子座以樂觀與難以下決定的特質聞名，這使得雙子座相當焦慮，此外，你們由代表溝通與智力的行星水星所守護，大腦始終保持開機狀態。結果就是，所有心理能量使雙子座成了新手媽媽裡最怪異或最固執己見的人。嘿，雙子座的母性本能可說是個特殊的結合體。

妳可能會讓孩子感到怪異或者對著他喋喋不休，不過有時妳的意見可能也是金科玉律。妳擁有一種特別能力，可以快速抓到重點，鎖定一個機智笑話正中目標。妳固執己見嗎？是的，妳是。每個雙子座多少都有點強烈地認為「媽媽知道所有事」，但妳無法控制，妳就像知識狩獵者，會透過閱讀書籍或文章，從最隨意的角落發掘一些鮮為人知的事實。此外，妳擁有數不盡的嗜好和興趣，因此，即使孩子是妳的第一優先，但他可能也需要在妳剛起步的事業、讀書會、峽谷牧場女孩週末日、募款組織委員會或終於在三十七歲錄製好的民謠流行專輯裡爭奪妳的注意力。

有些雙子座媽媽會對於自己同時間進行這麼多事感到愧疚。「我的挑戰？」身兼部落格與作家的丹妮爾・拉波特（Danielle LaPorte）說道：「毅力，就像不間斷的內疚感，我沒有足夠時間為我想做的事、事業還有為孩子付出，這些就像個黑洞。」

當妳為人母後，多工的雙子座恐會產生很顛簸的狀態。直到妳充分發揮能力前，妳可能會一下子過分投入，下一秒又突然缺席，擺盪在極端、不連續的狀態裡。如果妳的另一半很理性，那麼他能幫助一切恢復平衡。然而，有時小孩無法接受媽媽的替代品，在一些日子裡，他只是需要妳全心全力的關注，妳也會發現自己對於無法提供時間給孩子，特別在他開始成長的那幾年，因而感到沮喪。

「當孩子還小時，我為他們放棄一切。」一位有兩個兒子、經營一間獨立唱片公司的雙子座媽媽雅兒說。「不過我討厭這樣的自己。現在我已經承認我不是那種媽媽——我無法把所有注意力都放在孩子身上，所以我花一整天的時間在工作上。到晚上六點半，我和他們一起吃晚餐、唸故事書和玩遊戲，哄他們入睡，接著繼續忙於工作直到凌晨兩點。我現在覺得比較快樂了，這樣反而讓我覺得自己是一位更好的媽媽，因為我不再生氣，也不會時常對他們大吼大叫。」

如果所有嘗試都失敗了，妳能參考擁有一票孩子的雙子座媽媽安潔莉娜・裘莉和海蒂・克隆（Heidi Klum），或仿效約瑟芬・貝克（Josephine Baker），她從世界各地（韓國、日本、以色列、哥倫比亞和芬蘭）領養了十二名孩子，有過四段婚姻。給孩子一群兄弟姊妹，我們可以說這是一種「手足力量」？至少孩子會在妳替馬拉威蓋學校、競選市長或上六週古神話女神文化認證課程時彼此互相玩耍。

妳很快會回到正軌，帶著復仇心態。彌補過去遺失的時間是雙子座的特殊技能，這正是妳要前往的方向！雙子座是雙胞胎的象徵，妳會想要同時擁有玩伴和小孩，是不是不切實際？也許在一些階段不切實際，但以長遠為母之道的觀點來看其實不然。雖然妳需要咬緊牙關，忍受孩子還小時得不斷重複念《晚安，月亮》（Goodnight Moon）故事書，就把這些當成是一輩子友誼的投資吧！這樣聽起來雖然有點奇怪，不過這樣想能幫助妳度過漫長嚴苛的日子。

此外，雙子座通常會對朋友比待自己好，當覺得時間難熬時，試著調整腦袋對於「他是未來永遠最好朋友」的想法。把負面想法拋諸腦外，停下來，試著連結，再次投入；在你們一起創造回憶時，放慢腳步，品味當下。雙子座本性不是任意墮胎的人，但成為父母卻是一輩子的事情。如同安潔莉娜．裘莉所言：「（孩子）會在人生中每一天重要時刻想起妳。」母親身分是一份禮物，教導妳如何在沒有任何「退場策略」（這真的沒有承諾任何事）的情況下做出承諾。是的，這是一場長期抗戰，但妳絕對樂在其中。

✶如果妳有女兒

優點

靦腆、害羞？可不是妳想的那樣！和雙子座媽媽這樣的榜樣一起生活，女兒自身的創造力，將會成長為樂於發聲、發表想法及帶有真心尊重的個人特質。她不會害怕在教室裡舉手發言，又或者之後會在「男人的世界」裡競爭。畢竟，她一直看著妳運用智慧贏得每場戰役——她可是從專家那裡學習！

雙子座代表雙胞胎，妳和女兒可能形影不離——至少在沒有吵架時。是的，偶爾的爭吵是雙子座媽媽和女兒間不可或缺的事，幸運的是，妳會用大量的歡笑取得平衡，讓妳們看起來很歡樂。我們的雙子座朋友蕾吉娜和她青少年女兒會一起換上戲服，錄製自製的「音樂影片」；雙子座喜劇演員瓊．里弗斯（Joan Rivers）多年來會和水瓶座女兒米莉莎（Melissa）一起在紅毯上工作。與其說你們是母女，不如說更像姊妹！帶著妳年輕的靈魂（在某些情形下，服裝可以掩飾），妳會與小夥伴分享服裝、音樂和化妝，準備好一場狂歡派對吧！

缺點

身為榜樣是件責任重大的事，在某些日子裡，可能會讓人覺得這比起讚美更像是種重擔。妳擁有自由的靈魂並帶有實驗性的特質，況且妳也不想在這方面有所收斂。此外，因為妳的注意力短暫，對於手邊有關媽媽方面的事很難集中精神。如果女兒個性害羞、黏人或多愁善感，妳可能對於她的匱乏感到不耐煩，在她需要溫柔對待時給予強制手段。雖然妳能快速地回答每個問題，不過有時女兒只是想要妳的「傾聽」。學習如何傾聽及試著理解她的情緒，比直接說出自己的看法好（呼喚親切的阿姨現身，特別是耐性好的土象或水象星座，像摩羯座、處女座或巨蟹座）。

在女兒進入青春期階段、以為自己無所不知時，挑戰會開始浮現。鏡子啊！畢竟妳比較容易扮演那個吹毛求疵的人，甚至自己會出現自相矛盾的情形，這些狀況會導致妳與青少年的相處產生災難。雙子座很難超越某個特定觀點看待自身，又難以理解自己在不同性格轉換時的狀況。因此，妳的女兒可能會要求解釋妳前後不一的態度，即使妳只是依照情況，即時反應的方式改變想法。往後妳可能需要在給予清楚與一致的訊息上多下工夫，甚至為了防止忘記，妳需要在記事本裡寫下對她說過的話。說出妳想表達的，表達出想說的，並隨時謹惕自己。

✶ 如果妳有兒子

優點

大部分的雙子座媽媽比起女兒，和兒子相處更容易。畢竟，妳說話不會拐彎抹角，直接、武斷且絕不認錯，是典型的「男人」溝通方式。這對青少年兒子來說更有效，因為妳不像其他媽媽一樣，將他對妳的抱怨和拒絕太當一回事。妳知道如何用冷靜、有邏輯的方式引導，幫助他用客觀的方式討論一些困難決定。

妳以身作則，將冒險精神灌輸給兒子，讓他接觸各種人、課程、文化經驗和旅行，就像雙子座媽媽安潔莉娜．裘莉和大兒子馬多克斯（Maddox），可能在兒子年輕時和他形影不離。妳很會為兒子安排、計畫有趣的活動，分享他的童心童趣。有時發現他幼稚、傻裡傻氣的行徑會令人筋疲力盡，但大部分都會讓妳笑得開懷；妳傾向讓他保有男孩子該有的模樣，不在意他和朋友打鬧或玩玩具發出很大的噪音。另外，如果他比起特種部隊更喜歡芭比，也沒有關係，對於雙子座媽媽的兒子來說，他要成為妳或他自己都無妨。

缺點

親密關係會使團結產生火花，但過於親近可能會失去分寸。在某些特定情況下，妳得和小男孩創造出健康良好的情感距離，雖然這可能讓妳感到艱苦。雙子座媽媽不喜愛分離，除非他是主動提出離開的人，但在特定的時間點，兒子會想要擴展媽媽範圍以外的領土，創造自己的世界。經過幾年作為彼此最喜歡談話的好夥伴後，是時候尋找一位新朋友（或三位）了，不然說個不停的雙子座攻勢會使他想摀住耳朵，妳對他的關注甚至讓他備感壓力。若妳是全職或單親媽媽，孩子也到了上學的年紀，此時妳必須將能量轉換到嗜好、課程、工作和社區投入上。

雙子座媽媽不會把力氣花在嚴格紀律上，如果妳是這樣且沒有為孩子設立界線，可能會在之後付出代價，他很快變成一個野孩子。突然間，妳可能也會發現自己漸漸失去耐心，甚至對他大吼或試著讓他「上軌道」，所以試著在孩子還小時督促自己設立一些規則。當然妳也需要在其他方面稍微鬆綁，例如他的飲食習慣。即使妳在他小學時都餵食無麩質和不含乳製品的食物，不過妳為他著想的努力，可能比不上他愛上披薩的青春期。因此，選擇適當的戰場對雙子座媽媽來說是個學習。

雙子座是由水星守護，獲得新資訊和八卦的機會比其他人都快。不過請留意任何無意間聽到的事。一位朋友的雙子座媽媽打給他，跟他說自己的高中朋友進入哈佛、賣掉腳本或通過律師考試之類，當時的他正在掙扎是否要進入電影產業，而媽媽的這通電話讓他覺得自己很失敗。雙子座，請稍微過濾消息吧。當然成為一位有自己主見的堅強女性固然很好，但請確保妳不是在排擠孩子擁有不同觀點的權利。記住，男孩也很敏感的！如果妳不斷在眾人面前談論他或對他指手畫腳（他會很生氣！），他會感覺自己被放大鏡檢視。如果妳的教養風格是如此，請減少取笑和諷刺的方式。

✶不同年齡和階段的教養

嬰兒期（一歲）

歡迎來到這個世界，縮小版的妳！象徵雙胞胎的雙子座現在有了永久的陪伴者，這個與妳分散的另一半正學著放慢步伐，專注當下。一開始覺得陌生是正常的，而且是件好事，妳能在飛快的一年裡享受禪宗所帶來的感受，在這永恆、冥想（依偎、餵母乳時）時光中，感覺自己飄飄欲仙。若遇到失眠和迷失方向時，試著找些靜心的方式，例如將新生活當作是一種心靈準則，盡可能排除使妳分心的事物。

嬰兒期可能不是妳最喜歡的階段，畢竟妳是言語的星座，喜歡互動，不過，妳從不排斥新的冒險，照顧嬰兒確實也是場冒險。妳喜歡分析事物，將大量搜尋的結果與其他媽媽分享，讓自己成為行動資料庫，覺得能派上用場（而且還有點酷）。一位新手雙子座媽媽說道：「搜尋健康、營養、化學、孩子心理學等的資料已經變成我終生興趣。」因為思考敏捷及快速的搜尋能力，妳很快會成為鄰居間的行動專家。無法擠出母乳或親餵寶寶？妳已經將「lalecheleague.org」（由七位媽媽組成的團體，旨在幫助婦女提供母乳餵養）的頁面加入書籤。不一起使用包巾包住小孩嗎？發個短信尋問經營嬰兒照護中心的朋友的朋友，謝謝妳，谷歌！

因為雙子座象徵雙胞胎，妳習慣與他人合作，不像其他星座，妳不會恥於向他人尋求幫助和建議。對任何事與其冒險犯錯，寧願謹慎追問「過多」的資訊，不過這樣反而導致自己在搜尋過程中進入「分析癱瘓」的狀態。到了一定的階段時，妳必須停止繼續在網路搜尋、從書中找答案和進行民意調查，請讓忙碌的腦袋稍微休息，不是所有新手媽媽的問題都要透過谷歌，雙子座！在特定階段，甚至以前是搖滾樂追星族、整晚派對，然後「第一次」約會應該是與孩子的爸，而且還是一夜情（啊！）——像這樣的妳，都必須擁有一件無法抹滅的事，那就是母親的本能！使用它！當然妳可能需要花點時間，才能完全擁抱這屬於妳身分認同和生活形式的一部分，不過最終妳充滿情感那一面的甜美景象會湧現，一些雙子座最後會變成主要展現愛意的人，至少和孩子一起時。妳享受哄孩子入睡、說話、唱歌和發出一些有趣聲音，妳對這個令人無法拒絕、偷心大盜的可愛寶寶來說就像個吸盤。妳內心可能在一些時刻還會發出：「哇！我真的很適合做這些事！」

與寶寶一起的緩慢生活最讓妳難以適應，畢竟雙子座不擅長做乏味的事，就像要妳待在一天睡十一小時的寶寶旁，妳可能變得憂鬱。當然妳能同時享受這階段的甜美，然後一邊數著日子，直到孩子大到足以問出天空為什麼是藍色，這種人人知曉的問題。

即使妳的睡眠時間完全被剝奪，絕對還是需要投入一、兩個嗜好。一位雙子座媽媽在女兒只有一個月時，舉辦了大受歡迎的調情工作坊。隨時投入「其他」角色是關鍵，即使到現在也是如此。不然，妳可能只是不斷被家務填滿每一天，因為妳就是剛好有事要做。「我是全職媽媽……但我忙翻天了！」一位在紐約經營知名攝影工作室的雙子座媽媽吉雅達說道，當時她兒子尚未出生；另一位雙子座媽媽則抱怨道：「我很難管理好其他責任和母親該做的事。我幾乎沒有屬於自己的時間，也沒時間從事嗜好、藝術，甚至沒時間和先生一起。」

妳可能需要檢查行事曆，確定是否都塞滿用來填補空餘時間的活動和約會呢？如果能讓活動之間產生連結，創造一些具意義的空間，使焦慮能量擁有發洩管道，並盡可能地將排滿的行程做適當刪減。

雙子座掌管地區性活動與溝通，妳可能想將客廳變成（玩具散落）的遊樂間或沙龍間，多少擺些開胃小菜，邀請朋友到訪。當換成朋友負責撫慰和輕搖嬰兒時，妳則能盡情聊些牛奶、睡眠時間表；在小孩睡午覺時，則能以半開玩笑的方式談些預防接種，並混雜一些妳搜尋到最新、最火熱的部落格文章，以及一些當地的八卦或最熱門的寵物專案。

如果妳真的感到孤單，例如朋友沒有小孩，或他們的孩子都在不同的年齡層，那麼妳就參加新的媽媽群組進行交流。即使妳們只是一起看管小孩、發呆（太好了！能盡情聊些關於嬰兒用品），也能交換祕訣或稍微聊天。也許這些被生活操勞的媽媽，幾年後會變成孩子私立幼兒園資訊交換的管道之一，誰知道呢？

如果妳真的感到無聊，可以去上課，甚至比計畫中提早回到職場，即使兼職打工也無妨。我們的髮型設計師喬，是位在紐約市區經營美容沙龍「Dop Dop」的雙子座媽媽，她將新生兒放在汽車座椅內小睡，就在店內幫客人夾頭髮和燙頭髮。她盡職的摩羯座老公負責更換尿布，晚上再換她照護。其實任何適合妳的工作，也是最適合妳家庭的工作！

學步期（兩歲到五歲）

準備好這將會是妳人生中最快樂也最挫折的階段！妳的小不點漸漸變得跟妳有互動，也變得多話，代表是時候和孩子一起閱讀、教導和玩耍了。隨著每天的練習，妳活潑的天性很享受與孩子分享成長的喜悅。雙子座具有模仿能力（因為「雙胞胎」的性質），因此妳天生就知道如何誇張地模仿蹣跚學步的寶寶，這對寶寶的發展來說是很好的技巧。此外，妳也喜歡語言，因此妳會培養孩子提早說話或閱讀，雖然過多的依賴會消耗妳的精力（「抱怨毀掉我的耐性」一位雙子座媽媽說道），不過妳卻喜歡有個崇拜妳的小夥伴一起分享有趣時光。

大部分的專家建議為嬰兒設定固定的範圍，但這對自主性強的雙子座來說有困難；「我就是那個最沒系統的人，有時候我也喜歡這樣」一位有三歲孩子的雙子座媽媽德西蕾承認。「固定的晚餐時間、上床時間和任何固定行程雖然不錯……不過這樣就無法做我們想做的事。」

一些雙子座媽媽可能會選擇像德西蕾這樣即興發揮，妳會發現在晚餐（洗澡、刷牙、閱讀、上床）過後立刻將孩子放到床上更容易，這樣就能多出寶貴的晚上時段。不過如果妳希望對時間和體力上有更好的彈性，可能就得逼迫自己安排時間表，即使這樣做違反天性。一旦妳做到了，就會發現讓寶寶成為眾多行程裡的一分子是多麼有趣的事。

給孩子一些無毒膠水和裝飾用的發光小碎片，為妳的信仰機構假日募款主導布置委員會。給小不點一支剛剛好的木湯匙搗碎或煮豆子，負責料理晚餐。給他一球毛線和紙板，織條圍巾。工作時也能放些音樂。婦女藝術媽媽吉娜學校的女校長雙子座媽媽芮吉娜（Regena Thomashauer），使用「間隙跳舞」作為幫助疲憊女性恢復平靜狀態的必要工具。將碧昂絲的音樂調大聲，和寶寶一起韻律舞動，妳會發現奇蹟降臨。幸運的是，妳也不是那種需要清楚劃分「大人區」或對家具被破壞感到焦慮的星座，比起在沙發上放些塑膠品（絕不！），妳的家可能會在一日大拍賣後，看起來更像陶瓷大庫房（Pottery Barn，美國高檔家居連鎖店）孩童間和玩具反斗城的展示間。

妳和寶寶的共同特徵可能是注意力短暫，但這樣的狀態會導致衝突，除非妳讓生活變得忙碌、有變化。即使妳對滿滿的行事曆感到罪惡感，但當寶寶在嬰兒車上睡覺時，缺乏耐心的雙子座，反而感到自在，尤其當妳需要從藝術教室轉換到遊樂場或出門辦事。如果妳能享受全職或兼職待在家中，當宅女應該不是妳的選項，經常足不出戶造成的幽閉煩躁症，只會讓你們陷入麻煩。當然，也不是說要從早到晚拉著孩子出門，只是需要妥善安排行程。

所幸，寶寶這階段的社交層面正好適合妳的星座，對雙子座來說人多力量大，召集妳的朋友媽媽一起前往攀岩場、兒童博物館或任何鋪有地墊、能讓孩子安全四處奔跑的地方，妳則和其他媽媽更新八卦、抱怨幼稚園的入學費或交換有機午餐的食譜。妳會不斷搜集資料和嘗試各種事物，這樣就能獲得大量資訊與其他媽媽分享。妳對於過多選擇往往會不知所措，如斷奶、日常照護、如廁訓練等。因此，有別的媽媽幫助妳釐清，會是不錯的選擇。

好奇心十足的雙子座媽媽對孩子的學習慾望感到驕傲，特別是透過玩樂和探險（畢竟這就是妳學習的方式！）孩子的教育對妳來說至關重要。因此，當孩子還在子宮時，妳就開始忙於查找各種不同的方法論，從魯道夫．史代納（華得福教育創辦人，以自然教育為主）、蒙特梭利教育法（Montessori）到家中教育，及對健康社會化和神經發展具教育意義的玩具。

一些雙子座媽媽會實驗更多「激進」的教養技巧、替代性的懲戒形式（或不懲戒）及極端的飲食規定，特別在妳的狀況中，這些資訊確實會讓妳乘載過量。在深夜看些像是《快餐王國》（Fast Food Nation）或《渴望變革》（Hungry for Change）的紀錄片後，妳可能開始清空櫃子裡任何含有精製糖分和麵粉的食物。當幼稚園發放動物餅乾或從超市買來的蘋果汁時，對妳來說可能會是場拉鋸戰。

「我們練習親密式育兒法，不讚賞也不責罰。」，「自然媽媽」（Mama Naturale）以蒙特梭利為概念的網站經營者珍說道。「我的女兒非常自由。我們選擇一起奮鬥，她能理解不行就是不行。她可以做任何事，我們也讓她遠離危險的事物，她因此不被誘惑。我非常肯定無論我們多忙，女兒都會吃營養的自製食物，通常是有機的，有些則是我們在後院種植的。」其他星座的媽媽可能對珍這個特殊能力肅然起敬（甚至看到時會投以懷疑眼神），精力充沛的雙子座媽媽有點像在完成一些壯舉，而這些行為可能會讓其他媽媽變成像是只會將雞塊放入微波爐裡的懶人。不過幸運的是，這個健談的星座很願意分享她同時處理各種事物的祕訣。

雙子座也象徵「老師」，在孩子學步期時，找到能教導的瞬間會是聰明的生存策略——為什麼天空是藍色的？為什麼草地是綠色的？當其他媽媽分心敷衍回答「因為就是這樣，親愛的」時，妳則會上維基百科，以事實回答，教導四歲孩子像是「葉綠素」和「光合作用」的名詞。

聰明的水象星座雙子座受到象徵言語和理性的水星守護。一位雙子座媽媽告訴我們，模仿孩子說疊字的方式在她家絕對不能發生，就像電影《網警》（Dragnet）裡的喬．富萊帝巡佐（Sergeant Joe Friday），妳只要知道事實，媽媽。妳可能堅持依照教科書的方式稱呼身體部位，而且越快摒除對於機緣和牙仙子的迷思越好。妳甚至能從大腦發展和寶寶心理科學裡獲得新知，因為那些對妳來說是更合理的事，這會讓妳對孩子如何發展感到放鬆且更順其自然。

記住妳是各種個性的集合體，因此妳也會用聚落的方式，讓每個人變成妳教養孩子的一環。妳過去嘗試各種可能證明自己能承擔所有事，不過這樣做反而使其他周圍的人受苦。「我花費所有精力做一名母親，但我卻不是最好的伴侶。」德西蕾說道。「我的另一半有時回到家中，只要他說錯一件事我就會感到焦慮，並大聲怒罵。」

對一些雙子座媽媽來說，妳們的內心潛藏著不安全感。此時，請提醒自己，妳的孩子會一直愛著且崇拜妳，即使你們沒有分分秒秒在一起。然而，有時潛藏的嫉妒或競爭，可能是造成妳不安的罪魁禍首：妳想確保妳在孩子人生中扮演最重要的角色，有時甚至超過妳的另一半。因此，當孩子跑去找爸爸或奶奶而不是妳，妳內心可能不太舒服「我有做什麼事嗎？我做得不夠好嗎？比起我，他更愛他們嗎？」不是的！妳的生活過得越精彩豐富（包含妳和另一半的夜晚約會、渴望參加的陶藝課還有獨自盡情沉浸在小說裡）會使妳成為更棒的母親。所以，分享妳的愛和責任，記得妳和孩子間的關係是獨特且無可取代的。

童年早期（六歲到十一歲）

歡迎來到媽媽的領域！作為一個永遠的孩子，妳很懂這階段的孩子。事實上，妳應該已經發現你們之間有很多共通點：同樣具好奇心、渴望探索生命的奇蹟及你們都相當誠實。兒子或女兒的認知發展，讓他們已經具備邏輯和理性的思考能力，因此妳很享受與他對話，甚至可能在將孩子塞到被窩或帶著他回家時，進行一些吸引人的哲學對話。雙子座天生就是說故事高手，妳甚至可能有一兩本自己的童話書。

「身為母親，我做得最好的地方就是傾聽孩子，我熱愛孩子的創意所產生的火花。」一位有八歲兒子的雙子座媽媽丹妮爾說。「我會留心自己不去逼迫孩子成為他不想成為的人，但會督促他相信自己的天賦。舉例來說，孩子對團隊運動不感興趣，也許未來會，但現在就是不感興趣，所以他拒絕投入。但如果我讓他去做他想做的事，像是游泳或拿個紙箱當作房子玩耍，這反而才是能讓他發光的方式。」

這階段也是妳成為孩子主要發言人的時機，是時候發揮雙子座大嗓門的特性。我們的朋友羅伊絲，在她還小時曾被同學欺負，當時她的雙子座媽媽愛迪漂亮地控制住整個情勢。「我那不到一百五十公分的雙子座媽媽見了當時的老師和校長。」羅伊絲回憶。「這讓那些欺負我的孩子真的嚇到了，之後每個人都待我很好，用一種有點令人發毛、如上流社會取悅他人的方式。我姊姊被霸凌時，她則是那種會直接追趕小孩並威脅他們的人，幾年之後，即使是身高一百八十公分的運動員都不敢走到那一區。」

當然，當時愛迪成長在暴力問題嚴重的布魯克林區鄰近地區，她是唯一的猶太人女孩，然而就像許多雙子座，她可擁有一些生存本事讓自己免於麻煩。「當時我媽跟當地的幫派成員還有來自狂野少年最厲害的幫派團體領導人成為朋友。」羅伊絲笑著回憶。只有雙子座才做得到！妳一定是個生活多彩多姿的媽媽，會確保孩子受到保護，即使要妳屈尊戰鬥也在所不惜！

沙龍店老闆雙子座的喬，因為某種原因成為孩子學校裡的家長會會長。「我就進去，後來接管成為會長。」喬說道。「當時根本一團亂！大家只是坐在旁邊吃著東西。家長會裡的電腦根本是古董。後來我讓他們知道，不只是來這裡喝咖啡聊是非，我們換掉電腦，現在會議結束前也不能吃東西。」

雖然妳對某些議題會相當嚴厲，但在其他方面，妳會保持寬容的教養方式。「我相信小孩知道，對他們來說廣闊、沒有限制的範圍是最好的。」丹妮爾說。「所以我們的孩子擁有數不盡的自由，不過對於一些不容動搖的價值觀，如尊重、安全和善良必須保持堅定態度。我們告訴孩子，如果擁有這三個價值觀，妳就能做任何想做的事。」

遇到麻煩時，雙子座媽媽會盡最大努力和小孩好好談。不過妳要記住小孩可能只是聽起來很成熟，但不代表他已經長大了。「如果我的小孩能對他所做的錯事說出具說服力的辯論，我會讓步。」雙子座媽媽克莉絲汀承認道。這個階段的小孩能分辨對錯，但是他的道德觀會在做錯事、不想被懲罰時變得有點扭曲，經常會用說謊來避免受到處罰。因此，設定合理的界線，灌輸重要的價值觀，並確保他隨時安全。一些簡單的規則能幫助孩子知道之後會發生什麼事。不然他可能會做什麼事都小心翼翼，不知道未來會遇上什麼樣的麻煩，這樣可能讓他在了解自己的過程中感到混淆，或是覺得只要夠聰明，就能按自己的方式避免任何處罰。

小孩需要一致性的管教方式，不過對於永遠都在變的雙子座來說，過多的規定像個折磨。畢竟妳大部分的人生就像是播放一部部短暫、不同主題的電影院，妳很難持續所有已經展開的興趣、活動和專案。妳對變化的渴望也可能讓妳不經意地破壞家中規則（雙子座的安潔莉娜．裘莉雖是個很棒的家長，但她的小孩可能在多次的轉學和搬家後，變成了有點奇怪的小小世界公民？）

關於日常行程與四處遊蕩間的拉鋸，可以藉由雇用一位優秀保母（特別是土象或水象星座）來減緩緊張情緒，或是將一些生活瑣事像購物、清潔、飲食、學校接送委託給其他人。另外，也能和其他媽媽用以物易物的方式進行，例如其他媽媽載著孩子上足球課，妳則負責課後外送奶昔，妳很樂意付錢。我們認識的一位雙子座媽媽雇用一位私人廚師，為她準備冷凍一週的餐點；另一位媽媽則將女兒送到寄宿學校，雖然這可能是比較極端的選擇，但能改進彼此的關係，並提升他們共享時間的品質。

或者像艾莉這樣運作。艾莉有三個女兒：雷文（十四歲）、錫達（十一歲）和暮色（五歲）的雙子座媽媽，同時也是間名為「Bootland」，以販賣時髦、具環保意識的幼兒服飾店老闆。店內架上放了木製玩具、布尿布和前衛的嬰兒連身衣，衣服則印有「THEY'RE RAISING ME GAY」（他們把我撫養成同性戀）和「MY DAD IS A HIPSTER DOUCHEBAG」（我爸爸是個時髦討厭鬼）的字樣。

我們和艾莉說話時，女兒暮色正忙著為客人提供咖啡色紙袋，並蓋上星星和貓頭鷹的標誌，錫達則將我們付的錢放入收銀機。這些女孩藉由媽媽的安排，成為店裡的固定成員。「當妳年輕時，幫忙會是件令人興奮的事，也能為她們帶來特別經驗的技巧。她們也對此感到自信！」她堅持地說，「能將小孩帶到店裡對我很有幫助，因為我能在照顧她們的同時和客人互動。」

妳能盡全力保護孩子，但無法成為他永遠的避風港。如此就算讓他誤闖成人世界，經過媽媽的審查後也不會有事。另外在這個階段，審視自己的言行對雙子座媽媽來說也非常重要，因為妳會不斷改變心意，可能會突然說出完全不同且矛盾的內容，這會使孩子感到困惑；他不懂為什麼媽媽能在整個冬天為動物權益付出，但卻在春天吃起草飼牛肉。「照我說的做，而不是做我說的」這套說法無法通過孩子銳利的鬼扯探測器，這也會導致叛逆期的青少年為了挑戰妳的立場特意做出一些行為。因此，請有意識地挑選幾個關鍵的價值觀堅持下去，並且保持言行一致。

如果妳發現時間被數不清的事項瓜分時，選擇「一項」妳和小孩都喜歡的。無論是照相、上傳到家庭網站，或在週日晚上準備特別晚餐，或在睡覺前念故事書，這些一起分享的特別時光，會為每個階段創造不同的回憶。很快地，孩子比起和妳相處，更想去外面逛街，因此現在請好好享受這段共處的日子！

青少年期（十二歲到十八歲）

開啟妳的戰鬥模式，準備進入壕溝作戰！青少年時期對於全知全能的雙子座來說是段艱難時期。從正面意義看，妳是個無所不知、總能吸收最新潮流的人，會不斷更新流行文化和名人八卦，和女兒分享眼影、和兒子討論男用眼線液，比起他們的文藝青年朋友，妳了解更多鮮為人知的樂團和獨立電影的資訊。妳會真心地對孩子正在體驗的校園電影和人際互動感興趣，幫助他們討論那些在社會上遇到的掙扎，不會介意孩子留有飛機頭或甚至刺上低調的刺青或穿鼻環，見鬼了，妳自己可能就有一整條充滿墨水的「手套」呢！獨特的個性表現？你們都一樣！

儘管妳在服裝選擇或質疑事情的需求上都像青少年，但不代表有辦法處理正在成長的孩子。在這階段，孩子希望妳「不要」跟他一樣，比起同伴更希望妳像個家長，比起摯友更希望妳像個穩定的營地。妳可能對此排斥，因為這樣做會讓妳「顯老」或受到束縛：放棄喜劇工作坊的教學或對外展示從工廠農場收購的雜貨店，或帶著粉紅色假髮參加家長會會議，只因為孩子覺得尷尬？不可能！

如果妳是比較傳統的雙子座媽媽，那麼就很難不受到青少年情緒起伏的影響，讓自己不經意地陷入其中，此外，妳是象徵雙胞胎的星座，會不知不覺認定妳和孩子的關係密不可分，然而這樣的想法，在現在的階段會變得棘手，因為青少年時期主要目的是分離，孩子「需要」獨立，創造自己的人格特質。因此，妳得先解決個人焦慮，這樣才能做出適當的教養方式。

對妳來說，青少年大量表現自我情緒其實沒有問題，讓女兒在房間牆上畫壁畫，或讓兒子將車庫改裝成男人的祕密場所，放套鼓做樂團練習，然而舒適圈的界線就在孩子開始跟妳頂嘴時。妳討厭任何人覺得自己比妳聰明，尤其是小孩，畢竟妳對自己的聰慧和機智靈敏自豪。因此，當妳的頭號粉絲變成頭號公敵時，如脫韁野馬開始挖苦，用無所不知的態度面對妳，頓時陷入一場前所未有的危機。孩子難道沒想過他招惹到誰嗎？

當妳涉入這場智慧之戰，或者說出「我做給你看」時，之後產生的後果可能是利大於弊。妳的青少年其實在測試妳的底線，因為他要嘛是想摸清妳的底細，要嘛就是認為妳設立的規則不公平；妳的反應越大，他就越不尊敬妳。雙子座，要妳保持沉默並不容易，畢竟妳是代表交流的星座！因此，如果妳需要有所回應時，比起以致命回嘴或擊中要害的方式，更需要學習有智慧的手段。

我們讀過關於這個主題最好的書之一是漢恩．吉諾特博士（Dr. Haim G. Ginott）所著的《有話慢慢說——父母如何與青少年溝通》（Between Parent and Teenager）。這本指導書解釋了青少年叛逆行為背後所潛藏的含義，以及如何解讀孩子話語裡的弦外之音，讓父母能以同情心與沉著態度作出回覆。其中一個主要困境在於青少年會陷入想當孩子、但又渴望擁有大人特權的兩難。嘿，雙子座，妳能理解他的心情嗎？

妳可能會注意到，妳對於部分管教過於鬆散、有時又太過嚴苛所產生的後座力。青少年會透過習慣和特定的叛逆行為表現他的反彈，此時，如果他遇到身體意象的議題、飲酒或藥物上的麻煩，妳可能會感到力不從心，若孩子真的有點苦惱，那麼雙子座媽媽可能會把矛頭指向自己。象徵完美主義的處女座掌管第四宮，妳其實內心對自己很嚴格，即使會在內心責備發生在孩子身上的問題，可是對外則指責他人：學校、其他家長、妳自己的父母。對於可能被攻擊、被稱作糟糕媽媽讓妳感到害怕，俗話說「攻擊就是最好的防守」，妳會依照這樣的模式行走在戰場上，說出像是「他怎麼能在我為他做了所有事後還這樣對我」或是「我不知道到底是誰教他這些，現在這個世界可真危險恐怖」的臺詞。

如果真的發生了上述情況，請先踩剎車，責備和感到丟臉不會有幫助。其實妳只要對個人行為負點責任，絕對比事後反省還重要。例如，也許孩子曾受到妳一些人生選擇的影響，如離婚、缺乏一致性、一年搬家四次……也或許妳曾對一些成人議題過於坦率，然後又需要一些隱私，讓孩子感覺更安心；又或許妳在某些部分過於投入之後，已經很熟悉了，導致妳進入「照我說的做，而不是我做什麼你就做什麼」的模式。

「我十六歲時離家，因為我媽對我吃飯習慣的反應太激烈。」一位雙子座媽媽的女兒說。「她有她自己身體上的問題，而且我無法將我們的問題分開看，所以我必須離開家中幾年。」

就算搞砸一切也不代表妳是壞人或很嚴苛，妳只是需要一些新技巧，身為家長的工作就是建立這些技巧，這樣孩子也會在過程中有所妥協。因此，不要害怕面對自己，感激孩子的出現，他就像使者般幫助父母，看著孩子共同成長，這就是一種愛的表現。

好消息是好奇心十足的雙子座是人生裡永遠的學生，只需要給自己一些客觀的距離（並原諒自己的不完美），就能變成一位能幹媽媽，而妳對消息和專業知識的寶貴發現，也會幫助啟發其他的媽媽。因此，就埋頭在那些孩童心理學課程、育兒工作坊和對話團體，並帶上妳的朋友，不過請記住，即使妳喜歡好點子和理論，也不要讓過程變成智力測驗。如十七世紀英國詩人約翰．威爾默特（John Wilmot）所言：「在我結婚之前，我有六種帶小孩的理論；現在我有六個小孩，但是一個理論都沒有。」將這些想法應用於生活中就會出現奇蹟，記住，熟能生巧！

掰掰，小鳥離巢（十八歲以上）

即使妳已經花了十八年的時間與孩子一起，但內心還是會暗暗祈禱給自己更多時間，一些雙子座媽媽會發現她們對於小孩即將離家的想法感到慌張。作為雙胞胎形象的雙子座，可能會感覺到一種占星學上的分離焦慮，無論妳和孩子在後來幾年爭吵不斷。

我們的朋友蒂娜，她的雙子座媽媽堅決反對她離家上大學，規定她上大學後依然要住在家中。最後蒂娜的媽媽同意假裝讓她去大學模擬住宿。蒂娜回憶：「我們到了宿舍，打開行李箱、整理房間，將東西放好。」我爸建議我們可以一起逛逛校園，我媽說她頭疼，需要躺下，於是我們放她一人在房間裡約一小時。當我回來時，整個房間都打包好了，就像從來沒搬進來。我媽說：「現在妳已經來學校了，希望妳喜歡，好，可以回家了！」

幸好後來蒂娜設法說服媽媽不要再做這些瘋狂的行為。老實說，妳和孩子不相見反而才倍相思。妳的孩子會學習靠著自己的力量，而不是期待妳會幫他解決所有問題，尤其妳活躍又引人注目的個性，短暫分開幾年，能幫助孩子脫離妳的聚光燈並擁有自己的生活圈。

很快你們會以好朋友的方式相聚，這段關係比起依賴的母子還更歷久彌新。現在你們都是成人了，能在更公平的環境下相處。妳能坦率說出任何主題、交換條件及提供建議並認同彼此的觀點（終於！），這對妳來說簡單多了。妳從原本提供者的角色，演變成關心他人的親密知己和朋友，彼此享受在旅行、看獨立電影、交換書和談論政治上。

當然，妳永遠是孩子的母親，孩子回到家時，妳會喜歡寵愛著他。「我雙子座的媽媽會做些讓我發狂的事。每當我回家，她會買一堆辣椒給我，因此我得帶著這些辣椒走過二十個街口。」羅伊絲說。「不過好在伴侶查理幫了很大的忙，他和我媽感情很好，他解釋我媽只是在展現她對我的愛。」

當然，妳還是會持續對孩子的約會與結婚對象以及住哪裡指手畫腳，要妳不說這些並不容易，而且妳可能也會因為不經大腦地點出一些事激怒孩子，像是「你知道嗎？我『朋友』的女兒決定大學畢業考法學院……以防她未來想從事法律工作。」

對雙子座媽媽來說抵抗徒勞無功，小孩最終也會了解這個道理，甚至等到自己變成父母後，這會是他們第一件了解的事。好消息是，隨著時光飛逝，雙子座的智慧和聰明揉合地很好，使妳變成有趣、討人喜歡的人。現在妳較少與別人爭論到底，不認為自己無所不知；妳變得更有勇氣，不害怕說出別人在想什麼。雙子座媽媽在孩子年輕時使他抓狂，最後卻變成最引人莞爾一笑的趣事製造者。我們的家族朋友蜜莉恩・薩姆森是位身體機能健全的一百零一歲雙子座，她周遊列國、為政治領袖造勢和寄送電子郵件。大家都知道她會和二十六歲的朋友從療養院出來閒晃。嘿，妳是不受時間限制、年紀越大狀態越佳的媽媽嗎？有多少人可以這麼說呢？

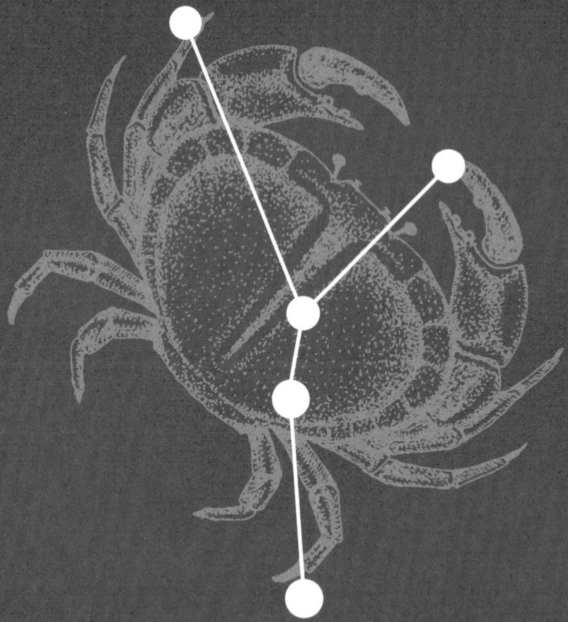

巨蟹座

媽媽

（6月21日～7月22日）

媽咪魔力——妳的優點：

敏感、舒適感和居家、好品味、
奉獻、情感豐富

媽媽咪呀——妳的挑戰：

過度保護欲、喜怒無常、害怕與黏人、
嫉妒心重

知名的巨蟹座媽媽：

黛安娜王妃、吉賽兒・邦臣、潘蜜拉・安德恩、
寇特妮・洛芙、莎瑪・布萊兒、潔西卡・辛普森、
簡・卡特・卡什、艾迪・法柯、南西・雷根、
娜塔莉・蘇爾曼（八胞胎媽媽）、亞利安娜・哈芬登、
麗芙・泰勒、蘇菲亞・薇格拉、克莉絲汀・貝爾

✶妳的教養風格

巨蟹座掌管所有女性相關的特質，是星盤裡的女修道院院長。對大部分的巨蟹座女性來說，女性本能根本是DNA裡與生俱來的天性。從小就很會照顧人，朋友、手足、玩偶、寵物或任何需要母性安撫的人。有些星座對於小孩的事在心情上可能還有點矛盾，不過大部分的巨蟹座女性認為她們天生就適合撫養小孩。另外，妳可能會是選擇在家分娩的媽媽，就像陪產員一樣熟悉，並親餵孩子直到厭奶期。哈囉，國際母乳會主席！

生育在妳選擇配偶時是必備條件。妳可能嫁給三餐不繼的藝術家或某個教育程度比妳低的人，不過只要他談論到成立家庭時的眼神充滿憧憬就沒問題。無論妳是從頭到尾穿著設計師凱瑟琳・沃克（Catherine Walker）的服裝，讓自己像巨蟹座皇室媽媽黛安娜王妃，或打扮得像前衛的巨蟹座搖滾巨星科特妮・洛芙（Courtney Love），妳仍然等不及將塗滿花生醬和果醬的夾心三明治打包好，把孩子放在膝蓋上。

巨蟹座的第四宮由平衡、愛美的天秤座，這象徵關係的星座掌管，這讓妳對家庭抱有理想態度，還能讓妳發揮打造美麗、舒服的家的天賦。妳和小孩會建立深刻連結，和他們變成一生摯友，即使妳像《酷媽媽》（Hip Mama）雜誌創辦人巨蟹座的阿里爾・戈爾（Ariel Gore）一樣是穿了耳洞和布滿刺青的家長，妳仍是媽媽圈裡的終極老媽。

建立關係對妳來說很重要，有些巨蟹座媽媽甚至在第一次約會時直接討論起小孩的事，這樣做會不會嚇跑潛在的另一半對象呢？是的，一定會。但因為妳得先過濾掉那些彼得潘，以免之後變成他們的媽咪，浪費妳的育兒時間來撫養「他們」（承認吧！以前發生過這種事）。如果前菜上菜前，還是無法想像和眼前對象共組家庭，那還不如離開。畢竟還有一堆欣賞妳對家庭傳統想法及對生育具有強烈渴望的人。

妳和媽媽的關係是人生的一大主題。如果妳很幸運擁有健康的母女連結，那麼妳們會是一輩子的好朋友。其他星座可能在青少年就渴望切斷臍帶，妳則想待在媽媽身旁，或至少住在能時常拜訪的距離。一旦妳變成奶奶，拉近地理上的差距會是首要之務。我們的巨蟹座朋友安娜懷孕時，她為守寡的媽媽在自家的樓上租間臨時小公寓。現在她媽媽若從中西部的家裡來到紐約市只要搭電梯就能就近看到孫子了。

有些害羞的巨蟹座在兒時很黏爸媽，有些則為了追求關注，表現出誇張情緒或過度活躍；無論哪種方式，兒時氣質大多源於在雙親愛中感到安全的渴望。因為妳知道需要媽媽是什麼感覺，因此對孩子用這樣的方式與妳相處時會非常敏感。妳不想過度保護孩子，認為每個孩子都需要有自己的生存本事，但當他招惹麻煩時，妳能敏銳地察覺到，大多時候會在一旁給予安慰（我們巨蟹座奶奶相信巧克力和酷愛櫻桃水（Kool-Aid）能為孩子帶來慰藉）。

那些宣稱缺乏「母性天職」的巨蟹座女性，可能是出自於過往有段艱苦、被忽略的成長背景，或是自戀的母親疏於給予適當的管教，又或許媽媽在年幼時就過世，這比起其他星座，對巨蟹座女孩來說會造成更大的打擊。不過無論哪種挑戰，都足以讓妳在自身養育經驗上產生過度補償的心態，妳會嘗試創造完美、五〇年代風格的家，給孩子所有妳不曾擁有的東西，或對孩子每個行為提出疑慮，以免他承受妳曾經歷過的痛苦。不過這麼做會讓妳變得侷限，使孩子感到困惑，此時孩子需要的其實是妳更多的威嚴。因此，請記住清楚的界線能幫助孩子知道哪裡需要和妳站在同一邊，同時也能建立他的安全感。另外，妳不想因為說「不」而造成孩子得到一生心理上的創傷，或因此在小孩的生命中缺席。如果妳發現自己將過往痛苦投射在孩子身上時，請試著尋求心理師、或有智慧的媽媽朋友來協助妳。想想作家吉兒．邱吉爾（Jill Churchill）說過的話：「沒有任何一個方法能成為完美的母親，不過有一百萬種方法能成為一位好媽媽。」

成為媽媽會對妳的社交生活帶來健康的影響。巨蟹座有點害羞或在外人面前較內向，妳的孩子則提供完美藉口讓妳必須參與其他家長的團體。妳正在萌芽的社交圈，可能會圍繞著孩子朋友的媽媽，或是在幼稚園郊遊、家長會和孩子運動團體裡遇到的家庭。談論孩子的事情時，能讓妳決定誰值得信任，悄悄地過濾掉不適合的人。當聽到他們談論關於學校教育、紀律、飲食限制和類似的事情時，妳能從中敏銳察覺到哪些人的價值觀與妳相符。相處一段時間後，妳終於能打開心房，和他們說些自己的事，展開一段真誠的友誼。通常當妳邀請某人到家中，就代表已經信任對方。在妳的日常家務裡不會發生試用期（玩樂）的狀況，並不是任何人都能進入巨蟹座的保護殼裡！

妳是否有點勢利眼呢？是的，妳是。但巨蟹座是那種一旦隨著時間和對方建立如家人的連結時，就會成為忠心耿耿的朋友。人們雖然不容易進入妳的內心，但只要進入，妳就會視對方為一輩子的朋友。當妳打開心房接受對方，就會期待高品質的友誼關係，成為妳的朋友是一輩子的事，即使有了小孩，妳還是會珍惜你們所建立的連結。

✶如果妳有女兒

優點

當超音波檢查出兩條X染色體時，對巨蟹座媽媽來說是歡喜的一天，妳的腦中開始浮現蓬蓬裙、下午茶派對和傳統舞蹈的畫面，妳等不及準備各種女孩的戰利品：逛街、料理、手作、園藝和布置，加上書籍、博物館和文化，妳會用各式各樣不同的媒介，傳達妳的好品味。即使她現在身上只穿了白色尿布和連身衣，妳也會在內心開始構想她的結婚禮服和宴會。

同時間，妳會憶起妳青少年時期的混亂心情、無法控制的情緒及逐漸成為女性過程中的曲折，這一切會突然讓妳喘不過氣……妳準備好迎接這些挑戰了嗎？其實妳比自己了解得還多，巨蟹座！女兒月事來時，會激發妳創造特別的儀式，此外，巨蟹座掌管胸部，妳特別了解何時為女兒購買合適（而且漂亮）的內衣。當一些家長害怕教導孩子關於性方面的議題時，妳會用更自然的途徑傳達這些私密話題，某部分而言，妳非常期待孩子發展成一名女人。月經週期帶來的喜悅與負擔，會是妳和女兒之間很尋常的連結。在妳的認知裡，抽筋是個很合理的藉口，藉此蹺課或蹺掉運動練習，這樣就能讓妳有時間和女兒培養感情，或一起觀看妳喜愛的珍．奧斯汀（Jane Austen）。

妳內心深層的渴望是希望女兒能把妳當成一輩子的閨蜜和摯友。妳自己的媽媽可能占據妳電話快速撥號功能最重要的位置，妳也希望複製這樣的親密關係。巨蟹座由月亮的直覺性和感受掌管，當感受力正常運作時，會使妳變成一位令人欽佩且擅長照顧人的母親，這樣的特質是每個女兒所期望擁有的。

缺點

對一些巨蟹座媽媽來說，女兒相對讓妳鬆一口氣，沒有棒球棒在妳復古時尚花瓶旁揮動，沒有激烈的摔角比賽打破妳透明淺綠色的釉玻璃，沒有沾滿泥巴的鞋子弄髒妳的天鵝絨躺椅。呼，基因真的好加在！但如果妳生出的孩子，是個精神洋溢的運動員或未來的學生會主席，而且帶有自己的心智和品味時，妳夢想在廣場飯店裡喝著上流下午茶的夢想，會比妳說出「艾洛絲」（Eloise，出自電影《艾洛絲的頂級生活》（Eloise at the Plaza），女主角艾洛絲就住在廣場飯店的頂樓）之前還更快破滅。一位巨蟹座媽媽潔西卡曾說，如果女兒比起魯布托（Louboutines）的高級女鞋更想要耐吉運動鞋時，她可能會很想「抱怨」。請記住妳的任務是為她創造一個安全的基地，讓她在裡面獨立自主，即使她不追隨妳追求上流社會的腳步，也不能說妳被孩子拒絕或是有主見的女兒會變成妳人生一部分的敗筆。

有時微妙的競爭意識會在母女關係裡拉扯，妳不喜歡被搶風頭，即使對方是自己的骨肉。當女兒選擇形塑自己身分認同時，臉皮薄的巨蟹座媽媽會受傷或感到被拒絕，因此妳可能出於嫉妒（並讓她受傷），開始對她做些挖苦行為，對她說出不太好聽的言論。巨蟹座媽媽以說出「喔，她真是（不太客氣的形容詞）……」這樣負面言語聞名，即使是以疼愛和玩樂心情說出，但這些言論底下其實正醞釀著控制的意味。妳需要做些事舒緩母女關係。如果妳活在自己母親的陰影下，無法脫離那樣的控制，那麼未解決的問題，會回歸到妳自己親身教養的女兒身上。如果妳對這些議題或情況有所警覺，才能讓妳變成更快樂的母親，同時也能減少依靠女兒來認同自己。

✶如果妳有男孩

優點

嗯，現在妳有個男孩，巨蟹座承認吧，妳對這個消息有點失望，下午茶派對就被這男性激素破壞了！沒機會替孩子換裝了……不過當妳習慣這個事實之後，會比較放鬆。在某些方面，撫養兒子對巨蟹座媽媽來說相對輕鬆；如果是女孩的話，妳會把她太當作自己的事，對於作為她主要的模範感到有壓力。男孩子搞砸了，妳能直接責備他的父親，或在其他方面從苛責中稍微抽身。巨蟹座很容易成為直昇機父母，因此妳絕不會停下妳的螺旋槳。

如果兒子有運動天分，妳也會很高興，因為巨蟹座女性本身就擅長運動，妳的競爭傾向也會在為兒子壘球和足球比賽加油時展現出來，對惹到寶貝兒子的其他隊伍的孩子噓聲以對。此外，妳可能還會與對方媽媽在賽後攤牌……主因就是妳在一次餅乾義賣上用得獎的布朗尼（當然是出自家族祕方）搶盡所有風頭，讓其他媽媽相形見絀。

幸運的是，所有寶寶會從依賴媽媽開始成長，妳與兒子嬰兒期的連結也和女兒一樣，在他性別社會化前開始產生作用，妳會給予他所有美好的回憶經驗。不過妳絕不會像跟女孩相處一樣和他如此親近，他可能也會感覺自己就像闖入女孩世界的入侵者，不過妳可以試著學習跟隨他的步調，鼓勵他發展較柔性的面向。

缺點

注意，即使妳只是對孩子稍微鬆開蟹腳的控制，不意味著就是過於寬鬆的極端教養方式。對巨蟹座媽媽來說，妳的小男孩很快就會成為妳的心肝寶貝，他不會做任何錯事。在他成家以前，妳會珍惜作為他人生最重要女人的角色（我們甚至不討論他未婚妻巴結妳這個未來婆婆所歷經的欺凌，哎呀）。一位我們知道的巨蟹座媽媽在得知孩子準備求婚時，就和他兒子高傲的女友上演一場成為好友的劇碼。她突然打開心房，以溫暖和充滿魅力的方式接納這位無警戒心的女人，與她深入分享一些個人私事。「我們的家庭關係相當緊密，我擔心她可能無法融入，這樣的話，她可能會試圖拉開兒子和我的關係。」這個媽媽承認。「如果事情發生了，那麼我就需要試圖介入。一旦我開始了解她，就發現她其實很害羞，她父母是老師，她是唯一的孩子，我們吵鬧的家對她來說有點負擔太大。幸好多管閒事有好的結果，現在我和她非常親近。」

讓兒子變得獨特、享有特權、上高級私立幼稚園、給他精美禮物，成為不用做任何事就能謀生的小王子，甚至認為孩子就是不懂事、孩子就是孩子，這種站不住腳的想法沒什麼不對——巨蟹座媽媽會為兒子做任何事，不過這樣做極有可能會加深他對性別的刻板印象（也有可能使他變成不懂得尊重女性的人），也可能會使他浪費大好機會。妳需要善用妳的感受力，訓練兒子變成懂得關心和體貼約會對象（男生或女生）的成熟小大人。

妳僅僅需要設定界線，確保他體貼女性也擁有個人主權，暫時擱置內心想為他做所有事的心情，以及容易受傷的情緒。情緒化的巨蟹座很容易受挫，對兒子太過嚴苛時，就害怕遭到他的拒絕，他可能在妳立下規矩時又踢又叫或亂丟東西，但妳要堅定告訴自己，即使妳很嚴格，他還是愛妳。底線就是巨蟹座是女性的象徵，而妳就是老大，停止做出「我都是為他好」的行為，不然你們彼此都會非常困擾。

不同年齡和階段的教養

嬰兒期（一歲）

巨蟹座媽媽渴望親密關係，嬰兒期可能是妳最喜歡的階段。妳和寶寶形影不離，這個一丁點大、無助的小生物非常依賴妳，這對妳多愁善感的靈魂宛如萬靈丹，妳也會以最快速度用相機捕捉他的各種表情。如果妳親餵母乳的話，可能會迷上這種感覺，特別是哺乳時催產素（又稱作「愛的賀爾蒙」）會促進乳汁分泌。

晚上時，妳可能不會和寶寶一起睡（一方面可能是為了另一半，或是妳害怕壓到寶寶），而是聰明地投資一把優秀的搖椅，在那裡妳能在孩子趴在胸口時享受午間肥皂劇，坐在搖椅上將鼻子挪到寶寶的肌膚，深吸新生兒的味道、低聲唱著搖籃曲，給他一個溫柔的吻。充分寵愛寶寶是妳最大的樂趣，妳喜歡為他購買許多可愛的寶寶衣服、教育玩具和有機食物。出於妳高尚品味和節儉預算，妳會在高檔的寶寶品牌特賣會上（或在線上）排在隊伍的第一位（法國小帆船（Petit Bateau）的斗篷正打半折？當然要買！）大量購買無氯尿布。投資一台寶寶食物處理機，畢竟妳只想給孩子最天然的食物。

請給我隱私！巨蟹座心性多疑，可能不想成為在臉書或網路上大量上傳寶寶照片的媽媽，只要一想到某些怪異陌生人盯著寶寶的照片就不寒而慄。一個受密碼保護、用來炫耀孩子的部落格？這先暫時不提。

藉由只有邀請才能觀賞的方式，讓妳能透過數位影像的剪輯與編修記錄寶寶每次的咕咕聲、吹泡泡以及各種里程碑。

如果妳正準備回歸職場，但此時小寶寶還穿著連身衣，最好請妳的母親或其他親密的女性親戚幫妳帶小孩。再強調一次，這是信任的問題。妳喜歡夫妻倆其中一名留在家中照顧小孩，不過如果另一半無法配合，那麼就找另一位親密的家人代替；或者妳可能傾向成為在家工作的媽媽，即使這代表妳得離開現在的職場。占有慾強的巨蟹座不喜歡其他人待在寶寶身旁或家中，妳不是很願意只留下寶寶和保母在一起，雖然這樣能讓妳騰出一些自由的時間。不過可以的話，盡可能地稍微抽離與寶寶的關係，和女性友人一起做指甲修護或看場電影，請記住即使妳有了家人，也不代表妳得失去自己的生活！

如果妳是個單身媽媽，可能想多留點時間給重要的人或約會對象。對許多巨蟹座媽媽來說，有了小孩後，親密關係會是第一個失去的東西，因為妳會花很多精力在新的責任上。試著在一個晚上離開家裡，或找一處能聊些大人話題的地方——喔，可不是聊些選擇幼稚園或製作寶寶副食品有什麼好處之類的話題。當然妳可能會變成整晚都在聊小孩的成長有多迷人，對妳來說，要阻止自己衝動分享小孩的事很困難，妳可能需要規定自己在一週內禁止討論小孩的話題，這樣才會讓妳記得還沒生小孩前，你們曾是情侶的時光。

巨蟹座媽媽可能對於這個新角色「相當」投入，家裡會開始像個日托中心或嬰兒商店——記住，母親角色不是讓妳忽視自我認同的藉口。害羞的巨蟹座習慣躲在朋友或孩子背後，但請在躲藏自我前三思，以長遠觀點來看，孩子會從媽媽的生活和身分認同汲取優點；但現階段，妳只要確保在重要的家庭、生活和行程之間，保留自己的空間，培養嗜好和興趣，與老朋友聯繫及活出自我就好了。

學步期（兩歲到五歲）

學步期仍是感到歡喜的階段，你們之間的情感線尚未切斷，小不點仍需要妳，這樣的連結能彌補一些抓狂瞬間：公眾崩潰、在遊樂場亂咬及在沒有廁所的咖啡廳裡大號。此外，作為星盤中最喜怒無常的星座，妳能理解孩子這階段情緒背後的意義。一個小孩怎麼能從語無倫次的喜悅，一瞬間變成無緣由的暴怒？放輕鬆，這可是一小時前才發生的事。

然而，妳可能還是很想念寶寶一天睡十一小時（其中有七小時依偎在胸懷）的時光，學步期對妳的社交生活也很重要。基本上，妳可以約摯友到公園、音樂教室或游泳教室，這些活動可以幫助打破冷場提供話題，消除剛開始的尷尬，是的，這完整的約會儀式在媽媽間也是以同樣方式運作，和對方討論正在學步的寶寶，正是尋找好姊妹的方式。妳重視文化與教育，帶著孩子參加博物館、圖書館和自然環境保護區舉辦的活動。在前往規劃周到的策展空間時，更可能邀請志同道合的朋友一同前往。

如果妳的內在菁英程式沒被發掘，可能就會把這方面的潛力運用在為孩子尋找幼稚園上。妳想要孩子安全、受到照顧（是的，就是受到較多的保護）因此，妳會詢問學校機構關於教育方式、資格證明、藝術課程及吸引哪些家庭就學。「我知道這樣做不太好，」一位巨蟹座媽媽承認，「但是，我只是要確保圍繞在孩子周圍的人都是正確的，從第一天開始就能掌握機會。」

你強烈希望孩子隨時安全、快樂，這對任何一位媽媽來說都是如此。可擔心越多，就會越覺得這個世界有多不安全，妳能遵循的最好資訊就是先假設所有事情都會變好。當然，妳需要相信這樣的道理，妳也只能這麼做。巨蟹座媽媽傾向表現出恐懼的狀態，然而以恐懼為基礎的教養，只會為你們製造焦慮。經常確認現在的狀況（哈囉，媽咪互助圈），會提醒妳人性是有彈性的，放輕鬆，讓孩子變得一團糟比妳想像的還難。

在這階段，妳可能也會被指責過度保護孩子，很顯然妳就是那個需要為孩子負責的人。直升機教養並非最糟的事，至少孩子知道妳關心他，只要妳不會常常入侵他的「地盤」。在妳內心並不相信孩子會被寵壞，怎麼可能會有人無法應付過多的愛呢？

然而，這年紀確實是孩子需要開始學習紀律的階段。不過因為妳發現他一些滑稽動作，即使是發出震耳欲聾聲音的鬧脾氣，妳都覺得這是他在這階段最可愛的部分，因此妳或許不是教導紀律的人。好在妳有一個謹守界限的另一半或能幫助妳敦促日常習慣的照顧者，畢竟妳可不想成為扮黑臉的人。

「我時常指責丈夫對孩子太過嚴厲，特別是對女兒的時候。」巨蟹座媽媽凱莉說。「我想將她帶到我的『安全網』裡，讓她感到安全。所以我必須在他糾正女兒時，克制自己不去阻止丈夫說教。」

如果妳是親自哺乳的話，在這個階段最困難的會是斷奶。妳可能是孩子上幼稚園大班前灌輸教育或在托兒所前看管他的人，當然大部分的醫生都贊同妳的做法，畢竟這是個人選擇，只是妳要確保分離問題不會阻止妳在適當時機停止餵奶，若要更輕鬆點，能試著創造過渡期的儀式，像是為最後一次哺乳進行閉幕儀式（甚至在一個能讓妳大哭的地方），或採取滿足寶寶的方式，例如妳通常在睡前哺乳讓孩子睡覺，現在則拿一本他喜歡的書和裝上溫熱牛奶的奶瓶，假設孩子能夠接受。此外，也有許多泌乳顧問能幫助媽媽斷奶，打通電話預約，妳需要專家教妳怎麼做。

妳可能也會問自己，我試著斷奶是因為本能想這麼做，還是因為我認為應該這麼做？一些巨蟹座對於受到家人、朋友或整體社會的批判容易感到不安。如果妳還有母乳，也發現小不點還有需求，那麼最好的答案是順其自然，無論是字面上或象徵性上。「我決定餵母乳給兒子直到他不喝或我沒有乳汁為止。」一位學步期孩子的巨蟹座媽媽說。她笑著補充：「當然，我有時會擔心他變得有點『異常』，畢竟他喝母奶喝到五歲。但我認為一切都會好轉。」

童年早期（六歲到十一歲）

得聯絡心理師了！小學對妳來說是相當困難的過程，因為這是妳第一次被迫切斷與孩子間的連結，讓他獨立成長，對敏感的巨蟹座媽媽來說特別棘手。當這些小麻雀正準備振翅高飛時，妳開始有點心碎，任何原本潛藏在冰山底下的依附議題也突然變得更為嚴重。

此時正是母親互助團體或好朋友參與的時機。妳需要控制受傷的情緒，這樣才不會將問題轉嫁到孩子身上，或抑制他表達情緒的需求。如果做得過火，孩子會感覺他為了追求自己的喜好和想法而拋棄了妳；若妳變得冷漠，他則會覺得自己受到「懲罰」，即使妳只是在療傷。請付出更多心力，在孩子面前盡量隱藏情緒化的過程。

當然，妳能忍受的分離就只有這麼多。妳仍會盡可能參與學校的志工活動、主導女童子軍或提供妳家作為過夜和活動場所——讓孩子越靠近鳥巢越好。即使這些計畫以失敗告終，記住我們都是帶有人類經驗、有靈魂的個體，妳的孩子擁有獨特的靈魂任務，妳的工作就是協助他達成，若妳過於堅持，可能會阻擾孩子尋找他自己的道路。

此外，只要妳停止讓自己過於投入，在這幾年中妳也會擁有許多樂趣。這時正是傳承你對文化喜愛以及培養孩子興趣的年紀，和他分享熱愛的音樂、一起完成藝術計畫及在廚房一同玩樂、料理、烘培，會是聯繫家庭關係很好的方式。許多巨蟹座喜歡瑜伽，何不攤開妳的瑜伽墊，教他幾個瑜伽姿勢呢？巨蟹座也擁有運動的一面，就和孩子一起打棒球、踢足球或舉辦足球比賽。此時也是加入國際型團體青年會的好時機，或加入其他適合各種年齡的活動的遊樂中心。現在同時也是強化家庭傳統的時機，像是每年製作假日食譜、掛上由孩子做的聖誕節特別裝飾品，或重返最喜愛的夏日渡假景點等。

在此階段學校會是妳最關注的事項。妳想保護孩子，不讓他揠苗助長，即使這樣代表得花大筆鈔票選擇私立的學校體系。就算得搬到地價較便宜的區域，縮減其他開支藉此平衡開銷，妳也在所不惜。妳會為孩子做任何事，只要能保護他免於受到成長過快所帶來的負面影響。

妳也需要盡可能插手他和同儕間的人際衝突，雖然妳可能過度袒護孩子，不過此時是教導孩子學習為自己而戰和發展倫理規範的重要時機。但不要一股腦地就闖入學校質問對方，或是在孩子或同學面前責備老師。

這階段還有一個要關注的議題是妳對性別化的傾向，特別是對玩具。如果妳有女兒，盡量不要直接給她廚房組、玩偶及散發出「女生就是照顧者」印象的玩具，可以考慮添加一些智力遊戲、工作檯及中性的藝術用品。像是學習如何製作精美玩具，或紮實學習基礎吉他，這些從零開始的做法，能讓孩子變得自主，培養孩子以創意解決問題的能力。如果妳有兒子，則要同時綜合他男性化與女性化的面向，不要只是把他丟到團體運動和特種部隊裡，也試著讓他接觸樂器、學習語言，協助廚房料理和家事，替家裡義務做事能發展他富同情心的面向，這樣比起單純變得男性化，會更富有人性。

另一個要考慮的事項是，妳有確實表達出自己的獨立性嗎？讓自己遠離孩子，在生活裡做出突破吧！為學校義賣活動烤餅乾當然沒問題，但請思考其他選擇，試著找到平衡，像是回到職場（兼職也無妨）、暗中寫小說或投入手工事業等，這樣也能避免妳因（可能是不必要的）犧牲自己生活而對孩子存有怨念。

如果妳想成為令人敬佩的母親，去吧，不需要帶有一絲罪惡感！確實每個巨蟹座都有成為優秀女性的潛力，即使這個特質較少人注意到。巨蟹座屬於四個開創星座之一，另外三個是牡羊座、天秤座和摩羯座，這使妳有成為領導者的天分，這也是為什麼一些巨蟹座女孩被指出有點「跋扈」，不要讓巨蟹座在一開始就受到性別不平等的對待（如果是男生負責的話，會有人侮辱他嗎？絕對沒有！）。妳在追求自己夢想的路上，為孩子建立很棒的典範。因此，當孩子進入世界邁向一大步時，讓自己也加入他吧！

青少年期（十二歲到十八歲）

是時候了，媽媽，讓妳的小鳥開始為自己的所作所為負責、跌倒了再重新站起來，以及承擔更多成年人的責任。是的，對孩子的親密教養方式是時候該做取捨，現在孩子需要不同的教養方式：清楚的界線、同情理解以及在面臨困難選擇時能有智慧的引導。擦乾妳的眼淚（向心理師訴苦或來場快樂的馬丁尼快樂時光），因為孩子現在需要看到妳堅強的一面。

妳可能帶著恐懼不安的心進入這階段，不過很快就會發現妳已經具備教養青少年的能力——有誰比這個最敏感的星座更了解情緒起伏？越是將青少年期想得越困難，就會發現事實沒有如妳內心恐懼的還糟。妳對波動情緒的第一手經驗，能隨時應用，另外，妳記得很清楚在妳這個年紀，對自己媽媽做的事簡直是場惡夢（尷尬……），孩子的青少年時期可能會是妳因果報應的到來，償還當初欠父母的債。

妳記得在青少年時期隱隱醞釀的憤怒和緊張，宛如昨日才發生，孩子這階段對妳來說完全不會感到驚訝。確實妳有一些過時、樸實的人格特質，不過談到讓孩子成長的想法卻相當新穎。一位我們認識的巨蟹座媽媽是她染了粉紅色頭髮、領導啦啦隊的青少年女兒的閨蜜，她們在流行音樂和圖像小說上擁有相同的品味。另一位女性衛生教育者，對於提早教導兒女性觀念有自己的堅持，她一路上教導孩子正確的解剖名稱及功能，談到關於「夢遺」和生理期疼痛等害羞的性教育電影，對她的小孩來說根本無傷大雅。

如果妳有女兒，可能渴望扮演看守人的角色，為她介紹經典的女性特質——教導她如何打扮、弄頭髮、化妝和戴飾品等。如果妳有一些對女性特質的堅持，就像許多巨蟹座女性一樣，也會渴望灌輸她批判性思考和教她媒體素養（嘿，如果妳是家事女神，不是因為妳認為女性要像五〇年代的家庭主婦一樣守舊，而是因為妳真心享受）。從這觀點來看，妳可在女權和女性領域發揮得很好。

和兒子一起時，可以著重在使用情感用語上，這樣能讓他在首次開啟戀愛、同儕衝突和一般性的生活經驗裡感到更安心。為了誘惑他和其同伴能盡量在家裡活動，妳不會介意在家築巢，這樣至少能讓他在妳的視線內，也能持續灌輸這個不算小的孩子「家即是心之所在」的價值觀。

也許孩子和妳之間的連結多數都很歡樂，不過在這年紀，妳仍需注意不要讓孩子感到不自在。巨蟹座媽媽會用有點取笑的方式，指出女兒正在發展的臀部，或兒子逐漸變厚重的聲音，妳這麼做，也許是想在孩子成長時處理自身感到的不適。但妳若讓他無意間聽到妳和他朋友或奶奶的對話「我認為馬克斯有女朋友」或「莉莉最近心情不太穩定，我想她月經該不會快來了」會破壞孩子對妳的信任。記住妳有多不自在，孩子就有多不自在，妳需要時不時提醒自己尊重他的隱私，不要向他的朋友洩密或公布你覺得「可愛」、但讓他尷尬的事情。

妳曾擔心自己的青春期是如何處理身體意象的議題、極端的性別角色和同儕壓力嗎？如果妳有女兒，可閱讀開創性學者的著作，如凱羅·吉利根（Carol Gilligan）的《不同的語言》（In a Difference Voice）、瓊·雅各布·布倫伯格（Joan Jacobs Brumberg）的《身體計畫》（The Body Project）和佩吉·奧倫斯坦（Peggy Orenstein）的《灰姑娘吃了我女兒》（Cinderella Ate My Daughter）；男生的話，則推薦麗莎·布魯姆（Lisa Bloom）的《昂首闊步：在失敗的學校、大規模失業和暴徒文化時代教育男孩的十條緊急規則》（Swagger: 10 Urgent Rules for Raising Boys in an Era of Failing Schools, Mass Joblessness, and Thug Culture）。對一個擔憂的巨蟹座媽媽來說，即使孩子暴露在非妳掌控的影響下，妳還是想傳授他正確的價值觀，也想在他成熟時，告知他任何可能發生在他身上的事。

此外，在他的發展階段，即使是最好的預防措施，也無法阻擋預料之內的荷爾蒙浪潮來襲。這是他將妳拒於千里之外、拒絕溝通或大聲講話的時期，這使妳脆弱的心受到傷害，妳最不想看到的狀況就是孩子把妳當敵人看待。

即使孩子無禮的回嘴讓妳受害，記住青少年很快就會從虛張聲勢轉換到需索無度。妳會很頻繁地和青少年發短信，暗中享受任何讓兒子從練習中學習某事的需求，或精心計畫女兒十六歲生日派對，至少妳正參與他的生活！即使他仍有點依賴妳，妳還是希望他能感到安全。

除非妳的孩子是相當固執的青少年，他不得不堅定表現出一些獨立的面向，若是他認識錯誤的人，導致妳怎麼引導都沒用，妳可以更加接近他，帶著同情心，真心傾聽他放學後的焦慮，在緊要關頭時衝到他的身旁，只是要記住給他權力和縱容間的微妙界線，不要過度陷入他的戲劇性場面，也不要針對青少年的痛苦煽風點火，即使他和朋友放學後聚集在妳的餐桌旁。

我們自己的媽媽和阿姨每月一次會打給她們巨蟹座的媽媽說：「我有大姨媽了。」（她們寵物經期來的暱稱），最後終於了解她們並不是在說《綠野仙蹤》（The Wizard of Oz）裡的「愛姆嬸嬸」（Aunt Em），我們始終無法相信成年婦女會打給母親閒聊月經的事，這是巨蟹座媽媽能和孩子建立一輩子連結的方式。即使孩子堅持在生活裡走冤枉路，但伴隨妳強烈的情緒敏感度，對孩子來說，妳就是他回到家時的避風港。即使孩子耍脾氣，讓妳感到棘手，不過當妳看到他受傷，會立刻卸下心房。他需要媽媽時，妳會迅速起身行動，擦乾眼淚，展現妳柔軟的一面，快速做出一頓暖心的食物，和他好好聊聊。

妳可能是傳統的媽媽，不過在許多方面可是很趕時髦的。幾年前，我們的朋友阿里爾・戈爾是位追隨流行、身上有刺青的巨蟹座作家，同時也是《酷媽媽》品牌的創辦人，該品牌的書籍與網站含有許多充滿智慧的育兒故事和建議，妳很享受在身為母親的過程中，交織著妳獨特的品味與性格。因為妳引領潮流的風格，使女兒會闖入妳的衣櫥使用化妝品和包包，妳也很喜歡跟她逛街。巨蟹座媽媽同時也是具有文化素養的女士，可能會跟小孩聽著一樣的音樂，或在一些情況下介紹他鮮為人知的樂團、獨立製片和前衛藝術家。當然，妳身為媽媽的角色不會改變，妳會烤餅乾、把他塞進被窩，即使妳做出來的薑餅是素食，然後還哼著不知名的雷蒙合唱團（Ramones）的音樂當作搖籃曲。

妳非常渴望和孩子成為最好朋友，妳也有很好的機會能達成，但若要達成，妳必須在這個他充滿焦慮和騷動的階段，隨時控制自己的情緒，而且不是任何事都拿出來分享。不是說要妳隱藏自己的心情，只是不要向他提到大人的世界和自己的私事。即使孩子有多麼聰明成熟，還是要慎選話題，讓他看到妳因感動的瞬間，例如婚禮或家族聚會上哭泣，這沒問題；但其他像是和爸爸吵架而流淚，因朋友自私而發怒，這些最好讓他眼不見為淨。

安然度過這階段的訣竅？在家中隨時保持歡迎的雙臂等他回來，相信孩子在冒險後會回到家中。在妳家，假期和傳統活動可說司空見慣。此時，就讓他盡情玩樂，邀請朋友和另一半為這個家帶來一些新傳統。讓他在沒有妳的參與下（除非被要求）布置房間，鼓勵他在自己的領域發揮創意。依照妳對居家布置的天賦，加上如果他希望妳加入的話，這絕對是個將空間煥然一新、與彼此產生連結的有趣活動，像是一起翻新房子的交誼區，如休閒空間、客廳等。一旦家變成了安全的平和之地，絕對會是家人的心之所嚮，他一定會歸返！

掰掰，小鳥離巢（十八歲以上）

妳希望孩子心中永遠都需要妳——會的，只要妳不強迫他。當他到了該勇闖世界、走出自己的路時，妳的情緒會變得非常激動、驚奇，可能久久無法釋懷；他怎麼可以在假日，背著妳和大學的新朋友或新認識的某個家庭的人約會！妳可能因此患上了嚴重的「空巢症候群」（指父母因子女長大離家而鬱鬱寡歡），特別是妳將自己的身分不斷環繞在「母親」這個主題上。

如果妳發現自己每週都會寄補給包給孩子、開車到學校和公寓、載著他的換洗衣物、擅自幫他換床單，並每天確認他的臉書貼文是否更新和留言，用自己的方式強行進入他的生活，媽媽，是時候該管好自己了。妳可能永遠無法從媽媽的身分獨立，但這不代表孩子開拓自己的路時還需要依靠媽媽。請先收斂幾年，希望將來有了孫子之後，讓妳再實現這些事。

妳還是可以為了孩子將家裡打造成溫暖的港口，一處他在未來面對無可避免的風暴時能返航的所在，不過現在是時候讓他學習自力更生，讓他得以在未來幾年建立自己的窩和家庭。請注意不要一直把他當孩子看，不然可是會讓他長大了還窩在房間、在妳的餐桌吃飯、永遠索取零用錢的老大人。需要一個警鐘（還有一抹微笑）嗎？去看看演員威爾．法洛（Will Ferrell）的《爛兄爛弟》（Stepbrothers），這部電影敘述一對老大不小、四十幾歲的兄弟拒絕離開家的故事，妳可能認為我的孩子才十幾歲，但家人分離對依附性強的巨蟹座來說，總是相當困難的任務，不過妳得學習在這階段如何和孩子適當相處，雖然過程中總會帶來一些混亂，不過以長遠來看，這些都會為你們健全的關係立下良好基礎。

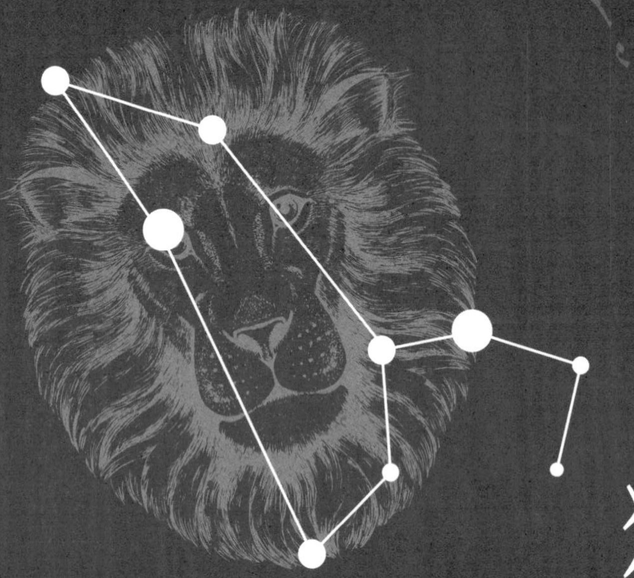

獅子座媽媽

（7月23日～8月22日）

媽咪魔力——妳的優點：

有趣、領導力、創意、自信

媽媽咪呀——妳的挑戰：

自我中心、戲劇化、好動、過於樂觀

知名的獅子座媽媽：

瑪丹娜、荷莉·貝瑞、珍妮佛·洛佩茲、
索蕾爾·默恩·弗萊、瑪莎·史都華、
惠妮·休斯頓、賈桂琳·甘迺迪·歐納西斯、
凱特·貝琴薩、珊卓·布拉克、蕾貝卡·蓋哈特、
瑪莉·露易斯，帕克、凱希·李·基爾福特、克里基娜·蘭西克

✶妳的教養風格

燈光、照相機，開拍！富創意又張力十足的獅子座媽媽，無論到哪都能留下深刻足跡。育兒對妳來說是個人情感的極致展現，這是會讓妳付出全心全力的任務。在小孩的生活裡，獅子座都傾向當個全方位親力親為的媽媽，妳對於撫養一位成長為能幹、成功，並且為世界有所貢獻的孩子感到驕傲。

獅子座就各方面而言都相當適合成為母親，因為這會讓妳自己成為永遠的小孩！妳是個充滿耐心的媽媽，能與寶寶一起在地上俯臥，壓低身軀與寶寶平視，以誇張的姿勢處理寶寶噁心的便便還同時歡唱ABC兒歌。活潑的獅子座媽媽喜愛玩樂，與孩子相伴的人生被妳視為一段漫長的玩耍時光。隨著孩子不斷長大成人，妳希望盡可能地與他作伴：逛街、騎單車、手工藝、料理下廚甚至一起騎水上摩托車——妳身上用之不竭的能量簡直無人能比。先別說追著孩子跑，說不定孩子還不一定追得上妳！

獅子座的第四宮由象徵能量與控制的天蠍座掌管。即使妳很有趣，也可能會在各方面表現出專橫和緊繃，傾向什麼小事都管，或選擇直接介入孩子的生活，而且可能在某些地方太過嚴格。獅子座的瑪丹娜算是表達自由意志的冠軍，不過卻不允許自己的小孩看電視或看雜誌。瑪丹娜嫁給蓋瑞奇時，甚至取消某年的聖誕節活動，隔年，他們在耶魯節慶祝時（Yuletide，聖誕節的前身），吃著大自然平衡飲食，並限制一個小孩只能拿三個禮物。

她並不是唯一一個極端獅子座母親代表。讓我們來從雙宮絲綢背後一窺獅子座媽媽瑪莎．史都華（Martha Stawart）的祕密：在爆料回憶錄《任何一塊土地》（Whateverland）裡，瑪莎的女兒亞莉亞克斯（Alexis）就揭露她知名的媽媽會在萬聖節關掉家中所有電燈，這樣就不會有人敲門討糖。「瑪莎什麼事都做得很好。」亞莉亞克斯抱怨。「你無法贏她，只要我做得不夠完美就得重做，我簡直是被熱融槍抵在頭上長大的。」

妳絕不是一位苛刻的母親，只是妳對自己的標準更為嚴苛，凡事追求完美，讓妳成為難以趕上的對象。我們獅子座的朋友派翠西亞．莫雷諾（Patricia Moreno）在與一個學步寶寶和雙胞胎嬰兒奮鬥的同時，持續讓其運動品牌「Sati Life」（師資訓練、課程提供、拍攝運動影片）蓬勃發展。妳給自己設下高標準（而且不費力地就達成），也可能無意識地逼迫妳的孩子或在有意識的情況下。當孩子長大變成一位成功醫生、律師、商人、藝術家或任何人時，他會感激妳，之前的所有投資都有了代價。此外，妳對於特殊待遇的追求，讓妳能運用每個人的優勢，幫助家人獲得進入專門學校、藝術課程或在精英夏令營的門票——當妳處在個人任務中，沒有任何事能影響妳。即使小孩未來在事業、生活形式或信仰上與妳天差地遠，妳仍然在他的教養中扮演重要角色。

當然這不表示妳在玩樂時不會像工作一樣賣力。瑪丹娜雖然取消聖誕節的慶祝，但獅子座媽媽決定慶祝時，絕對全力以赴。妳是個完美的活動企劃者，沒有任何一場派對或禮物能匹敵獅子座媽媽誇張的排場。贈送孩子禮物會是空前盛況的場面，在這個部分經常會羨煞他人，也許有些人覺得妳太寵小孩，但對妳而言禮物是種認知，一種妳用來「理解」某人，及花時間去找某個漂亮東西炫耀的方式。

請注意，妳也很喜歡收到禮物。視覺取向的獅子座，喜歡有形且發自內心的愛的表現，尤其是附上一張充滿情意的卡片，畢竟，獅子座掌管心臟，妳可能會變得情緒化和敏感。若獅子座媽媽有個不把母親節當成國家祭典慶祝的悠哉兒子（像水瓶座或射手座），我們為妳哀悼。雖然妳不會因此大聲抱怨，但妳的自尊心實在太強了，如果屬於妳的特別節日卻沒有被註記，心情肯定會很受傷。

獅子座是如此驕傲、自我保護性又強，因此可能會變得戲劇性及（可以這麼說）有那麼一丁點自我中心，將「我」放在親子關係裡。妳是十二星座裡表現力最強的星座，但妳善於表現的風格同時令人感到逗趣和精疲力竭。一位朋友的獅子座媽媽打給她時曾說：「有人死了嗎？」，因此朋友也習慣她媽媽誇張的表演欲。此外，當妳聽到某人的新聞，無論好壞，妳都會倒抽一口氣，興奮量表會在瞬間從零飆到九十。當妳喜歡某個東西時，會表現出像騎著獨角獸般：「我的天啊！這個漢堡超——級——好——吃的，是我吃過最好吃的東西！」或是「你『一定』要去看這部電影，我整場哭個不停。」獅子座沒有任何中間值。

當妳處在「媽媽演員」的模式時，即使是一場普通的車禍事故，也會變成眾人拍手叫好的經驗談，因為妳會用誇大其詞的方式反覆言說：「我被困在拖車後……艾曼達的足球比賽快遲到了……我真的壓力超大，大到背都溼了！」妳可能不會注意到，自己將注意力放在冗長的故事敘述上，而忘記稍微喘口氣（是的，即使不是有意為之，但有時妳可能就是有點自我中心）；或者妳是「堅強而寡言」的類型，長期忍受並不斷給予與付出。即使不抱怨，但妳的嘆息聲特別沉重，故事就會走向妳其實在祈求讚美和恭維，這樣每個人就知道妳為家人的幸福有多麼打拚。（這些都是在演戲！端看妳在扮演夢幻浪漫喜劇的女主角，還是長期忍受煎熬如聖女貞德一般而已。）

記住，沒有任何一個扮演媽媽角色的人會獲得艾美獎，請稍微減少妳的表演欲，將頻道轉到務實的內容吧，如珊卓．布拉克（Sandra Bullock）、莎莉．賽隆（Charlize Theron）或前喜劇《龐姬．布魯斯特》女星索蕾爾．默恩．弗萊（Soleil Moon Frye），她還打造了同名育兒品牌與網站，幫助新手媽媽學習擁抱養育孩子所帶來的「快樂的混亂」（如她所述）。

如果妳真的想戲劇化一點，就讓它帶點樂趣吧！獅子座媽媽通常迷人且光芒四射，憑她自己的能力打扮成像有型的明星。即使妳是隨性的人，包包裡可能還是會放支口紅（大多數是紅色的）、或一條引人注目的披巾，這樣就能在夜晚時披在肩膀上。雖然多數獅子座都會有頭標準的飄逸金髮，不過妳也會發現一些短髮造型的風格，這樣看起來會更有型，想想獅子座的荷莉．貝瑞（Halle Berry）。一位獅子座媽媽：「我注意到快樂的媽媽會讓孩子快樂，因此我要確保好好照顧自己。」

即使獅子座是獨立的火象星座，但還是帶有固定特質，代表妳喜歡建立一些傳統的價值，像是在遺產、家庭、事業方面。妳一定在孩子還小時就忙於管理一份事業，或至少策劃某些事情，妳的形象通常是典型的女強人，讓世界上其他人看起來都很懶散。我們的母親是生於七月三十一日的獅子座，她為了想在五十歲期間成為一位拉比（rabbi，意指賢者），甚至搬到了紐約，到拉比學校上課以及參與城市的冒險（想像一位五十三歲的中西部婦女騎著腳踏車，穿梭在曼哈頓市區）。這是在她當了幾年的家長會會長、女童子軍領導和兼職大學學生以取得諮商學位，剩下時間則忙於家務之後的夢想（現在還有任何人需要午睡嗎？）直到現在，母親從來沒有雇用任何一位家管、廚師或任何能幫助她讓生活更輕鬆的服務；尋求外界協助這件事鮮少發生在獅子座媽媽上。即使妳是全職待在家中，也會是家裡主要發號施令的營運長，忙於按照一張清單管理家中大小事。

即使典型的獅子座媽媽是溫暖、可愛且保護欲強，但是我們必須用一個詞來形容這些女王般的媽媽：冰雪女王獅子座。這些自戀的媽媽會在獅子座天性傲慢、如王者般及專橫的面向裡起起伏伏，甚至會與他的小孩產生競爭心態，並開始批判他人——樹立兼顧冷漠菁英教育和浮誇堂皇的統治地位。我們朋友的獅子座奶奶實施這樣的做法多年，甚至退休後還在家裡扮演女首領，在用餐區對其他長輩頤指氣使。「我們不想坐在『這些人』旁邊。」她在一次邀請家人到家中時午餐時告訴他們。「『這些人』不喜歡我們。」

這些自大的獅子座媽媽可能閱讀到這些內容而注意到自己的問題時，又會重回溫暖、能幹又願意奉獻的獅子座媽媽行列。在某些時候，妳抱怨宇宙讓獅子座產生這樣的行為；獅子座由太陽掌管，這是我們太陽系（以及生命的維持者，非常感謝你！）的中心。因為妳會以自己為參照點，可能會無意識地與自己孩子做比較，將他視為一個有自我價值和身分認同的個體，與其產生鬥爭。一位獅子座媽媽承認，她對兒子長大後堅持相反政治立場感到難堪。她當時在為民主黨競選，兒子則在自家前院（他們住在同一個城鎮）布置了共和黨競選人的海報。「他不知道這樣做會讓我看起來怎麼樣嗎？」她抱怨。一些獅子座媽媽必須得承認，當孩子不再是妳的大使、步兵或個人宣傳團隊時，會讓妳如夢初醒般震驚。

無論妳是用擁抱及親吻小孩，或準確出席任何孩子的重要時刻以表達妳的愛意，毫無疑問的，小孩絕對是妳的驕傲和喜樂。不要猶豫，盡情寵溺妳的小獅子，只是不要忘了教導他打獵和尋找飼料的技巧，就像妳具備好強的母性防禦天性，他也需要一些生存能力。一個關係緊密的家庭是上天的恩賜，不過妳也得稍微鬆開繩索，讓後代靠自己力量放手一搏，探索這野生的世界。

✶如果妳有女兒

優點

是個女孩！終於有個人可以愛、寵溺，按照妳的想像塑造。妳夢想跟迷你版的自己分享所有事，告訴她所有妳幼時的故事，介紹妳最喜歡的消遣與渡假景點。妳喜歡一起逛街，為她買禮物、為她打扮。妳鼓勵女兒發展創意、表達自我及追尋她的夢想。獅子座媽媽絕不會養出一個逆子或逆女。

妳言行一致，是位了不起的女性典範，是忠誠、獨立和按照內心過活又閃閃發光的最佳範例。妳以妳的女性魅力和慾望為榮，但妳也是名努力認真的成功者及理直氣壯、幹勁十足的人，不用懷疑，女兒也會追隨妳充滿野心的步伐前進。在妳家，每天都是「帶著女兒工作」的日子，特別是妳可能已經有自己的手工事業，而且還超過兩種以上。誰知道哪天妳會和小女孩一起成立一家店鋪也說不定！

缺點

請給孩子一點喘息空間！和小孩親近固然好，但妳可能過於深陷其中。妳的生活結束難道才是女兒的開始嗎？她真的需要知道妳小的時候街道的名稱嗎，或是妳第一個親的男孩是誰嗎？釐清妳要從哪開始而她要在哪結束，對獅子座媽媽來說會是個大挑戰。此外，當她走向和妳不同的道路時，奉勸妳不要太放在心上。獅子座媽媽可能會有點自負，在女兒進入青春期時，妳會發現妳將自己的身體意象投射在女兒身上。請提醒自己不要對她的體重、臉上的青春痘或穿著嘮叨不停，這會對她心理造成負擔，記住她的目標不是成為妳國中時的樣子。

當妳過度涉入她的生活，也會因自己的情緒化變得憂心忡忡。獅子座單親媽媽若去約會，可能會做出沒有把握的選擇，因為獅子座本來就容易吸引一些充滿魅力的男性，他們可能剛好符合「壞男孩」或「男偶像」的特質，其強烈的性格可能會與妳相牴觸（呼叫荷莉・貝瑞、珊卓・布拉克和珍妮佛・羅培茲這些獅子座媽媽），這會使女兒陷入風暴中。記住妳正在為女兒未來的關係立下典範，不要讓自己的任何困境混淆了女兒的價值觀。

✶如果妳有男孩

優點

媽媽的可愛小熊在哪裡？誰是那個帥氣孩子？在小男孩的生活裡不會缺乏愛，妳和兒子的關係，不會發生像與女兒競爭或投射的問題。妳會過分關注兒子的衣著與飲食，家中牆上放滿他優秀的成績單、獎盃和成就。就像妳是男人身邊全心支持的人，妳同樣是兒子的頭號啦啦隊隊長和最大的支持。

獅子座媽媽對自己的所作所為感到自豪，因此妳也是他重要的女性模範。妳可能會把一天的工作依照時間分配，切割金屬、經營公司或裝飾大規模的結婚蛋糕（我們知道所有工作都由獅子座媽媽主導）。或許妳認為維持美麗的住家和家庭生活是主要的工作，並為妳的皇室家族維持奢華、安排妥當的巢穴，無論哪一種，妳都會教導他對待小姐應該如同對待皇后一般，首先從他人生中第一個女人開始，就是妳！

缺點

寵壞者警告，對，我們就是在說妳，獅子座媽媽！妳將妳的辛巴培養成一位偉大的國王，此時他的自尊心會無限放大。「完全不用懷疑，我的獅子座媽媽比起姊姊還寵我。」傑佛瑞說。「我從來不需要做功課，甚至不被允許碰餐盤，因為我媽擔心我會弄碎。」另一位則記得他獅子座媽媽每天幫他打掃房間，姊姊卻要自己整理。不僅如此，還有其他像是「家中的女孩要為男生鋪床。」等事情。迪娜回憶她成長在由兩個獅子座父母所掌管的義大利大家庭中。

今天媽媽的小男孩可能變成明天的大男孩……或變成一個「怪物」。因為妳會盡可能維持母親形象，妳對兒子的事可能變得過於事必躬親，拒絕鬆開妳的韁繩。不過妳要注意時間滴答地溜走，有一天勢必會有某個人取代妳，變成他人生中最要的人。妳或許會真心對他女友展開「歡迎來我們家」溫暖的擁抱，但妳是否也暗暗地在宣告自己的主權呢？妳的被需要和被感激表現得太過火，甚至會不經意地阻擋兒子成長。

✶不同年齡和階段的教養

嬰兒期（一歲）

隆重歡迎皇后媽媽！獅子座媽媽在這階段魅力十足，勇敢與防衛的天性，讓需要備受照顧的寶寶確實變成妳的小獅子。寶寶讓妳驚奇，現在妳擁有一個活生生、有生命力的，另一個自己的延伸，這點格外吸引人。妳對於無法入眠的夜晚、尿布疹及開始承擔的重大新責任感到有挑戰性，這些挑戰伴隨著高低起伏的狀況時，讓妳油然升起一股自豪感。

這個寵溺孩子、總為孩子驚嘆不已的獅子座媽媽，會追蹤寶寶每個動作，勤奮記錄每個里程碑——滿一個月了！臍帶掉了！第一次一覺到天亮！我們的獅子座媽媽在前三年就詳盡更新寶寶日記；另一位我們知道的獅子座媽媽則忠實地在部落格上做紀錄。剪貼簿的藝術完全發揮到淋漓至盡，妳可能甚至還會有一間儲存手工藝品的房間，我們認識的一位獅子座媽媽就是如此。

妳出於本性接近孩子的慾望也是一種合理的行為。美國小兒科醫生哈維．爾普（Dr. Harvey Karp），其著作《讓小 baby 不哭不鬧的 5 大妙招》（The Happiest Baby on the Block）就提到在寶寶前三個月時家長要以「妊娠第四期」（fourth trimester）來對待之，用襁褓巾包裹、保持安靜等類似的方式模擬寶寶在子宮裡的狀態。這樣妳就有正當理由能盡情地將寶寶抱在懷中了。

當然，有可能妳會是家中負責養家糊口的人，希望妳能計畫好適當的育嬰假，或至少減緩妳拚命過頭的工作步調。獅子座喜歡自己有所貢獻的感覺，妳會找到千百種方式讓母親身分成為全職工作（關於這點，老實說社會上並不認同）。作為一位典型的女強人角色，妳可能不太想將事情外包給有具有同等能力的保母、爺爺奶奶或青少年姊姊等，特別是寶寶還這麼小時。

新生兒階段會是家中需要調整大部分生活型態的時候，這可能是妳第一次感受到明明已經做了所有嘗試，卻還是感到能力不足，此時妳需要做的是尋求協助。原先妳預期自己能控制所有的事（還能不費吹灰之力），之後才會猛然驚覺事情不妙。

幸運的是，在這階段還是有絕佳機會補救。獅子座媽媽索蕾爾・默恩・弗萊帶她第一個孩子回家時，她感覺到有點無法承受，覺得做什麼事情都不對勁。在她的著作《快樂的混亂》（Happy Chaos）裡，寫道關於打開嬰兒車的困難（雖然其他媽媽可能不費吹灰之力就打開），及離開家時，寶寶在她頭髮和衣服上吐得一塌糊塗。她短時間內找不到「真的」媽媽能請教，於是利用社群媒體詢問、吐苦水，與其他家長建立聯繫。很快地，一群由不完美家長所組成的群體誕生了。索蕾爾以她真實獅子座建立王國的方式，利用數百萬追蹤者的影響力，創造了一個寶寶品牌——小種子（Little Seed），目標百貨更任命她為第一位「媽媽大使」。嗯，這就是精力旺盛的獅子座媽媽命中註定發生的事。

掌控世界對妳來說天經地義，但和伴侶分享又是另一回事。「我會做」這句話變成妳的名言，這可能會在瘋狂的第一年期間使你們之間產生壓力。畢竟妳是如此能幹，可能認為把包尿布這類的任務交付給另一半不太方便。畢竟妳能在奶瓶加熱的途中順便做，為什麼要讓寶寶哭這麼久呢？但如果在不急的時候，請試著交棒給另一半吧！這樣妳能得到應得的休息，另一半也能趁此與寶寶建立連結。把愛分享出去吧，獨立小姐！這階段還要適應的是，喜歡成為焦點的獅子座所帶來的影響。當妳懷孕時，就像個明星，每個人都會對妳的肚子說些好聽的話，讚賞妳即將成為媽媽所散發的光芒。是的，妳在這三十八週精疲力竭，但是現在每個人的目光卻都轉移到剛出世的寶寶——我是什麼人，無名小卒嗎？妳不經會想起妳的光芒比以前退去許多。不是說妳有多羨慕孩子得到那一絲絲的關愛，妳只是不介意自己如果也能得到一些會有多好。

獅子座的超級巨星珍妮佛・羅培茲在《InStyle》雜誌中曾說：「（身為家長）會完全改變你對任何事情的

看法。你不再是最重要的那一位。比起自己，有另一個人你更關心。」這對於有點習慣把焦點放在自己身上的獅子座來說，轉換想法會有額外的收穫。

獅子座是重塑女王，身為媽媽的妳，可能會巧妙地將孩子打造成魅力十足的新身分，就去奪回鎂光燈的焦點吧，就像妳現在做的一樣，展現妳的迷你版巨作。獅子座媽媽凱西・李・吉福德（Kathie Lee Gifford）對觀眾熱情地分享她孩子科迪（Cody）和卡西迪（Cassidy）上脫口秀《里吉斯和凱茜・李現場》（Live！With Regis and Kathie lee）的事，激發她產生了混雜又愛又恨的強烈感覺；珍妮佛・羅培茲以她的雙胞胎孩子馬克斯（Max）和艾瑪（Emma）為模特兒，成功打入古馳的童裝系列；瑪丹娜的女兒羅德絲（Lourdes）則以知名的獅子座媽媽為靈感，發表了八〇年代風格的服裝品牌「拜金女孩」（Material Girl）。沒有人能像你們一樣以母子雙人組合創造出如此佳績，就讓這些成為家族裡的一大美談！

學步期（兩歲到五歲）

學習爬步的寶寶筋疲力盡，但對妳而言這將是母親身分裡的一大亮點。妳喜愛瞪大眼睛時的喜悅、歡為觀止的發現及不停歇的玩樂。獅子座，在這個又愛又累的階段中，妳和孩子有很多相似之處。妳一定會分享剛獲得的喜悅，就像妳渴望某個東西時，一定要「現在」立刻擁有，妳完全能理解這個階段寶寶即時的情緒反應。

伴隨妳善於表達的風格，獅子座媽媽很喜歡教導，對於不斷重複唸著字母和數數、用生動講故事的聲音唸書、玩換裝遊戲及扮鬼臉，這些妳完全不介意。學步期的孩子透過模仿學習，當他開始複製妳常說的片語、常做的肢體語言時，妳就像上癮般感到有趣。模仿是最高層次的奉承，獅子座媽媽絕對不會拒絕這樣的讚美！學步幼童最主要的注意點就是討好他的父母，妳將備感窩心，完全不在意孩子有多黏人或多暴躁。

「我喜愛那兩個搗蛋的調皮鬼。」獅子座媽媽史蒂芬妮說。「雖然他們還帶有寶寶的嬌嫩感，不過已經開始像大小孩一樣舉手投足和說話。他們擁有很棒的幽默感，但還不知道如何說謊和欺騙。他們會來找妳尋求保護和摟抱，即使是鬧脾氣也很可愛！」我們想，大概只有獅子座才會發現孩子崩潰時的魅力。其他星座的媽媽呢？可就不一定了。

談到紀律時，獅子座媽媽也有異於常人的創意，妳會發明一些聰明的想法維持孩子最好的行為。「為了要在吵鬧中吸引他們的注意，我開始使用西藏頌缽，發出聲音。」史蒂芬妮說，這個如銅鑼般的器皿，它會從邊框和邊緣發出振動的聲音。「這比起吼叫更令人感到平靜。」

嚴格來說，妳不是非常嚴厲的媽媽，以愛領導，對孩子誇張的動作處之泰然，只要孩子的安全無疑慮，妳就不會有太嚴厲的管教。此外，伴隨著足夠的管道與分配，讓他無止境的能量有地方釋放，許多學步寶寶根本不會因為無處發洩而哭鬧。妳理解那些微小、如同著名女歌手尖叫的瞬間，只是寶寶表現挫折的一種方式，此時利用新的焦點或遊戲轉移他的注意力，能幫助獅子座媽媽避免崩潰。獅子座擅長布置出一個溫暖且舒適的空間，甚至已經打造了很棒的玩耍區域，聚集各式各樣的活動，吸引寶寶的目光。

幸運的是，獅子座也是完美的計畫者。「總比其他人還領先一步！」獅子座媽媽賽西莉雅說道，她解釋她最愛的生存策略。「每個人都有時間，但如果提前計畫，事情會變得更容易。」

然而，獅子座傾向過度安排，會在每個醒著的時刻塞滿各種活動。無論任何時候，妳會從幼兒園、舞蹈教室再到公園——可能同時間還會開啟個人事業或多部門公司。只要妳是獅子座，這些都會是妳人生裡的其中一天。「我是個驚人的多工處理者。」獅子座珍妮絲說道。（嘿，謙虛不是妳的強項，即使多少有點被高估了。）「那麼有什麼其他方法能在家當全職媽媽處理三個小不點，又同時處理家務事呢？」

作為象徵社交的星座，喜歡待在人群中，和寶寶一同外出和上課會是認識其他媽媽的好機會，妳能透過分享經驗增進情誼，忠誠的獅子座也可能在孩子還小時，和其他媽媽成為一生的朋友。不過妳還是要記得給自己一些「獨處時間」，獅子座！妳不能答應參加每個戶外表演、遊行活動、游泳課和生日派對，特別是妳的感情生活也需要一些關心和滋養，替自己和孩子安排過多的行程，會減少與另一半相處的時間。

另外，要記住比起當個女強人，和小孩度過有品質的時間更重要。即使妳想讓每個活動都變成指標性的瞬間，但也沒必要凡事都像做ＤＩＹ般完美。請問妳的三歲孩子會知道手工縫製的萬聖節服裝和店裡買的有什麼差別嗎？不會。還有四歲小孩會需要以馬戲團為主題的生日派對，加上真實的動物及專業的小丑嗎？我想妳知道我要表達什麼。

所幸在妳心中更多理性的面向會開始產生作用。經過一兩次奢侈的派對後，可能會開始把資金存下來，用在「自己」浮誇的生日派對上（或作為孩子的大學基金）。獅子座的珍妮佛・羅培茲為了她雙胞胎第三年的生日，舉辦了卡通主題的派對，派對上只有貴賓能參加，另外還放有棉花糖機，並在大型帳篷下放了充氣彈跳屋。然而等她的「小椰子」（她這樣稱呼）五歲時，她為了他們將來的學校，僅用了餅乾和糖霜杯子蛋糕慶祝。即使她精湛廚藝只是輕描淡寫地記錄在社群媒體上，這也足以讓其他典型的媽媽相形失色，現在有任何一位媽媽能在她擔任選秀節目主持人、經營服裝和香水事業、演戲、錄製專輯和跳舞時，證明這些蛋糕其實是從店裡買來的嗎？（我們開玩笑的啦——即使無法跟上她的腳步，我們的派對也會向她致敬。）

妳對孩子的出發點是好的，不過好的東西太多會變得過猶不及。除非妳計畫加入孩子的午睡時間，學習放慢步調。養育孩子不是競賽，妳沒必要為妳的表現打成績。學步階段需要許多生活步調的轉換，即使是最厲害的多工處理者也一樣。妳為自己積極態度熱烈歡呼，但試圖刻意逃避衝突的情緒，其實是一種錯誤的加油方式。即使妳有時懷念起過往的人生和自由，或是放任自己崩潰一下，稍微陷入低潮時刻，再得到別人的支持，這些情況都是被允許的。獅子座雖然是由熾熱的太陽掌管，但請記住，人生過程裡有一些狂風暴雨也是在所難免。

童年早期（六歲到十一歲）

獅子座鬆開妳的管教吧！妳的小不點正準備進入世界，創造出比起你們的小部落還更寬廣的生活範圍。孩子會去上學、享受夏令營或待在朋友家過夜，這些可能都會讓妳感覺到鳥兒離巢的空虛感。無論妳喜歡與否，孩子正在塑造獨立的個體，妳需要從忠誠的陪伴者轉換為激勵者／接送司機／組織者的角色。

孩子個體化的過程並不容易，在這階段他還是會想討好父母，不過即使少了些擁抱的舉動，交互作用的能量對妳來說還是很有趣且令人興奮。妳會經歷許多派對、過夜和假期，妳的內在導航也會覺得樂不可支，也會熱愛在所有分享的時刻裡創造回憶。

「我喜歡和孩子解釋地球如何運行，回答他們的疑問。」獅子座媽媽史蒂芬妮滔滔不絕地說。「了解每件事有多新奇和令人興奮，對他們來說是很棒的體驗。我喜歡去運動場，在那裡我也會和他們一起攀爬、盪鞦韆。我們享受料理，我只要相信他們，他們會產生出許多火花，看著他們會如何完成。基本上，我喜歡跟著他們一起成長、學習和進步。」

在這階段，妳會稍微收斂誇耀自己的孩子，雖然其他人的孩子很棒，但妳知道自己的孩子真的非常特別，妳樂於與世界分享他的才華。妳家的樓梯間和門廊會像名人堂，擺滿家人的合照、獎盃、藝術作品和獎狀，為什麼要放棄能充分展現讓妳感到驕傲和滿意的機會呢？所以，驕傲的女獅子，去吧！讚賞妳自己的布置空間。

學校團體也是能大量留下女獅子足跡的地方。妳對畫好領地不會有任何猶豫空間——登記加入家長會或資金募集委員，擔任六年級露營時的監管人或為學校安妮動畫獎（Annie）的製作縫製百老匯戲服。這些對於容易有點冷淡（驕傲和高高在上的女獅子）的獅子座來說，擔任學校活動的領導人會是不錯的破冰機會。一旦妳開始主導餅乾義賣或冬季衣服義賣活動時，依照妳極高的活動標準，妳家立刻會跟那些崇高的高貴禮堂般毫無差別。（我們可以說妳是「老闆娘」嗎？）

根據獅子座媽媽驕傲和愛現的性格，保證妳會承擔過多的工作。在某一天，妳可能會辦一場盛大的過夜生日派對、做妳的全職工作及為整個學校製作杯子蛋糕。（是的，妳真的「需要」租借一間專業廚房，為八百個人做手工軟糖裝飾，這有什麼大不了的嗎？）

我的朋友迪娜．曼佐（Dina Manzo）是美國電視節目《新澤西貴婦的真實生活》（Bravo Real Housewives of New Jersey）其中一名演員成員，她是家中十一個小孩裡最年輕的，而她的獅子座母親運用獅子座聰明、足智多謀的特性料理家務。迪娜分享了她母親用熨斗做香烤起司三明治的有趣故事。「因為家裡人太多了，她就在熨斗台上排好吐司和起司，蓋上鋁箔紙，用熨斗加熱融化起司。」迪娜笑著說。「我們從來沒在店裡買任何東西。我們自己用麵粉和水揉捏麵糰，去森林裡搜集木枝製作木製品。這些事教導我，與其懶惰，更應該發揮創意。」

就像獨樹一格的獅子座，迪娜的媽媽也有間很大的工藝品房間，她甚至會依照季節改變房內裝飾，從枕頭到沙發罩單，再到天花板的吊燈。「她會做一些大型的花藝設計，告訴我她在『建造一個故事』。」迪娜回憶。「那時候，我覺得她很瘋狂。但現在我身為一位設計師和活動企劃者，我發現我會告訴我的團隊要『建造一個故事』。」這就是獅子座媽媽想留給孩子的財產！

妳會為孩子設立過高標準嗎？是的，妳會，特別是比起高成就的巨星孩子，妳更容易在安於「普通」或「平凡」的孩子身上設立標準，但其實妳只是不喜歡半途而廢。當妳跟懶惰的孩子說「你可以做得更好」時，妳是真心這麼認為。

妳也會以身作則，對使命召喚盡忠職守。我們年幼時期朋友的媽媽是獅子座，她會每週特別去一間便宜的水果攤，在一箱箱損害的商品中翻找還能食用的水果，接著會花整個下午的時間削去受傷的部分，將這些處理好的水果做成一大桶水果沙拉，這樣就能吃上一個禮拜。在女童子軍夏令營結束後，她會在停車場擺滿新鮮貝果、奶油起司和柳橙汁招待這些全身沾滿汙泥的孩子，其他家長通常只是兩手空空地出現，準備將身上充滿營火味道的孩子丟到車上、將髒兮兮的圓筒旅行包放到旅行車、叫孩子換掉衣服。不是說獅子座媽媽對自己的努力不以為然，而是這些對她而言，都只是一個身為媽媽會做的事……如果她是獅子座的話。

獅子座媽媽同時擁有節儉和鋪張的特質，妳會在特賣會上找尋家人最喜歡的東西，但在大多情況下，妳對於特賣的喜愛，比起真的省更多錢，不如說是出自於對「狩獵」快感的興奮，畢竟在其他方面妳可能連眼睛都不眨一下就揮金如土。當妳競爭的一面顯現出來時，也會喜歡炫耀在特賣會上的戰績。隨著妳對鋪張生活的喜愛，也傾向在某些地方砸下重金，以平衡其他方面的節省。

妳的競爭優勢通常也會傳承給下一代。也許妳也在督促孩子要不平凡，但那又如何呢？妳知道孩子現在容易受到影響，妳的任務是教導他標準的普世價值。不過真正讓妳火大的，其實是妳為孩子買了好東西，但他卻不懂得感激——互相尊重，不可或缺！獅子座瑪丹娜的女兒羅德絲九歲時，把她的髒衣服留在地板上以示威脅。「我們收走她所有衣服，放進袋子裡，她必須開始整理，我才會將衣服還給她。」瑪丹娜告訴一位記者。「她每天去學校都穿一樣的衣服，直到學會教訓為止。」

另一個優勢是保留孩子的純真性格。妳不喜歡孩子成長太快，錯過了孩童時期的各種驚喜。然而，越是保護他，可能會比起大部分提早讓他面對其他課題。獅子座對於性觀念及下一代如何產生的課題，不會有所隱藏（像是「陰道獨白」（vagina monologues）這類的語言在妳家可能很早就會出現）。感謝我們的獅子座媽媽，在上幼稚園前就讓我們知道每個生殖器官正確的解剖名稱，也知道寶寶如何產生，獅子座也很開心將這些資訊傳承給其他孩子。假如孩子在家裡說出「陰莖」，而不是像一般小孩說「小雞雞」時，其他家長難道不會感到緊張嗎？或是歐菲拉（本書作者）告訴她二年級的孩子根本就沒有聖誕老人呢？喔，可能不會。但獅子座媽媽認為誠實為上，得讓孩子知道所有他該知道的事。

當妳知道孩子正在成長，可能也會出現讓妳泛淚的瞬間。不過一旦習慣了，妳就能重獲獨立自主的福利。獅子座喜歡不斷忙碌，很快地，妳會發現可以用各種方式填滿自己的時間。妳也會很高興及時為孩子在成為青少年前所做的準備，因為這階段將會有完全不一樣的規則需要制定。

青少年期（十二歲到十八歲）

歡迎（回到）來到叢林，獅子座。當然，妳的星座代表荒野中的女王，不過即使是母獅子媽媽可能也無法安然度過這階段。

在青少年孩子離開、走入與妳不同的道路時，此時會產生最大的挑戰。妳已經為小獅子打理好後續所有事宜，但當他並不想遵循妳的教導和傳統時，妳非常有可能會很介意。畢竟妳已經在養育時投入如此心血，讓他盡可能接受最好的體驗和機會，比起妳準備好的一切，他仍堅持走更艱難的道路（之前彼此間的親密和喜愛都不知道飛去哪了嗎？）

當然不是說妳在壓抑孩子的獨立自主性。事實上，妳很喜歡孩子有創意、表達自我。高中時，獅子座媽媽讓我們穿上救世軍（Salvation Army）的復古衣服，讓我們把車子繪成六〇年代風格的藝術品。我們開著這輛「迷幻大車」（我們為畫得一團糟的老爺車取的名字）在城裡四處兜風，她從來沒任何意見。

當我們蹺掉週日的主日學校時，又是另當別論了。因為我們的母親非常投入宗教裡，她甚至在大學課程結束後，完成她一輩子的願望——成為拉比。獅子座媽媽有一些不能踰矩的界線，當孩子看起來在攻擊妳的要害、拒絕所有妳覺得神聖的事情時，妳可能會變得非常震驚。（跟我們一起重複：這是一個測試、這只是一個測試。）很自然地，妳會將這一切看得太重，感覺這是對妳和所有妳珍惜的一切表達拒絕的態度。

甚至在寵愛孩子這一點上，妳可能也會有傳統的一面，妳覺得給予孩子真實生活經驗很有用。如果有需要，妳會展現奇蹟，確保孩子擁有它們。我們的獅子座朋友珍妮佛是位單親媽媽，她長時間投入在工作上，就是為了能讓女兒上紐約藝術高中裡價格不菲的聲樂課程及菁英表演課。此外，珍妮佛為了保護女兒，不受城市生活不好的影響，帶她到聖多娜（Sedona）的冥想中心，認識稱作「十三位土著祖母」（13 Indigenous Grandmothers）的美國原住民長者（她們問珍妮佛和孩子關於水晶骷髏和馬雅文化結束的日子）。這對於可能懷有想進娛樂界幻想的獅子座媽媽來說，不會有所抵觸，因為妳不介意擁有一個站在舞台上的孩子，甚至成為星媽。

獅子座媽媽也是位開拓者，雖然孩子現在可能不會感激妳，但有一天會的。我們的朋友妮可，一位五十歲時因丈夫突發心臟病而失去另一半的獅子座媽媽，她決定賣掉資產，買台旅行房車，帶著三個青少年兒子橫越美國，並自行教育他們，為了尋找心中想落腳的地方。「嘿，我剛拿到教育系的碩士學位。」妮可平淡地說道。「我猜這我將來一定用得到。」

面對厄運時的機智與力量，讓妳成為孩子安全的停靠港。即使孩子想推開妳、跟妳頂嘴，但他仍知道在緊要關頭時妳都會在那。儘管妳有時有點戲劇性，不過在危急發生時仍會站穩腳步——特別是孩子不會僅發生一次危急狀況。當他遇到分手、霸凌或其他青少年會遇到的磨難時，妳已經為他儲存好鋼鐵般的力量，妳會提醒孩子重視自己並予以回擊！妳是孩子驚人的靠山，能與他感同身受。另外，妳可能會被看成是孩子的姊姊，畢竟妳的外觀、穿著和舉止都洋溢著青春氣息。只是要確保妳不會最後讓他變得為所欲為或跟妳起爭執，要知道何時需要退一步思考，讓孩子自己更清楚地掌握事情。

在這階段，妳可能會督促孩子參加戶外活動，妳相信這能讓他避免一些麻煩。然而，不是每個小孩都能跟上妳快速的腳步。青少年在發展上確實需要更多的睡眠，所以，妳雖然不想養出懶鬼，但還是需要稍微放鬆。他們不需要全年無休疲於忙碌，即使是妳也一樣。

記住！獅子座，不要以為妳在學校表現得亮眼，就代表妳的女兒也想在高中裡當領袖；如果兒子是游泳隊的明星，但沒有野心成為下一位麥可．菲爾普斯（Michael Phelps），也不代表他缺乏學習動力。隨時檢查自己是否有變成繼母的心態，或具有幻想獲得奧林匹克獎牌的傾向，問問自己，我真的是為他好？還是只讓自己看起來像個好媽媽？最後，不要藉由孩子的罪惡感而試著想延長孩子的童年（和妳自己的）。此外，將獅子座的夢想拼盤和堅決的決心傳給孩子並非很糟的事，妳絕對有可能會創造奇蹟，只是不要把青年時期的妳當作孩子的對照組；孩子可能和妳完全不一樣，而且比以往來得更不一樣。如果妳青少年時是個狂野的人（許多獅子座會分享他們的探索事蹟），妳可能會害怕孩子變得和妳以前一樣，成為違逆且魯莽的人。妳可能會記得妳永無止境的好奇及對所有事物直接的體驗，像是從危險之中僥倖逃脫的經驗；或是如果妳以前是屬於「好女孩」的類型，當妳回想起曾經那些愛製造麻煩的同儕走過的顛簸道路，就會努力確保孩子不要重蹈覆轍。結果就是，妳可能變得格外嚴格，這對孩子來說並不公平。

妳要記住孩子現在是獨立個體，身為家長的任務，是引領孩子安全踏上成為大人的道路，這表示妳雖然提供指導，但不要制定所有的事。在一個特定的時機點時，妳必須放手，相信孩子會從他自身的經驗學習。妳可能也需要從現在開始一點一點地練習，想想妳有多珍惜自己的獨立性，將這些自力更生的技巧傳授給下一代吧，獅子座媽媽。

掰掰，小鳥離巢（十八歲以上）

告訴我不是這樣！妳的寶貝正在踏入又大又危險的世界中，母獅強大的保護欲又在蠢蠢欲動。結果是，在孩子離開後，妳卻得靠那些手工卡片、嬰兒相本，以及滿屋子一波一波如浪般席捲而來的感傷回憶支撐著妳。甚至孩子已經不在餐桌上了，妳還是煮著他最喜歡的餐點。

妳不是那種將孩子送到大學後，就馬上把他房間變成工作室的人（雖然可能會透過器材或計畫分解他的衣櫥），這種鳥兒離巢的失落感，對獅子座媽媽來說，一開始很難排解。一位接近更年期的獅子座媽媽在年長孩子搬出去時，甚至開始說起想生寶寶。見鬼了，如果妳能將小孩塞回子宮，也許妳會再做一次。

同時，妳可能為了維繫情感，開始寄卡片、電子信件、補給包以及禮物等，但滿懷的母愛與試圖使孩子忍無可忍之間，只有一線之隔。我們問了一位成年人，當他離開時，他的獅子座媽媽反應為何，他的回答很直白：「幾乎無法承受，完全不讓我走。」

為了避免妳出於善意寄出的禮物，以及感覺像是情緒勒索的舉動，妳要確保回到自身的生活上，好在這不會太困難，畢竟妳可能有數不盡的興趣和投入。妳大可回到校園，不過這得是為了向孩子證明與交換意見為出發點才做這件事。既然妳是名養育者，等到孫子到來前，先認養寵物和找個對象寵愛。獅子座媽媽渴望被需要的感覺，所以履行妳的公民責任，與長者一起擔任義工、或經營辦公室，市長媽媽這個頭銜聽起來好像也不錯……。

讓孩子回到家中感覺像在約會般雀躍，要讓他感到有趣的方式，就是讓自己隨時保持有趣。換句話說，妳要擁有一段沒有他參與的人生。很有可能妳會維持像妳遙遠黃金時期般的生活一樣，充滿活力、多采多姿及獨立自主。寫到這裡，迪娜．曼佐的媽媽奈蒂（Nettie）有個活躍的推特帳戶，上傳一些向親人隔空喊話的有趣文字，和她數千名的追蹤者閒聊互動。我們的榮譽奶奶獅子座漢娜（Hannah），試圖藉由閱讀政治人物傳記和參加活動，維持她黃金時代時的巔峰。她時髦、幽默，甚至有點淘氣。有天，她將她用各種顏色網線做成的菜瓜布拿出來。「它將你的碗盤洗得很乾淨，妳可以放到浴盆裡增加情趣。」她俏皮地說。只有獅子座會這樣！

在她去世前一天，漢娜躺在醫院病床上打給歐菲娜，提點每個家人成員，個別向每一位致上關心與問候。這就是獅子座媽媽善良的舉動，對每個她認識的人都既溫暖又盡心。

家是心之所向，打賭妳的家會變成渡假中心，當家人回來時，能在那裡展現計畫派對的天賦。很快地孫子到來，妳又有機會再次重回撫養孩子的時期。有個人可以寵愛——夢想實現！不過妳得停止出於善意的問候（有準備懷孕了嗎？）。幸運的話，有天妳會有機會穿上「ASK ME ABOUT MY GRANDCHILDREN」（問我關於孫子的事）的運動衫。只是要記住，妳必須依照他的時間表，而不是妳自己的！

媽媽的占星教養手冊——上

出　　版／楓樹林出版事業有限公司
地　　址／新北市板橋區信義路163巷3號10樓
郵政劃撥／19907596 楓書坊文化出版社
網　　址／www.maplebook.com.tw
電　　話／02-2957-6096
傳　　真／02-2957-6435
作　　者／歐菲拉・艾達特
　　　　　塔麗・艾達特
譯　　者／邱鈺萱
企劃編輯／陳依萱
校　　對／楊心怡、周佳薇
港澳經銷／泛華發行代理有限公司
定　　價／420元
出版日期／2022年2月

國家圖書館出版品預行編目資料

媽媽的占星教養手冊 / 歐菲拉・艾達特, 塔麗・艾達特作 ; 邱鈺萱翻譯. -- 初版. -- 新北市 : 楓樹林出版事業有限公司, 2022.02　面； 公分

ISBN 978-986-5572-88-4（平裝）

1. 占星術 2. 親職教育 3. 育兒

292.22　　110020914